DIE ZEIT

Das Junior-Lexikon

IN SECHS BÄNDEN

6 Spa - Z

Herausgegeben von
Zeitverlag Gerd Bucerius GmbH & Co. KG, Hamburg
und Wissen Media Verlag GmbH, Gütersloh

Herausgeberin und Redaktionsleiterin ZEIT:
Dr. Susanne Gaschke
Redaktionsleiterin Wissen Media Verlag:
Dr. Beate Varnhorn

Projektleiterin Wissen Media Verlag: Katja Baier

Redaktion ZEIT: Christian Staas
Redaktion Wissen Media Verlag:
Christian Adams, Petra Bischof, Anke Braun, Antonia Hansmeier, Dr. Manfred Hoffmeister, Dr. Ulrike Hönsch, Christina Langner, Tanja Loos, Heike Linnemannstöns, Hans-Georg Michel, Ursula Rzepka, Peter Wassen-Lamberty

Layout und Einbandgestaltung: Kay Lübke
Datenaufbereitung und Satz:
Dirk Bischoff, Jo. Pelle Küker-Bünermann
Karten- und Grafikredaktion: Dr. Matthias Herkt
Bildredaktion: Ursula Franz, Anka Hartenstein, Sonja Rudowicz, Svenja Schumann, Thekla Sielemann
Herstellung: Joachim Weintz

Druck und Bindung:
MOHN Media Mohndruck GmbH, Gütersloh
Printed in Germany

DIE ZEIT

ISBN Gesamtwerk: 978-3-577-07640-1
ISBN Band 1: 978-3-577-07646-3

Vorwort

Eine ganze Weile war es Mode, darüber zu klagen, wie schnell unser Wissen angeblich »veraltet«. Damit war gemeint, dass sich die Welt so schnell verändert, dass die Menschen kaum noch alles mitbekommen, wahrnehmen und begreifen können, was um sie herum geschieht. Ein bisschen klang dieses Gerede vom veraltenden Wissen auch immer so, als müsse man sich gar nicht mehr bemühen, irgendetwas genau zu wissen – es konnte sich ja morgen schon geändert haben. Wenn es tatsächlich so wäre, dann wären das schlechte Zeiten für Lexika, für Bücher, die davon leben, dass ihr Inhalt sich viele Jahre hält.

Wir ahnen jedoch aus unseren Alltagserfahrungen, dass es sich so nicht verhält: Es gibt massenhaft Dinge, die im Großen und Ganzen so bleiben, wie sie sind, und über die man durchaus genau Bescheid wissen kann. Manchmal sogar muss. Und nicht immer »veraltet« eine bestehende Erkenntnis, wenn eine Neue hinzukommt. Meist wird es dann einfach noch mehr, was man wissen sollte.

Richtig ist allerdings, dass es schwer sein kann zu entscheiden, welche Informationen wichtig und richtig sind: Von allen Seiten senden, funken, blinken Medien – Zeitungen, Fernsehsender, Rundfunk, das Internet – uns interessante Dinge entgegen. Was können wir in unserer begrenzten Zeit lesen und verstehen? Was stimmt, was stimmt nicht?

Ein Lexikon ist in Zeiten der Informationsüberflutung eine große Hilfe. Nicht, weil es alles Wissen der Welt enthielte – das kann selbst das beste Nachschlagewerk nicht. Aber es kann etwas anderes: Es kann Informationen, die viele Menschen gut gebrauchen können, prüfen, sortieren und – begrenzen. Und so wird das alte, als »langsam« beschimpfte Medium Buch plötzlich zur Abkürzung: Bevor ich mich durch endlose, ungeordnete und vielleicht sogar widersprüchliche Datenmengen wühle, sagt mir das Lexikon schnell das Wichtigste über Abgeordnete, Belichtungsmesser oder Chromosomen, über Wildkatzen, Yin und Yang oder auch die Zehn Gebote. Und natürlich zu vielen anderen Themen. Herausgeber und Redaktion stehen dafür gerade, dass die Informationen stimmen und dass man sie verwenden kann – für den Vortrag ebenso wie für eine Hausaufgabe. Wir haben den »normalen« Inhalt eines Nachschlagewerks – 10 000 Stichworte, erklärt und bebildert – um 60 Beiträge von ZEIT-Autoren ergänzt, die noch mehr bieten: Sie machen Zusammenhänge sichtbar, sie beantworten Fragen, die über die nackten Tatsachen hinausgehen. Wie kommt das Fischstäbchen auf meinen Teller? Warum hat Deutschland keinen König? Wann fingen die Menschen an, Musik immer und überall hören zu wollen? Was geschieht eigentlich in einem Computer?

Die Redaktion hofft, dass diese Beiträge interessant und vergnüglich zu lesen sind – und dass sie das leisten, was die ZEIT auch als Zeitung für Erwachsene tun möchte: Orientierung geben. Hintergründe ausleuchten. Erklären, wie es sich wirklich verhält. Solche Texte für junge Leser zu schreiben, war für die Autoren eine Herausforderung: Es ist nämlich sehr viel schwerer, Auskunft zu geben, wenn man sich nicht auf das herausreden kann, was der Leser vermeintlich sowieso schon weiß. Aber es hat uns großen Spaß gemacht. Und den wünschen wir allen Lesern unseres ZEIT Junior-Lexikons, auch und gerade denen, die älter als 14 Jahre sind.

Susanne Gaschke
Herausgeberin ZEIT Junior-Lexikon

Wie benutzt man dieses Lexikon?

Stichwort

Die Stichwörter sind fett gedruckt und alphabetisch geordnet. Die Umlaute ä, ö, ü werden behandelt wie die Buchstaben a, o, u (z. B. folgt Flöte auf Flossen); ß wird wie ss eingeordnet. Buchstaben mit Akzenten (z.B. á, é, í) werden wie solche ohne Akzente behandelt.

Manchmal sind für ein und dasselbe Stichwort unterschiedliche Schreibweisen möglich. Wir haben für dieses Lexikon die Form gewählt, die am gebräuchlichsten ist. Andere Schreibweisen, wie auch Synonyme, stehen in schräger Schrift hinter dem Hauptstichwort (z. B. **Coffein** [das], *Koffein* ...). In Zweifelsfällen wird das Auffinden eines Stichworts durch Verweise erleichtert. Findet man ein Stichwort unter C nicht, könnte es z. B. auch unter K oder Z zu finden sein oder umgekehrt (z. B. **Koffein** → Coffein). Das Gleiche gilt für V und W, F und Ph (z. B. **Photographie** → Fotografie), J und Y (z. B. **Joga** → Yoga). Bei gleich lautenden Stichwörtern mit verschiedenen Bedeutungen werden die Erläuterungen aneinander gereiht und mit Ziffern versehen: **1.** ... **2.** ...

Besonders wichtige Begriffe und interessante Themen werden in deutlich hervorgehobenen Übersichtsartikeln und in ZEIT-Beiträgen behandelt.

Angaben zum Stichwort

Hinter dem Stichwort stehen in eckigen Klammern [ ] folgende Angaben:

1. die Aussprache, falls diese von der deutschen Schreibweise abweicht;
2. bei Hauptwörtern das grammatikalische Geschlecht (der, die, das). Ist ein Begriff im Plural gebräuchlicher, steht Pl. in der eckigen Klammer;
3. die sprachliche Herkunft bei Lehn- und Fremdwörtern. Sie ist nur dann angegeben, wenn sie zur Erläuterung des Begriffs beiträgt, und steht in abgekürzter Form in der eckigen Klammer:

arab.	= arabisch
chin.	= chinesisch
engl.	= englisch
franz.	= französisch
griech.	= griechisch
hebr.	= hebräisch
ital.	= italienisch
lat.	= lateinisch
niederländ.	= niederländisch
österreich.	= österreichisch
russ.	= russisch
schweiz.	= schweizerisch
span.	= spanisch

Zeichen

*	geboren
†	gestorben
→	Verweis
%	Prozent
®	registered

Lautschrift

Für die Lautschrift werden – zusätzlich zu den bekannten deutschen Buchstaben – folgende Zeichen der internationalen Lautschrift verwendet:

Vokale und Diphthonge (Doppelvokale)

ː	der vorausgegangene Vokal wird lang gesprochen
'	Betonung der nachfolgenden Silbe
a	kurzes a (wie in *kann*)
aː	langes a (wie in *Magen*)
æ	sehr offenes kurzes ä (wie in engl. *match*)
ʌ	kurzes dumpfes a (wie in *Butler*)
ã	nasaliertes a (wie in *Montblanc* [ː mɔ̃ːblã])
ai	Diphthong (wie in *Mai, Brei*)
au	Diphthong (wie in *Baum*)
e	halb langes geschlossenes e (wie in *gebt*)
eː	langes geschlossenes e (wie in *Beere*)
ə	kurzes dumpfes e (wie in *Masse, Linie*)
əː	langes dumpfes e (wie in *Churchill* [ː tʃəːtʃil])
ɛ	kurzes offenes e (wie in *Fest, Gänse*)
ɛː	langes offenes e (wie in *ordinär*)
ɛi	Diphthong (wie in *Rio de Janeiro* ['riu di ʒa' nɛiru])
ɛ̃	nasaliertes e (wie in franz. *jardin* [ʒar'dɛ̃])
i	kurzes i (wie in *bin, sind*)
iː	langes i (wie in *Bibel, Lied*)
ɔ	kurzes offenes o (wie in *Ross*)
ɔː	langes offenes o (wie in engl. *Wallstreet* ['wɔːlstriːt])
ɔ̃	nasaliertes o (wie in *Montblanc* ['mɔ̃'blã])
ɔi	Diphthong (wie in *heute*)
ɔu	Diphthong (wie in engl. *Bowling* ['bɔuliŋ])
o	halb langes geschlossenes o (wie in *Obst*)
oː	langes geschlossenes o (wie in *Moos*)
œ	kurzes offenes ö (wie in *Köln*)
ø	halb langes geschlossenes ö (wie in *Fischöl*)
øː	langes geschlossenes ö (wie in *nervös*)
œ̃	nasaliertes ö (wie in franz. *Verdun* [vɛr'dœ̃])
u	kurzes u (wie in *kurz*)
uː	langes u (wie in *Gruß*)
y	kurzes ü (wie in *schützen*; franz. *Tartuffe* [tar'tyf])
y'	langes ü (wie in *führen, lyrisch*)

Konsonanten

ç	ch (wie in *ich*)
x	ch (wie in *machen*; span. *Junta* ['xunta])
ŋ	ng (wie in *Klang, Bank*)
s	stimmloses s (wie in *essen, weiß*)
z	stimmhaftes s (wie in *Saal, Waise*)
ʃ	stimmloser sch-Laut (wie in *schaffen*; engl. *Shakespeare* ['ʃɛikspiə])
ʒ	stimmhafter sch-Laut (wie in *Journal* [ʒur'naːl], *Etage* [e'taːʒə])
θ	stimmloser Lispellaut (wie in engl. *Commonwealth* ['kɔmənwɛlθ])
ð	stimmhafter Lispellaut (wie in engl. *father* ['faːðə])

Abkürzungsverzeichnis

bzw.	beziehungsweise
ca.	circa
cm	Zentimeter
Jh.	Jahrhundert
kg	Kilogramm
km	Kilometer
m	Meter
Mio.	Millionen
Mrd.	Milliarden
n. Chr.	nach Christus
nm	Nanometer
Pl.	Plural
Sg.	Singular
St.	Sankt, Saint
t	Tonne
u. a.	unter anderem; und andere(s)
u. Ä.	und Ähnliches
u. a. m.	und anderes mehr
ü. M.	über dem Meeresspiegel
usw.	und so weiter
v. a.	vor allem
v. Chr.	vor Christus
z. B.	zum Beispiel
z. T.	zum Teil

ZEIT-Beiträge

Band 1: A – Detail

Band 2: Deutsche Demokratische Republik – Hamster

Band 3: Handball – Leiter

Band 4: Lektoren – Parzival

Band 5: Pascal – Soziologie

Band 6: Spacelab – Z

S
(Fortsetzung)

Spacelab ['spɛislæb, das, engl.], Bezeichnung für »Raumlabor«, ein wiederverwendbares Weltraumlaboratorium, das 1983 erstmals mit einem *Raumtransporter (Spaceshuttle)* in eine Erdumlaufbahn gebracht wurde. Bis zu vier Astronauten beziehungsweise Wissenschaftler konnten hier bis 1998 in insgesamt 32 Missionen zahlreiche Experimente durchführen. Seit 2000 dient das Spacelab den Wissenschaftlern als Trainingsraum für ihre Experimente im All.

Spam-Mail ['spæm meil], E-Mail, die zu Werbezwecken massenhaft an beliebige Empfänger verschickt wird.

Spanien: Die Kathedrale von Burgos in Kastilien beherbergt die Grabstätte des spanischen Nationalhelden El Cid.

Ländersteckbrief
Spanien

Fläche:	504 790 km²
Einwohner:	43,4 Millionen = 86 je km²
Hauptstadt:	Madrid
Religion:	römisch-katholische Kirche
Amtssprache:	Spanisch, Katalanisch, Baskisch, Galizisch
Währung:	1 Euro = 100 Cent

Spanien, Staat in Südwesteuropa.

Landesnatur: Das durch die *Pyrenäen* vom übrigen Europa getrennte Spanien ist überwiegend ein Gebirgsland. Die beiden Kernlandschaften sind *Alt-* und *Neukastilien*, deren Tafelhochländer der 650–1000 m hohen Meseta (→ Pyrenäenhalbinsel) angehören. Im Nordwesten und Norden schließen sich die randlosen Gebirgslandschaften von *Galicien*, *Asturien* und des *Baskenlands* an. *Aragonien* umfasst den größten Teil des Ebrobeckens, während Katalonien den äußersten Nordosten des Landes einnimmt. *Valencia* und *Murcia* sind die Küstenlandschaften am Mittelmeer. Im Südwesten folgt *Andalusien*, das sowohl die Guadalquivir-Senke umschließt als auch von der Betischen Kordillere (im *Mulhacén* 3478 m) durchzogen wird. *Estremadura* und *León* als Landschaften des inneren Hochlands schließen Spanien gegen Portugal ab. Das Klima ist kontinental, mit Ausnahme des feuchten Nordens und Nordwestens, und zeigt einen sommertrockenen mediterranen Charakter und Winterkälte im Hochland; die Meseta hat eine z. T. vom Menschen verursachte Steppenvegetation.

Bevölkerung: Die Spanier sprechen zu 74% kastilische (spanische) Mundarten, 18% sprechen Katalanisch, 6% das Gallego und 2% Baskisch. Staatssprache ist Spanisch. Der römisch-katholische Glauben ist die vorherrschende Religion. Gut 2% sind Ausländer (v. a. Marokkaner).

Wirtschaft: In der Landwirtschaft überwiegt der Weizen-, Mais-, Zuckerrüben- und Gemüseanbau. In den Bewässerungsgebieten werden v. a. Exportprodukte (Südfrüchte, Wein, Mandeln, Tabak, Baumwolle) erzeugt. Bedeutend ist die Fischerei (Schellfische, Sardinen, Thunfische). – Spanien besitzt als wichtige Bodenschätze Steinkohle, Eisenerz, Erdöl, Schwefelkies, Kupfer-, Blei-, Zinkerz, Steinsalz und Quecksilber. – Die wichtigsten Industriezweige sind Nahrungsmittel-, Textil-, Metall-, Maschinen-, Bau-, Papier- und chemische Industrie. Der Tourismus ist auf den Inseln (Balearen, Kanarischen Inseln) und an den Küsten die wichtigste Erwerbsgrundlage. – Das Verkehrsnetz ist auf Madrid ausgerichtet. Wichtigste Seehäfen sind Barcelona, Bilbao, Valencia und Málaga.

Geschichte: Unter heftigen Kämpfen drangen seit 600 v. Chr. *Kelten* ein, die sich mit den *Iberern* mischten *(Keltiberer)*. 19 v. Chr. war ganz Spanien im Besitz der Römer. *Eurich* († 484), König der Westgoten, vertrieb die Römer. Die Araber zerstörten 711 das Westgotenreich. Unter der *Omajjadenherrschaft* (756–1031) erlebte das Land eine wirtschaftliche und kulturelle

Spanien: In Sevilla findet jeden Frühling ein großes Folklore-Fest statt.

Blüte. Die sich in Nordspanien bildenden christlichen Herrschaften breiteten sich mit zunehmender Schwäche der Araber nach Süden aus. Die Rückeroberung *(Reconquista)* wurde 1492 mit der Eroberung Granadas vollendet.

Die Ehe zwischen *Ferdinand II. von Aragón* und *Isabella I. von Kastilien* 1469 begründete 1479 den spanischen Nationalstaat. Durch die kolonialen Eroberungen in Amerika wurde Spanien zur unbestrittenen See- und Weltmacht. Unter *Philipp II.* (1556–1598) konnte sich Frankreich wieder erheben, und die Seeherrschaft ging an England verloren (Untergang der Armada). In diesen Auseinandersetzungen übernahm Spanien zugleich die Hauptrolle im Kampf gegen den Protestantismus. 1572 begann der Freiheitskampf des protestantischen Teils der Niederlande. Es gelang Philipp 1580, Portugal zu erobern, das aber schon unter *Philipp IV.* (1621–1665) wieder verlorenging. Im *Spanischen Erbfolgekrieg* konnte Frankreich die Thronfolge der *Bourbonen* auf dem spanischen Thron durchsetzen (*Philipp V.*, † 1746). Gibraltar blieb (seit 1704) in englischer Hand, der größte Teil der spanischen Nebenländer (Niederlande, in Italien) ging verloren.

Napoleon I. ließ 1807 Spanien besetzen; *Joseph Bonaparte* wurde spanischer König. Das Volk errang im Guerillakrieg (1808–1814) seine Freiheit zurück, es gab sich eine liberale Verfassung. *Ferdinand VII.* (1813–1833) führte den Absolutismus wieder ein; er verlor die lateinamerikanischen Kolonien. Danach wurde Spanien von den *Karlistenkriegen* zerrüttet. 1898 musste Spanien nach dem spanisch-amerikanischen Krieg die Philippinen, Puerto Rico und Kuba an die USA abtreten.

Im Ersten Weltkrieg blieb Spanien neutral. 1923 bis 1930 regierte M. *Primo de Rivera* das Land diktatorisch. 1931 wurde die Republik ausgerufen. Gegen die aus den Wahlen im Februar 1936 siegreich hervorgegangene Volksfront erhob sich General F. *Franco* am 17. 7. 1936 in Spanisch-Marokko. Die Erhebung weitete sich zum *Spanischen Bürgerkrieg* (1936–1939) aus, den Franco siegreich beenden konnte, der als Caudillo (»Führer«) an die Spitze des faschistisch aufgebauten Staats trat. Im Zweiten Weltkrieg blieb Spanien neutral. 1947 erklärte Franco Spanien durch Gesetz zur katholischen *Monarchie*. 1955 wurde Spanien Mitglied der UNO. Seine afrikanischen Kolonien gab es auf.

Nach dem Tod Francos 1975 wurde *Juan Carlos* König. Spanien vollzog schrittweise den Übergang zur Demokratie und erhielt 1978 eine neue Verfassung. Katalonien und das Baskenland erhielten 1979 als Erste ein Autonomiestatut. Trotzdem blieben die gewalttätigen separatistischen Bewegungen besonders des Baskenlands *(ETA)* eine schwere Belastung. 1981 scheiterte ein Militärputsch. 1982 wurde Spanien Mitglied der NATO, 1986 der EG. 1982–1996 war der Sozialist F. *González* Ministerpräsident. Sein Nachfolger wurde J. M. *Aznar López* von der konservativen Volkspartei, die die Wahlen 2000 mit absoluter Mehrheit gewann. Am 11. 3. 2004 forderten Anschläge auf Pendlerzüge in Madrid, die islamischen Terroristen zugeschrieben wurden, fast 200 Todesopfer. Die Parlamentswahlen im selben Jahr gewann die Sozialistische Partei mit dem Spitzenkandidaten J. L. *Rodríguez Zapatero*, der neuer Ministerpräsident wurde.

Spannung [die], der elektrische Zustand zwischen zwei Polen mit unterschiedlicher Ladung. Die Spannung wird in *Volt (V)* gemessen. Auch → Elektrizität.

Sparta, griechische Stadt auf dem Peloponnes, 148 000 Einwohner. Die Stadt wurde um 1050 v. Chr. besiedelt und entwickelte sich zu einem Stadtstaat. In der Mitte des 1. Jahrtausends v. Chr. war Sparta die Hauptmacht Griechenlands. Politische Rechte hatte nur die Führungsschicht der *Spartiaten,* die auch die Krieger stellte. Mindere Rechte galten für die Schicht der Händler *(Periöken).* Die unterworfene Bauernbevölkerung der *Heloten* war völlig rechtlos. Der Staat griff rücksichtslos in das Privatleben der Bürger ein. Oberstes Ziel war der in »spartanischer Einfachheit« zu körperlicher Tüchtigkeit und militärischer Disziplin erzogene Krieger. Im Peloponnesischen Krieg gegen Athen (431–404 v. Chr.) zerschlug Sparta die Machtstellung Athens. Seit dem 4. Jh. v. Chr. verlor es an Bedeutung und geriet 146 v. Chr. in die Hand der Römer. 395 v. Chr. wurde es von den Westgoten zerstört.

Spartacus, *Spartakus*, † 71 v. Chr. (gefallen). Er war Kriegsgefangener in einer Gladiatorenschule, floh mit anderen Sklaven, deren Anführer er wurde, und erhob sich gegen Rom. Fünfmal besiegte er römische Heere, bevor er von Crassus besiegt und getötet wurde.

SPD, Abkürzung für → Sozialdemokratische Partei Deutschlands.

Spechte [Pl.], Klettervögel mit starkem, meißelartigem Schnabel. Sie ernähren sich von Insekten und

Spechte: Wie alle Spechte ist auch der Buntspecht ein ungeselliger Einzelgänger.

Larven, die sie aus der Baumrinde und dem Holz heraushacken und mit ihrer langen Zunge aus den Fraßgängen ziehen. Sie sind durch ihr Hämmern bekannt, wenn sie ihre Bruthöhlen aus den Stämmen hacken oder sich – v.a. zur Brutzeit – mit ihren Artgenossen verständigen. Spechte haben Kletterfüße mit paarig angeordneten Zehen, die ihnen ein gewandtes Auf- und Abklettern an Stämmen und Ästen ermöglichen, wobei der Schwanz immer zum Festhalten mitbenutzt wird. Bei uns sind der weiß-schwarz-rot gefärbte *Buntspecht,* der eine rote Kappe tragende *Schwarzspecht* und der *Grünspecht* heimisch.

Speerwerfen [das], ein leichtathletischer Wettbewerb, bei dem ein Speer nach Anlauf geworfen wird. Dabei muss die Stahlspitze des Speers zuerst den Boden treffen.

Speichel [der], ein dünnflüssiges Sekret der *Speicheldrüsen,* das vor allem aus Wasser (99%), Schleimstoffen, Eiweißen und Salzen besteht. Der Speichel dient zur Befeuchtung der Mundschleimhaut, als »Schmiermittel« zur Zerkleinerung und zum Transport der Nahrung über die Speiseröhre in den Magen. Außerdem enthält er Enzyme, mit denen die Verdauung bereits im Mund beginnt. Beim Menschen produzieren die Speicheldrüsen 1–1,5 Liter, bei der Kuh sogar bis zu 60 Liter Speichel am Tag.

Spektrum [das, Pl. Spektren], Ergebnis der Zerlegung von Licht in seine durch verschiedene Farben gekennzeichneten Frequenzbereiche *(Spektralfarben).* Ein Spektrum entsteht u. a. durch Lichtbrechung, beispielsweise durch ein Prisma. Das Spektrum des Sonnenlichts ist ein zusammenhängendes farbiges Band von Violett über Blau, Grün, Gelb, Orange bis Rot; jede Farbe ist für eine bestimmte Wellenlänge des Lichts charakteristisch.

Sperber [der], ein habichtähnlicher, 30–40 cm großer Greifvogel mit graubraunem Gefieder. Er ernährt sich von kleinen Singvögeln.

Sperlinge [Pl.], meist unscheinbar gefärbte Singvögel. Am bekanntesten ist der *Haussperling* oder *Spatz,* der gern in der Nähe menschlicher Siedlungen brütet. Der etwas kleinere *Feldsperling* bevorzugt hingegen die offene Landschaft mit Laubwäldern, Gärten u. Ä.

Der Sperling hat einen kompakten, gedrungenen Körperbau.

Sperma [das] → Samen (2.).

Spesen [Pl.], durch den Auftraggeber zu ersetzende Kosten, meist Reisekosten.

Spessart [der], deutsches Mittelgebirge in Franken und Hessen, zwischen Odenwald und Rhön. Der Spessart wird auf 3 Seiten vom Main, im Norden von der Kinzig umflossen. Die höchste Erhebung ist der *Geyersberg* mit 586 m.

Sphinx [die], ein Fabelwesen mit einem Löwenleib und Menschenkopf. In Ägypten war sie ein Zeichen der Macht des Königs, manchmal auch der Königin. In der griechischen Sagenwelt war die Sphinx ein geflügeltes weibliches Ungeheuer, das jeden tötete, der ein aufgegebenes Rätsel nicht lösen konnte.

Spiegel, eine ebene oder gekrümmte Fläche, die auftreffende Strahlen reflektiert. Man benutzt für Spiegel meist hochpolierte Metallflächen, die sich hinter einer Glasscheibe befinden. Die Form des Spiegels legt fest, wie das Spiegelbild aussieht. *Ebene Spiegel* erzeugen ein unverändertes Bild des Gegenstandes. *Hohle* oder *Konkavspiegel* sind nach innen gewölbt und vergrößern das Bild. *Erhabene* oder *Konvexspiegel* sind nach außen gewölbt und verkleinern das Bild.

Spiegelreflexkamera [die] → Fotoapparat.

Spiegelteleskop [das], ein Fernrohr, das anstatt von Linsen ein System von Spiegeln verwendet, um weit entfernte Objekte dem Betrachter nahezubringen.

Spiekeroog, eine Ostfriesische Insel, → Friesische Inseln.

Spießbürger [Pl.], ursprünglich die gewöhnlichen Bürger, die mit Spießen bewaffnet waren. Heute bezeichnet man Menschen mit einer kleinlichen, verklemmt-verlogenen Moral als Spießbürger.

Spinnen [Pl.], über alle Erdteile verbreitete Gliederfüßer mit etwa 20 000 Arten. Ihr Körper ist in Kopfbruststück und Hinterleib gegliedert. Am Kopfbruststück befinden sich bis zu 4 Augenpaare, 1 Paar klauenförmige Oberkiefer mit Giftdrüse, 1 Paar Unterkiefer und 4 Beinpaare. Am Hinterleib laufen Hunderte von *Spinndrüsen* zu 2–3 Paar *Spinnwarzen* zusammen. Die Spinnflüssigkeit erhärtet an der Luft zu Spinnfäden, mit denen die Tiere kunstvolle Fangnetze und Wohngespinste bauen. Sie verwenden die Spinnfäden auch zum Einhüllen der Eier in einen Kokon. Die Netze sind stark genug, um darin auch

Sphinx: Die älteste bekannte Sphinx ist die 20 m hohe und 74 m lange Sphinx von Gizeh, deren Antlitz vermutlich den König Chephren (um 2700 v. Chr.) darstellt.

Spinnen: Über die Welt verteilt gibt es eine Unmenge an Spinnenarten. Diese findet man in Mittelamerika.

größere Beutetiere (z. B. eine Wespe) zu fangen. Mit dem Gift aus der Oberkieferklaue lähmen oder töten sie ihre Beute und saugen sie dann aus. – Zu den *Spinnentieren* gehören außer den Spinnen (z. B. *Kreuzspinne, Vogelspinne, Wolfsspinne*) u. a. auch *Skorpione, Milben* und *Weberknechte.*

Spinning ['spiniŋ], ein Ausdauertraining, Radfahren auf Standrädern in Fitnessstudios zu Musik.

Spinoza [-za], Baruch (Benedictus) de, auch *d'Espinosa*, * 1632, † 1677; niederländischer Philosoph. Für ihn war die geistige und materielle Welt vollkommen durch Gottes Natur beseelt. In seinem Hauptwerk »Ethik« entwickelte er eine Methode, wie man in fortschreitender Weisheit die Einheit von Philosophie und Leben erreicht und dadurch frei wird.

Spione [Pl.], Personen, die Geheimnisse auf militärischem, politischem und wirtschaftlichem Gebiet auskundschaften und verraten. Siehe auch ZEIT-Beitrag → »Spione: Die Welt der Schlapphüte«, Seite 16 bis 19.

Spirale [die], **1.** eine von einem Punkt ausgehende ebene Kurve mit sich ständig weiter öffnenden Windungen. **2.** → Empfängnisverhütung.

Spionage aus dem All: Mit Kameras bestückte Satelliten liefern heute Bilder aus jedem noch so abgelegenen Winkel der Erde

Spione

Die Welt der Schlapphüte

Von Florian Klenk

Wenn Touristen in meine Heimatstadt Wien kommen, dann fahren sie nicht nur mit dem Riesenrad. Manchmal steigen sie einen geheimnisvollen Schacht hinab – in die Kanalisation. Reisende aus der ganzen Welt stehen Schlange, um dieses dunkle Labyrinth aus Röhren, Treppen, Flüssen und Wasserfällen in Gummistiefeln zu durchwaten. Es stinkt da unten gewaltig, und bewohnt wird der Kanal heute nur noch von zwei Millionen Ratten.

Das war nicht immer so. Früher sollen sich hier Spione herumgetrieben haben. Zumindest erzählt das der berühmte Film *Der dritte Mann*. Der alte Schwarz-Weiß-Streifen handelt von Agenten, die einander nach dem Zweiten Weltkrieg gegenseitig verfolgten. Hier, unter den Straßen der damals zerbombten Stadt, konnten die Spione unerkannt Pläne schmieden. Und sie hatten die Möglichkeit, an jeden Ort der Stadt zu gelangen, ohne entdeckt zu werden. Die Agenten trugen – jedenfalls im Film – einen ins Gesicht gezogenen Hut und einen langen Ledermantel mit aufgestelltem Kragen.

007 schießt aus Kugelschreibern

Diese Kleidung wurde zum Markenzeichen der Spione. Noch heute nennt man sie »Schlapphüte«. Dabei tragen Spione heutzutage keine Hüte mehr, sie sehen aus wie du und ich. Oft aber benutzen sie Decknamen – wie der bekannteste Spion der Welt,

James Bond. Den nennt man 007. 007 kann mit seinen Kugelschreibern schießen oder aus seinem Auto Raketen abfeuern. Aber das ist wieder nur eine Kino-Geschichte.

Wie sieht die richtige Welt der Spione aus? Wir wissen wenig über sie, denn nur manchmal verraten sich Agenten. Manchmal gibt es auch Spione, die ausschließlich dazu da sind, bei anderen Spionen zu spionieren. Diese Leute heißen »Maulwürfe«, und ihnen verdanken wir viel abenteuerliches Wissen über Spionage. Der amerikanische Geheimdienst zum Beispiel versuchte, den Staatschef Kubas, Fidel Castro, durch eine vergiftete Zigarre und eine in einer Muschel versteckte Bombe umzubringen. Zumindest behaupten das kubanische Spione. Castro überlebte – dank seiner Maulwürfe, die das Attentat rechtzeitig aufdecken konnten.

Verschwörung gegen den Papst

Spione sammeln für ihre Regierungen meistens wichtige Informationen. Doch in manchen Ländern haben sie, wie es im James-Bond-Film heißt, die »Lizenz zum Töten«. Das ist nicht in Ordnung, weil kein Staatsbediensteter das Recht haben sollte, nach eigenem Ermessen Menschen zu töten. Dazu kommt, dass Geheimdienste, die Arbeitgeber der Spione, nur schwer kontrolliert werden können – eben weil sie so geheim arbeiten. Geheimdienste sind deshalb eine gefährliche Sache: Alle Staaten brauchen sie, um zu erfahren, was andere Staaten tun – aber in undemokratischen Ländern führen sie oft Schlimmes im Schilde. Mitunter verschwören sie sich dann sogar zu Verbrechen. Der frühere Papst Johannes Paul II. sollte zum Beispiel mit Wissen des polnischen Geheimdienstes getötet werden. Damals war Polen noch eine kommunistische Diktatur, in der Kirchenleute wie der Papst gehasst wurden. In der DDR wurden Gegner der Regierung von den Spionen der sogenannten Staatssicherheit überwacht. Die Stasi-Spione nahmen sogar Kleiderproben von »Staatsfeinden« mit etwas Schweißgeruch und stopften sie in kleine Gläser. Spürhunde konnten daran schnüffeln und so die Gegner des Regimes aufspüren.

Auch heute noch werden Menschen von Geheimdiensten getötet. So wurde etwa ein Scheich, der in Israel für viele blutige Verbrechen verantwortlich war, vom israelischen Geheimdienst, dem Mossad, umgebracht. Woher die Agenten wussten, wo sich der Scheich befand? Ganz einfach: Er hatte

Mit der Lizenz zum Töten: Der Schauspieler Roger Moore als Geheimagent James Bond

sein Handy eingeschaltet. Mit einem Schnüffelprogramm konnten die Spione das Handy orten. Sie feuerten eine ferngesteuerte Rakete auf ihn. Auch der syrische Geheimdienst brachte kürzlich einen Politiker um – den libanesischen Innenminister. Und in Russland töteten Agenten einen anderen mit der radioaktiven Substanz Polonium.

Wenn Länder miteinander Kriege führen oder verfeindet sind, dann sind es oft gar keine Menschen mehr, die Informationen sammeln, sondern Maschinen: ferngesteuerte Flugzeuge etwa, die von keinem Radar erfasst werden, oder Satelliten. Die können aus dem Weltraum Fotos schießen, die so scharf sind, dass man darauf sogar eine Zeitung lesen oder ein Gesicht erkennen kann. Es gibt auch Mikrofone, mit denen man Gespräche durch eine dicke Wand hindurch aufnehmen kann.

Normalerweise sind Spione aber nicht dazu da, zu töten oder sich zu verschwören. Sie sollen nur Informationen sammeln, um die Bürger ihres Landes zu schützen, zum Beispiel vor Terroranschlägen. Der Alltag eines Spions kann da schon ziemlich langweilig sein. Mit dem aufregenden Leben von James Bond hat das nichts zu tun.

Was plant der Diktator?

Viele Spione sitzen den ganzen Tag im Büro, surfen im Internet, erstellen sogenannte Lageberichte, sammeln Zeitungsartikel, oder sie treffen sich mit Informanten aus der Unterwelt, sogenannten Spitzeln, die sich manchmal nur wichtigmachen oder falsche Fährten legen. Wichtige von falschen Informationen unterscheiden zu können – das ist deshalb die größte Herausforderung für einen Spion. Er muss zum Beispiel klären, welche Waffen ein anderes Land gekauft hat und wie groß und gefährlich seine Armee wirklich ist. In Nordkorea, einem asiatischen Staat, der von einem sehr grausamen Herrscher angeführt wird, finden jedes Jahr große Militärparaden statt – und die Regierung behauptet, gefährliche Atomwaffen zu besitzen. Doch amerikanische Spione wollen herausgefunden haben, dass der nordkoreanische Diktator nur übertreibt, um die Welt einzuschüchtern.

Oft werden Spione übrigens auch nur deshalb losgeschickt, damit sie herausfinden, was in den Fabriken anderer Staaten hergestellt wird. Diese Form der Spionage nennt man Wirtschaftsspionage. Sie fügt Firmen großen Schaden zu, weil Geheimnisse oder Ideen, die von Fabrikanten teuer entwickelt wurden, einfach gestohlen werden. Vor allem die Chinesen werden immer öfter der

Der DDR-Agent Günter Guillaume (rechts) spionierte in den siebziger Jahren im Kanzleramt. Bundeskanzler Willy Brandt (links) ahnte nicht, dass er bespitzelt wurde

Getarnt als Lippenstift: Eine Miniaturkamera für Geheimagenten

Wirtschaftsspionage beschuldigt. Sie sind nicht die Einzigen. Die USA haben ein riesiges Überwachungssystem mit dem Namen Echolon entwickelt. Mit Satellitenschüsseln, die so groß wie Hochhäuser sind, kann Echolon angeblich alle Telefonate und E-Mails auf der Erde abfangen. Die Daten werden in gigantischen Spezialcomputern von rund 38 000 Agenten der Spionagebehörde NSA ausgewertet. Das kostet Hunderte Milliarden Euro. Nicht nur bedeutende Firmen, sogar die mächtigsten Menschen können auf diese Art ausgehorcht werden. Selbst der Generalsekretär der Vereinten Nationen und der Premierminister von Großbritannien klagten bereits darüber, belauscht worden zu sein.

Wanzen und Minikameras

Das Abhörproblem ist nicht neu. Schon im alten Rom wurden wichtige Gespräche in Räumen abgehalten, in denen ständig Wasser plätscherte. Wer an der Türe horchte, hörte nur Rauschen. Heute gibt es im deutschen Bundestag in Berlin abhörsichere Räume. Wenn die Regierung Staatsgeheimnisse besprechen will, zieht sie sich dorthin zurück. Dort gibt es auch keine Minimikrofone (Wanzen) und keine geheimen Minikameras.

Die Computer der Spione mögen zwar superschnell arbeiten, aber die Agenten können mit den aufgefangenen Informationen oft nichts anfangen. Häufig beherrschen sie nicht einmal die Sprachen, in denen die abgehörten Telefonate geführt werden. Denn viele Menschen, die durchaus zu Recht geheim belauscht werden – zum Beispiel Terroristen –, sprechen nicht Deutsch oder Englisch, sondern fremde Sprachen. Und oft verschlüsseln sie ihre Briefe mit komplizierten Programmen. Diese Post zu lesen, das schaffen die besten Agenten nicht. Nur 007 würde es vielleicht hinkriegen. Im Film.

Spiritismus [der], der Glaube an Geister (Seelen Verstorbener) und an eine Verbindung mit ihnen (z. B. durch geheimnisvolle Klopfzeichen).

Spiritual ['spiritjuəl, das, engl.], geistliches Lied der Schwarzen Nordamerikas. Es entstand, als die Schwarzen im 18. Jh. das Christentum kennenlernten.

Spiritus [der], *Brennspiritus,* Alkohol, der durch bestimmte Zusätze für den Menschen ungenießbar ist. Spiritus wird u. a. als Treibstoff und in der chemischen, pharmazeutischen und kosmetischen Industrie verwendet.

Spitzweg, Carl, *1808, †1885; deutscher Maler und Grafiker aus der Zeit des Biedermeier. Neben Landschaften malte er in humorvoller Weise die Menschen seiner Zeit. Bekannte Bilder sind u. a. »Der arme Poet«, »Der Hagestolz« und »Der Bücherwurm«.

SPÖ, Abkürzung für → **S**ozialistische **P**artei **Ö**sterreichs.

Spoiler ['spɔilə, der, engl.], Kunststoff-, Gummi- oder Blechwulst am Heck eines Sport- oder Rennwagens. Der Spoiler soll den Fahrtwind nach oben drücken und damit für eine bessere Bodenhaftung der Reifen sorgen.

spontan, unaufgefordert, ohne Vorbereitung.

Carl Spitzweg: »Der arme Poet« (1839) ist eines seiner bekanntesten Bilder.

Sporen [Pl.], ungeschlechtliche Fortpflanzungszellen vieler Algen, Pilze, Moose, Farne, Schachtelhalme und Bärlappgewächse.

Sport [der], *Leibesübungen, Turnen,* alle spielerischen Betätigungen, die die körperliche Leistungsfähigkeit fördern sollen. Die Ursprünge des Sports liegen im antiken Griechenland. Im Mittelalter geriet der Sport weitgehend in Vergessenheit und lebte erst im 18./19. Jh. wieder auf. So wurden zu Beginn des 19. Jh. die ersten Schulwettkämpfe durchgeführt sowie die ersten Sportvereine gegründet.

Was ist … Sprache

Sprache ist ein System von Zeichen für Begriffe und Gegenstände und ein System von Regeln, die diese Zeichen kombinieren. Sprache dient der Erinnerung, dem Erkenntnisgewinn und vor allem dem Austausch von Nachrichten und Informationen; sie ist das grundlegende Mittel zur zwischenmenschlichen Verständigung. Sprachlich dargestellte Sachverhalte können wirklich oder erfunden, wahrgenommen, erinnert, vorgestellt oder der Fantasie entnommen sein. Zur Sprache gehört im Allgemeinen auch eine Schrift; es gibt aber auch schriftlose Sprachen.

Kommunikation: Sprache dient vor allem der Mitteilung (Kommunikation). Die Muttersprache ist die Sprache, die ein Mensch ohne Vermittlung durch eine andere Sprache lernt (im Unterschied zur später erlernten Fremdsprache) und die er gewöhnlich am besten beherrscht. In der geschriebenen Sprache ist die Hochsprache (auch Standardsprache) die Regel. Sie unterscheidet sich von der Umgangssprache durch eine genauere Wortwahl, einen korrekten Satzbau und eine genaue Aussprache. Die Umgangssprache wird weniger bewusst und kontrolliert verwendet, sie lässt sich zwischen der Hochsprache und den Mundarten (Dialekten) ansiedeln. Fachsprachen weisen einen besonderen Wortschatz auf, der nur bestimmten Sprechergruppen verständlich ist (z.B. Computersprache, Behördensprache). Zu den Sondersprachen gehören z.B. die Schüler- oder Studentensprache. Hier sind die Sprecher durch ihre gemeinsame soziale Stellung miteinander verbunden. Ferner unterscheidet man zwischen »toten« Sprachen, die nicht mehr als Muttersprachen gesprochen werden (z.B. Latein), und »lebenden«, noch gesprochenen und sich wandelnden Sprachen.

Sprachbildung: Längere sprachliche Äußerungen enthalten folgende Elemente: 1. Phoneme als kleinste Lauteinheit, z.B. die Laute »g« und »k«; 2. Morpheme, die kleinste Bedeutungseinheit, so wird aus den Morphemen »Mensch« und »-en« das Wort »Menschen«; 3. Silben, 4. Wörter, 5. Wortgruppen und 6. Sätze. Akzent, Tonhöhe und Betonung können ebenfalls über die Bedeutung entscheiden. Sprachen unterliegen einer ständigen, alle Bereiche umfassenden Entwicklung, die den Lautstand, Wortschatz, die Morphologie (Form und Aufbau) und die Syntax (Satzlehre) betrifft. Die mit dem Wandel von Kultur und Gesellschaft einhergehende Veränderung des Wortschatzes ist am häufigsten und auffälligsten.

Familien: Nach Wortschatz, Lautinventar und grammatischen Eigenheiten lassen sich fast alle heutigen Sprachen nach Ähnlichkeiten sortieren. Die indoeuropäische Sprachfamilie bildet mit gut 400 Sprachen die größte der insgesamt ca. 100 Sprachfamilien; dazu gehören die meisten europäischen Sprachen, die u.a. weiter in die romanischen (z.B. Italienisch, Französisch), germanischen (z.B. Deutsch, Englisch), slawischen (z.B. Polnisch, Russisch) und baltischen (z.B. Lettisch) Unterfamilien gegliedert werden. Finnisch, Estnisch und Ungarisch etwa gehören zur uralischen Sprachfamilie, Türkisch wird zu den altaischen Sprachen gezählt. Auf der ganzen Welt gibt es mehr als 6500 verschiedene Sprachen, von denen gut 400 als fast ausgestorben gelten. Der sprachenreichste Kontinent ist Asien; hier leben 60% der Weltbevölkerung, die sich etwa einem Drittel aller Sprachen bedienen. In Europa werden dagegen nur knapp 150 Sprachen gesprochen.

Spree [die], linker Nebenfluss der Havel, 382 km lang. Die Spree entspringt in der Oberlausitz und mündet in Berlin.

Sprengstoff [der], ein chemischer Stoff, der sehr schnell verbrennt, große Wärme- und Gasmengen freisetzt und dadurch eine Explosion hervorruft. Dabei entsteht großer Druck, der zerstörend auf seine Umgebung wirkt. Der älteste Sprengstoff ist das Schießpulver.

Springflut [die], starkes Hochwasser nach Voll- und Neumond.

Sprint [der], ein Kurzstreckenlauf (→ Laufen) in Höchstgeschwindigkeit.

Spulwürmer [Pl.], Fadenwürmer, Schmarotzer, die im Darm von Menschen und Tieren leben; sie werden bis 40 cm lang.

Spurenelemente [Pl.], anorganische Stoffe, die in sehr geringen Mengen vom tierischen, menschlichen und pflanzlichen Organismus benötigt werden. Sie werden in der Regel mit der Nahrung aufgenommen. Bei Mangelerscheinungen müssen sie künstlich zugeführt werden. Spurenelemente sind z.B. Mangan, Silicium, Aluminium, Zink, Bor, Kupfer.

Squash [skwɔʃ, das, engl.], ein Rückschlagspiel, bei dem zwei Spieler einen Weichgummiball gegen die Wände eines 6,40 m x 9,75 m großen Raumes schlagen. Beim Rückschlag muss der Ball direkt oder nach einmaliger Bodenberührung angenommen werden.

Ländersteckbrief Sri Lanka

Fläche:	65 610 km²
Einwohner:	20,9 Millionen = 319 je km²
Hauptstadt:	Colombo
Religion:	Buddhismus, Hinduismus
Amtssprache:	Singhalesisch, Tamil
Währung:	1 Sri-Lanka-Rupie = 100 Sri-Lanka-Cents

Sri Lanka, Staat in Südasien.

Im Innern erhebt sich ein Berg- und Hügelland, ansonsten überwiegen Tiefländer. Sri Lanka ist eine Tropeninsel mit einem stark beregneten Südwestteil; die übrigen Teile haben ausgedehnte Trockenzeiten.

Die Bevölkerung besteht zu 82% aus vorwiegend buddhistischen Singhalesen und zu 9,5% aus hinduistischen Tamilen; daneben gibt es 8% islamische Mauren. Hauptagrarprodukte sind Tee (Sri Lanka ist drittgrößter Teeexporteur der Welt), Kautschuk und Kokospalmprodukte. An Bodenschätzen gibt es Edelsteine, Graphit und Kaolin. Wichtigster Industriezweig ist die Textilindustrie. Von Bedeutung ist das traditionelle Handwerk (Verarbeitung von Edelsteinen, Elfenbein, Holz, Silber u.a.). Haupthafen ist Colombo.

Geschichte: Im 5. Jh. v. Chr. landeten Vorfahren der Singhalesen auf der Insel. Um 247 v. Chr. erfolgte die Einführung des Buddhismus. Im 16. Jh. kamen Portugiesen nach Sri Lanka, die 1655 von den Holländern verdrängt wurden. 1796 gewannen die Briten die Insel und machten sie zur Kronkolonie. Seit 1948 unabhängig wurde das Land 1972 Republik Sri Lanka (bis dahin *Ceylon*).

1983 eskalierte der ethnische Dauerkonflikt zwischen Singhalesen und Tamilen zum blutigen Bürgerkrieg (über 65 000 Tote). 2002 einigten sich Regierung und tamilische Rebellen auf einen Waffenstillstand. Eine endgültige Friedenslösung konnte jedoch nicht erreicht werden. 2004 wurde Sri Lanka stark von der südasiatischen Tsunami-Katastrophe betroffen. Im folgenden Jahr wählte die Bevölkerung *Mahinda Rajapakse* zum Präsidenten des Landes.

Sri Lanka: Der regenreiche und fruchtbare Südwesten und Norden des Landes werden insbesondere für den Anbau von Tee genutzt.

SS, Abkürzung für **S**chutz**s**taffel, eine Abteilung der NSDAP. Sie war zunächst für den Schutz Hitlers zuständig und wurde seit 1929 zur Sicherheitsorganisation der Partei ausgebaut. 1944 gehörten der SS 600 000 Mann an.

St., Abkürzung für Sankt (= heilig).

Staat [der], Organisationsform einer größeren Gemeinschaft von Menschen (Staatsvolk) innerhalb festgelegter Grenzen (Staatsgebiet) unter einer hoheitlichen Gewalt (Staatsgewalt). Zur Staatsgewalt gehören die Gesetzgebung, die Justiz und die Regierung (→ Gewaltenteilung). Die Stellung des einzelnen Menschen im Staat, seine Rechte und Pflichten, hängen von der Staatsform ab. Nach der Repräsentanz des Staates (Staatsoberhaupt) handelt es sich entweder um eine Monarchie oder eine Republik. Außerdem unterscheidet man, ob die Staatsgewalt beim Volk liegt *(Demokratie)* oder in der Hand eines Einzelnen beziehungsweise einer Gruppe oder Partei *(Diktatur).*

Staatenbund [der], eine völkerrechtliche Verbindung von souveränen Staaten zur gemeinsamen Bewältigung bestimmter Aufgaben, z. B. in Deutschland der *Deutsche Bund* 1815–1866. Im Gegensatz dazu steht der *Bundesstaat,* in dem die Gliedstaaten autonom sind und nur der Gesamtstaat Souveränität besitzt.

Staatsangehörigkeit [die], *Staatsbürgerschaft,* die Zugehörigkeit eines Menschen zu einem bestimmten Staat, mit der Rechte (z. B. Aufenthaltsrecht) und Pflichten (z. B. Steuerpflicht) verbunden sind. Sie wird entweder durch den Geburtsort oder durch die Abstammung, d. h. die Staatsangehörigkeit der Eltern, bestimmt. Auf Antrag kann eine fremde Staatsangehörigkeit erworben werden. Es kann auch der Fall einer doppelten Staatsangehörigkeit eintreten: So gilt beispielsweise das in Großbritannien geborene Kind deutscher Eltern nach deutschem Recht als deutscher, nach britischem Recht als britischer Staatsangehöriger.

Staatsanwälte [Pl.] → Recht.

Staatssicherheitsdienst [der], Abkürzung »Stasi«, früher die politische Polizei der DDR. Sie hatte die Aufgabe, sämtliche Lebensbereiche der DDR gegen »staatsgefährdende« Angriffe zu verteidigen. Die Stasi bespitzelte einen großen Teil der Bevölkerung in der DDR und organisierte außerdem Spionage in der Bundesrepublik Deutschland und den übrigen westlichen Ländern. Sie wurde 1990 aufgelöst.

Stabhochsprung [der], eine leichtathletische Sprungübung, bei der nach dem Anlauf eine höhenverstellbare Latte mit Hilfe eines Stabes übersprungen werden muss. Durch den heute ausschließlich verwendeten Kunststoffstab *(Glasfiberstab)* lässt sich eine Sprunghöhe von über 6 m erzielen.

stabil, haltbar, dauerhaft, auch krisenfest; Gegensatz: *labil.*

Stachelhäuter [Pl.], ein sehr alter Stamm meeresbewohnender Tiere mit einem Kalkpanzer als Außenskelett. Die Kalkplatten sind mit starren Kalkstacheln besetzt. Zu den Stachelhäutern gehören z. B. die Seeigel, Seesterne und Seewalzen.

Stachelschwein: Das Weißschwanz-Stachelschwein gehört zu den Erdstachelschweinen, bei denen der Rücken außer dem vorderen Drittel mit langen Stacheln bedeckt ist.

Stachelschwein [das], in Afrika, Asien und im Mittelmeerraum vorkommendes großes, nachtaktives Nagetier mit langen, aufrichtbaren Stacheln auf dem Rücken. Bei Gefahr kann das Stachelschwein seine kurzen, hohen Stacheln am Schwanz aneinanderschlagen und so ein rasselndes Geräusch erzeugen.

Was ist eine …
Stadt

Eine Stadt ist eine seit Jahrtausenden bestehende Siedlungsform mit einer im Vergleich zum Umland deutlich höheren Bevölkerungskonzentration. Eine weit über das Stadtgebiet hinaus reichende Bedeutung erhält eine Stadt durch ihre Funktion als ökonomisches, politisches und kulturelles Zentrum; sie ist dadurch Ausgangspunkt zahlreicher neuer Entwicklungen, aber auch Brennpunkt vieler Problemkreise (beispielsweise Kriminalität, Umweltbelastung).

Charakteristische Merkmale: Im Unterschied zu Dörfern weisen Städte eine wesentlich höhere Bebauungsdichte auf (mit z.T. mehrstöckigen Gebäuden). Die Stadtbevölkerung bestreitet ihren Lebensunterhalt vorwiegend durch eine Beschäftigung im Dienstleistungsbereich oder in der Industrie und nicht in der Landwirtschaft. Der städtische Siedlungskörper ist in einzelne Stadtviertel (z.B. Geschäfts-, Wohn- und Industrieviertel) untergliedert. Städte sind durch ein dichtes innerstädtisches Verkehrsnetz gekennzeichnet; gleichzeitig treffen unterschiedliche Verkehrswege aus dem ländlichen Umland (Einzugsgebiet) in der Stadt zusammen, was zur Herausbildung von Verkehrsknoten führt. Durch ihr großes Angebot an Waren und Dienstleistungen, das auch der Versorgung der Bevölkerung in den umliegenden Dörfern dient, besitzt die Stadt eine zentrale Funktion. Die städtischen Merkmale sind in den Kulturräumen der Erde unterschiedlich ausgeprägt, so dass man u.a. einen europäischen, orientalischen, chinesischen, indischen, japanischen Stadttyp unterscheiden kann. Seit dem 20. Jahrhundert ist jedoch durch Globalisierung, zunehmende Mobilität der Menschen und die nahezu grenzenlosen Möglichkeiten der Kommunikation eine wachsende Angleichung der Städte und des städtischen Lebens in den einzelnen Kulturräumen zu beobachten.

Hochhäuser prägen das Bild der Stadtzentren rund um den Globus; im Bild die Innenstadt von Mumbai in Indien.

Stadtentwicklung: Die frühesten Städte entstanden in den alten Hochkulturen, z.B. Jericho in Palästina, Theben und Memphis in Ägypten. Sie waren z.T. prunkvolles Symbol der Macht von Gottkönigen. Durch römische Garnisonsstädte wurde in Mittel- und Westeuropa eine Siedlungs- bzw. Stadtkultur begründet. Römerstädte in Deutschland sind z.B. Trier, Köln und Koblenz. Einige oberitalienische Städte stiegen im 12./13. Jahrhundert als selbstständige Stadtrepubliken zu Weltzentren auf, darunter Venedig, Florenz und Mailand. Ebenso wuchs die Bedeutung der Stadt in Deutschland; im späten Mittelalter schlossen sich die Städte zu Städtebünden (Hanse, Schwäbischer Städtebund u.a.) zusammen. Manche erlangten als Freie Reichsstädte große politische Autonomie. Mit den Residenzstädten der absolutistischen Fürsten entstand ein auf höfische Repräsentation ausgerichteter Städtetyp mit einem auf das Schloss zulaufenden Straßennetz. In Amerika und Afrika begann die Stadtentwicklung weitgehend erst mit der Kolonialzeit. Die Spanier bauten ihre Kolonialstädte in streng schachbrettartigen Grundrissen mit einem großen rechteckigen Platz im Zentrum.

Groß- und Megastädte: Im Zuge der industriellen Revolution im 19. Jahrhundert entwickelten sich Industriestädte, die durch den Bau von weitläufigen Produktionsanlagen mit angrenzenden Arbeitersiedlungen an den Stadträndern immer weiter ausuferten. Massenverkehr, Umweltbelastungen, anschwellende Stadtverwaltungen, Versorgungs- und Entsorgungsschwierigkeiten charakterisierten die Stadtentwicklung im 19. und 20. Jahrhundert.

Während in den Industrieländern durch Ausbau des öffentlichen Nahverkehrs, Ausweitung der Grünanlagen, Gebäudesanierung und andere Maßnahmen viele Probleme entschärft werden konnten, erlebten Entwicklungsländer und Schwellenländer einen bis heute ungebremsten Zustrom der ländlichen Bevölkerung in die wenigen Großstädte. Es entstanden Megastädte mit über 10 Mio. Einwohnern, z. B. São Paulo (Brasilien) oder Mumbai (früher Bombay, Indien). Hier hat die völlig ungesteuerte Zuwanderung zu riesigen Armutsvierteln (Slums, Favelas) geführt, deren Bewohner nirgendwo registriert sind. Im Ballungsraum der Stadt Mexico leben heute z. B. mit über 22 Mio. mehr Menschen als auf dem gesamten australischen Kontinent.

Stahl [der], eine Eisen-Kohlenstoff-Legierung, die sich schmieden, schweißen oder walzen lässt; der wichtigste Werkstoff der Gegenwart. Stahl ist widerstandsfähiger und elastischer als reines Eisen. Zusätze von Chrom, Mangan, Wolfram, Nickel u. Ä. können die Eigenschaften von Stahl verbessern.

Stalagmiten [Pl.] → Tropfstein.

Stalaktiten [Pl.] → Tropfstein.

Wer war … Josef Stalin

Josef Wissarionowitsch Stalin (eigentlich J. W. *Dschugaschwili*, * 1879 [nach neueren Angaben 1878], † 1953) war ein sowjetischer Politiker. Stalin errichtete ein auf lückenloser Kontrolle und schrankenloser Gewalt gegründetes Herrschaftssystem (Stalinismus), dem Millionen Menschen zum Opfer fielen. Er beanspruchte die höchste Autorität auf nahezu allen Gebieten.

Stalin wurde als Sohn des Schuhmachers Dschugaschwili geboren. Später nahm er den Namen Stalin an, der soviel wie »der Stählerne« bedeutet. Ursprünglich zum Beruf des Geistlichen bestimmt, besuchte er ein Priesterseminar, von dem er 1899 als Mitglied der Russischen Sozialdemokratischen Partei verwiesen wurde. Er arbeitete in der Folgezeit als Berufsrevolutionär im Untergrund. Zwischen 1902 und 1916 wurde er mehrfach verhaftet und nach Sibirien verbannt. 1905 lernte er Lenin kennen, dessen enger Mitarbeiter er wurde. Nach der erfolgreichen Oktoberrevolution wurde Stalin Volkskommissar für Nationalitätenfragen. Seit 1922 brachte er als Generalsekretär den gesamten Parteiapparat der Kommunistischen Partei der Sowjetunion (KPdSU) unter seine Kontrolle. Nach dem Tod Lenins schaltete er viele Führungspersonen der KPdSU und hohe Offiziere der Roten Armee aus und beseitigte damit jede Opposition, obwohl Lenin in seinem Testament empfohlen hatte, Stalin als Generalsekretär abzulösen. Seit Ende der 1920er Jahre war er Diktator der Partei und des Landes. Mit größter Härte betrieb Stalin unter der Parole »Aufbau des Sozialismus in einem Lande« die Enteignung der Bauern und die Industrialisierung des Landes. In der »Großen Säuberung« in den 1930er Jahren vernichtete er nicht nur alle Gegner, sondern auch Hunderttausende treuer Anhänger. Millionen wurden in Straflagern (Gulag) inhaftiert. In einer Reihe von Schauprozessen ließ der Diktator echte oder vermeintliche Widersacher, deren Persönlichkeit durch Folter gebrochen worden war, aburteilen. Die kommunistische Weltbewegung machte Stalin zum Instrument der sowjetischen Außenpolitik. 1939 schloss er einen Nichtangriffspakt mit dem nationalsozialistischen Deutschland, dessen Angriff 1941 ihn überraschte. Nach anfänglichen Rückschlägen errang er durch die Mobilisierung aller Kräfte im »Großen Vaterländischen Krieg« den Sieg gegen die Deutschen. Nach dem Zweiten Weltkrieg erweiterte Stalin den sowjetischen Einfluss- und Machtbereich auf viele osteuropäische Staaten. Die Sowjetunion wurde zur zweiten führenden Weltmacht neben den USA. Stalins Tod 1953 verhinderte die Durchführung neuer Säuberungsmaßnahmen. Stalins Nachfolger, besonders N.Chruschtschow, distanzierten sich vom »Personenkult« um den Diktator und von einigen seiner Maßnahmen (Entstalinisierung), nicht jedoch von den Grundlagen seines Herrschaftssystems. Nach 1965 verstummte in der UdSSR die Kritik an Stalin fast völlig. Erst unter M. Gorbatschow wurde die kritische Auseinandersetzung mit der Stalin-Ära wieder aufgenommen.

Stalin ließ sich gerne als gutmütige Vaterfigur darstellen.

Stalking, Umschreibung für eine andauernde Verfolgung oder Belästigung einer Person in unterschiedlichen Erscheinungsformen.

Stammzellen, unreife Zellen, die sich noch in viele verschiedene Richtungen entwickeln können. Sie eignen sich möglicherweise zur Regeneration von Körpergewebe und zur Behandlung bestimmter Krankheiten.

Standard [der], **1.** ein Richtmaß, genormtes Handelsmaß, festgelegte Qualitätshöhe. **2.** Lebensstandard; der Stand, das Niveau der Lebenshaltung.

Stände [Pl.], Gruppen innerhalb einer Gesellschaft, die sich anderen gegenüber absetzen. Die Zugehörigkeit zu einem Stand wird durch die Geburt oder den Beruf festgelegt. Stände haben ihre besondere Art zu leben und ein eigenes Standesbewusstsein. Im Mittelalter gab es vier Stände: Adel (Fürsten, Ritter u. a.), Geistlichkeit (Bischöfe, Kardinäle u. a.), Bürger (z. B. Kaufleute, Handwerker) und Bauern.

Stapellauf [der], Zuwasserlassen eines auf Stapelklötzen ruhenden Schiffsrohbaues, meist verbunden mit der Schiffstaufe. Erst nach dem Stapellauf beginnt der Innenausbau des Schiffes.

Stare [Pl.], in Europa, Asien und Afrika verbreitete, gesellig lebende Singvögel. Sie haben ein metallisch glänzendes Gefieder, das grünlich schimmert. Stare ernähren sich von Insekten, aber auch von Obst. Sie sind Zugvögel, die im Mittelmeerraum oder in Nordwestafrika überwintern.

Stärke [die], ein Kohlenhydrat, das bei der → Photosynthese entsteht. Es wird in Form kleiner, runder Körnchen in den Wurzeln, Knollen und Samen der Pflanzen gespeichert. Stärke ist ein wichtiger Bestandteil der menschlichen Nahrung. Sie wird außerdem zur Herstellung von Leimen und Kleistern verwendet. Besonders viel Stärke enthalten beispielsweise Getreide und Kartoffeln.

Starnberger See [der], ein südwestlich von München, bei der oberbayrischen Kreisstadt Starnberg gelegener, 56,4 km^2 großer See.

Stasi [die] → Staatssicherheitsdienst.

Statistik [die], Teil der Mathematik, der sich mit Massenerscheinungen beschäftigt. Sie sammelt Daten, Informationen und Zahlen, ordnet sie und wertet sie in Form von Tabellen, Kurven und Diagrammen aus. Statistiken gibt es in allen Fachbereichen, besonders gerne werden sie jedoch in Politik, Wirtschaft und Medizin herangezogen. Mit Hilfe von Statistiken kann z. B. die durchschnittliche Lebenserwartung oder auch das durchschnittliche Einkommen der Bevölkerung errechnet werden.

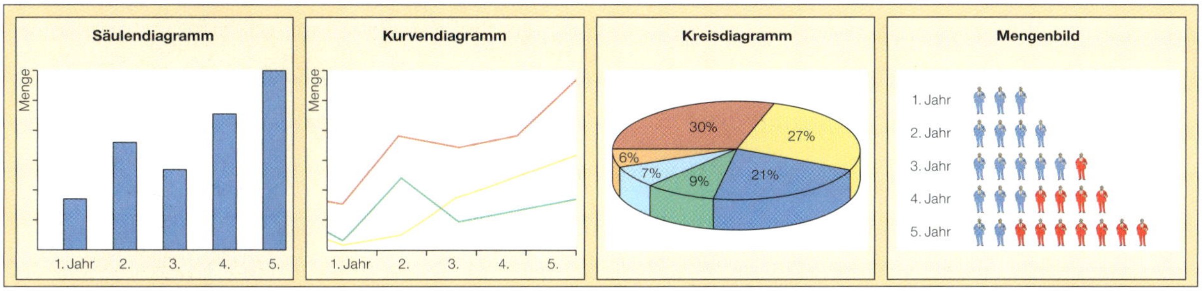

Statistik: Die gesammelten und ausgewerteten Daten können z. B. im Säulen-, Kurven- und Kreisdiagramm sowie als Mengenbild veranschaulicht werden.

Statik [die], Lehre vom Gleichgewicht der Kräfte, ein Teilgebiet der Mechanik. Sie untersucht, wie Körper auf Druck, Biegung, Zug u. Ä. reagieren. In der Technik ist die Statik die Grundlage aller Berechnungen für die Konstruktion von Bauwerken (Brücken, Häusern usw.).

Statisten [Pl.], beim Theater und beim Film Darsteller kleinerer Rollen ohne Text.

Stare: Der bei uns häufige Gemeine Star ist der einzige Vertreter der Starenfamilie in Mittel-, West- und Nordeuropa. Die lebhaften Vögel legen ihre Nester in Baum- oder Nisthöhlen oder auch einfach in Erdlöchern ab.

Statue [die], *Standbild,* in der Bildhauerkunst die aus plastischem Material geformte Einzelfigur eines Menschen oder Tiers, meist auf Podesten oder Sockeln zur Wirkung gebracht.

Status [der], Stand, Zustand, Lage, Verhältnis; *Status quo:* der gegenwärtige Zustand.

Staufer, ein schwäbisches Fürstengeschlecht, das von 1138 bis 1254 deutsche Könige und Kaiser stellte, z. B. *Friedrich I. Barbarossa.*

Stauffenberg, Claus Graf *Schenk von Stauffenberg,* * 1907, † 1944; deutscher Offizier (Oberst). Er war einer der führenden Widerstandskämpfer gegen A. *Hitler.* 1940–1943 war er beim Generalstab des Heeres; ab 1943 bewegten ihn die Verbrechen der Nazis zum Widerstand. Er legte am 20. 7. 1944 eine Bombe im Führerhauptquartier »Wolfschanze« bei Rastenburg (Ostpreußen). In der irrigen Annahme, Hitler sei tot, eilte Stauffenberg nach Berlin zurück; dort wurde er mit anderen Offizieren standrechtlich erschossen.

Stearin [das], ein wachsartiges Gemisch, das durch die Spaltung von tierischen Fetten gewonnen wird. Stearin wird zur Herstellung von Kerzen verwendet.

Steckbrief [der], öffentliche Aufforderung an die Bevölkerung, einen Beschuldigten oder Verurteilten, gegen den ein Haftbefehl vorliegt, der Polizei zu melden. Der Steckbrief, der an zahlreichen öffentlichen Orten aushängt, enthält Personenbeschreibung, Foto und den Grund der Verfolgung.

Stegreif [der], eine alte Bezeichnung für Steigbügel; »aus dem Stegreif« bedeutet: ohne Vorbereitung. »Aus dem Stegreif sprechen« besagte ursprünglich: gleich nach der Ankunft, noch vom Pferd aus, sprechen oder eine Rede halten.

Steiermark [die], das zweitgrößte Bundesland Österreichs, 1,2 Mio. Einwohner. Die Hauptstadt der Steiermark ist *Graz.*

Steinbeck ['stainbɛk], John, * 1902, † 1968; US-amerikanischer Schriftsteller. Er schrieb Romane, in denen er krassen Realismus mit der Liebe zur sozialen Unterschicht und zu Außenseitern verband. Zu seinem Hauptwerk gehören »Die Schelme von Tortilla Flat«, »Die Straße der Ölsardinen«, »Früchte des Zorns« und »Jenseits von Eden«. 1962 erhielt er den Nobelpreis für Literatur.

Steinbock [der], eine in den Hochalpen lebende Ziegenart. Der Steinbock ist ein guter Kletterer. Er lebt zwischen der Baumgrenze und der Gletscherzone, die Geißen (weibliche Tiere) mit den Jungtieren in Rudeln, die Böcke von diesen getrennt. Die Tiere ruhen tagsüber in den Bergen und ziehen abends zum Äsen zu Tal, im Morgengrauen wieder aufwärts.

Steingut [das], ein keramisches Produkt, das poröser als Porzellan ist, aber genauso verwendet werden kann.

Steinhuder Meer [das], ein großer Binnensee in Norddeutschland, nordwestlich von Hannover.

Steinkohle [die] → Kohle.

Steinobst [das], Früchte (z. B. Pfirsich, Aprikose, Pflaume), bei denen nach der Bestäubung der Fruchtknoten zu einer einsamigen Frucht heranwächst. Der äußere Teil der Frucht ist meist saftig und zuckerhaltig (Fruchtfleisch), der innere Teil verholzt zum Schutz des Samens.

Steinzeit [die], älteste Stufe der Menschheitsgeschichte und menschlicher Kulturentwicklung, in der die Menschen zur Herstellung ihrer Werkzeuge und Waffen neben Holz und Knochen vor allem Steine verwendeten. Man unterscheidet *Altsteinzeit* (um 2 Mio. bis 10 000 v. Chr.), *Mittelsteinzeit* (um 10 000–5000 v. Chr.) und *Jungsteinzeit* (um 5000–3000 v. Chr.). Der wichtigste Vorgang der Vorgeschichte, die Wandlung des Menschen vom Jäger und Sammler zum sesshaften Viehzüchter und Ackerbauern, fand am Übergang von der Mittelsteinzeit zur Jungsteinzeit statt.

Steißbein [das], Name eines Knochens, der unterhalb der Wirbelsäule am Kreuzbein ansetzt und aus vier verwachsenen Wirbelkörpern besteht.

Stenografie [die], *Stenographie,* → Kurzschrift.

Stephenson ['sti:vnsən], George, * 1781, † 1848; englischer Ingenieur. Er baute 1814 die erste betriebsfähige Eisenbahn (»Rocket«) und gründete die erste Lokomotivfabrik der Welt. Auch → Eisenbahnen.

Steinzeit: Getreidemühle aus Stein mit Faustkeil und Schale

Steppe [die], eine baumlose Grasfläche der gemäßigten Breiten, z.T. mit niedrigem Strauchbewuchs. Die größten zusammenhängenden Steppenlandschaften befinden sich in Südrussland, in Vorder- und Zentralasien. In Nordamerika und Argentinien wird die Steppe besonders zur Viehzucht genutzt.

Stereophonie [die], *Stereofonie,* Kurzwort *Stereo,* ein Verfahren zur räumlichen Wiedergabe von Tönen. Der Ton wird von zwei getrennten Mikrofonen aufgenommen, in elektrische Signale umgewandelt und über zwei getrennte Lautsprecher wiedergegeben. Die Stereophonie entwickelte sich weiter zur *Quadrophonie* (Wiedergabe über 4 Kanäle und 4 Lautsprecher).

stereotyp, feststehend, wiederkehrend.

steril, **1.** keimfrei (zum Beispiel sterile Verbandsmittel). **2.** unfruchtbar, nicht fortpflanzungsfähig.

Sterilisation [die], **1.** Abtötung von Mikroben und Bakterien mittels Hitze oder Strahlung. **2.** künstliche Aufhebung der Fortpflanzungsfähigkeit durch eine Operation. Beim Mann werden die Samenstränge durchtrennt, bei der Frau wird der Eileiter unterbrochen.

Stern [der], allgemein ein Himmelskörper, den man mit dem Auge als hellen, leuchtenden Punkt erkennt, in der Sternkunde (Astronomie) eine selbst leuchtende Gaskugel wie unsere Sonne. Die Sterne sind unterschiedlich hell, groß und alt, außerdem sind sie von verschiedener Masse. In ihrem Innern produzieren sie durch Kernverschmelzung bei hoher Temperatur Energie. Auch → Astronomie.

Sternbilder [Pl.], Sterngruppen, die Gegenstände oder Tiere darstellen, wenn man die einzelnen Sterne durch gedachte Linien miteinander verbindet (z. B. Großer Wagen, Drache, Schwan). Die Sternbilder wurden größtenteils aus dem Altertum überliefert. Heute helfen sie, sich am Himmel besser zu orientieren. Auch → Tierkreis.

Sterndeutung [die] → Astrologie.

Sternkunde [die] → Astronomie.

Sternschnuppe [die] → Meteor.

Sternwarte [die], *astronomisches Observatorium,* ein Institut für astronomische Forschungsarbeit und Himmelsbeobachtung.

Stethoskop [das, griech., »Schallrohr«], das Höhrrohr des Arztes, von dem zwei dünne Schläuche zu den Ohren führen. Mit einem Stethoskop lassen sich die Herztöne und Lungengeräusche abhören.

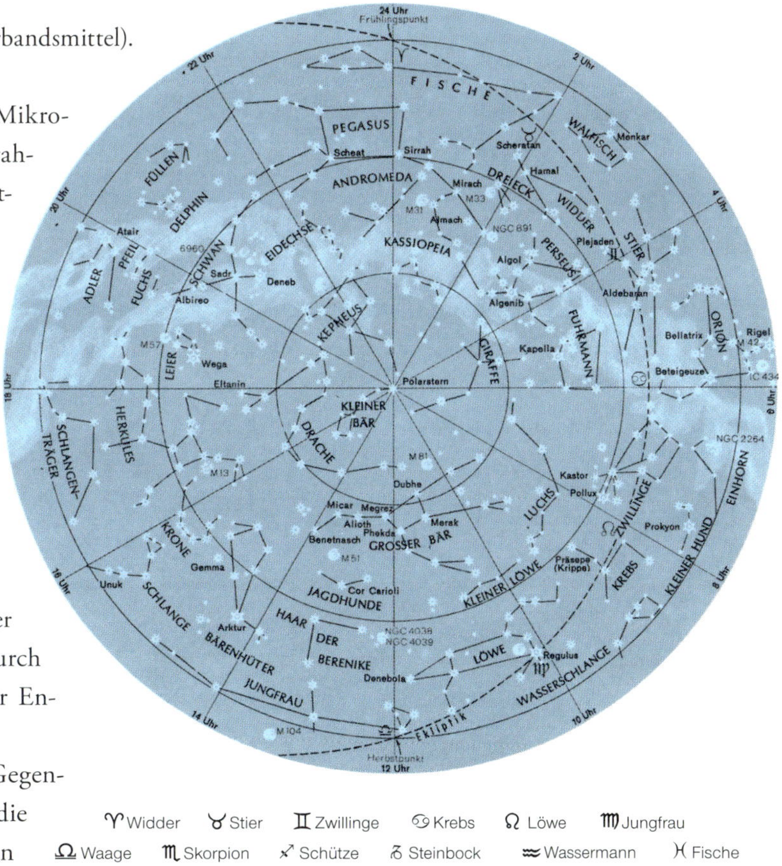

Sternbilder: Der ganze Himmel ist heute in 88 Sternbilder eingeteilt; im Bild die Sternbilder des nördlichen Sternenhimmels.

Was sind … Steuern

Steuern sind Abgaben, die der Bürger an den Staat bezahlen muss. Mit diesen Einnahmen werden etwa der Bau von Schulen und Krankenhäusern, die Unterstützung von Museen und Theatern oder der Bau von Straßen finanziert. Im modernen Staat sind nahezu alle wirtschaftlichen Vorgänge Gegenstand der Besteuerung. Der Hauptzweck von Steuern besteht in der Finanzierung von öffentlichen Ausgaben (Finanzierungsfunktion). Z. T. soll die Besteuerung aber auch das Verhalten der Steuerpflichtigen beeinflussen (Lenkungsfunktion, z. B. Ökosteuer).

Steuerarten: Man unterscheidet zunächst direkte Steuern und indirekte Steuern. Bei den direkten Steuern ist der Steuerschuldner (derjenige, der die Steuer abzuführen hat) mit dem Steuerträger (derjenige, den die Steuer treffen soll) identisch. Das ist z. B. bei der Erbschaftsteuer der Fall. Bei den indirekten Steuern sind Steuerschuldner und Steuerträger nicht identisch. Der Steuerschuldner behält die Abgabe, etwa bei der Mineralölsteuer, ein. Er führt sie an das Finanzamt ab und holt sie später beim Steuerträger, in dem Fall bei den Autofahrern, über einen entsprechenden Aufschlag auf den Benzinpreis wieder herein. Personal- oder Subjekt-Steuern (z. B. Einkommensteuer) unterscheiden sich von Real- oder Objekt-Steuern (z. B. Gewerbesteuer) dadurch, dass bei ihrer Bemessung persönliche Merkmale wie Familienstand oder Kinderzahl berücksichtigt werden. Steuern werden entweder indirekt an der Quelle erhoben (z. B. Lohnsteuer als besondere Erhebungsform der Einkommensteuer) oder direkt beim Steuerpflichtigen im Wege der Veranlagung. Nach der Körperschaft, der die Steuererträge zufließen, teilt man die Steuern in Bundes-Steuern (z. B. Zölle), Landes-Steuern (z. B. Kraftfahrzeugsteuer), Gemeinde-Steuern (z. B. Grundsteuer) und Gemeinschaft-Steuern (Einkommen-, Körperschaft- und Umsatzsteuer) ein. Gemessen am Aufkommen ist in Deutschland die Einkommensteuer mit einem Anteil von rund 35% wichtigste Steuer. Hingegen tragen Bagatell-Steuern (z. B. Feuerschutz- oder Hundesteuer) weniger als 0,1% zum gesamten Steueraufkommen bei.

Kriterien der Besteuerung: Das Steuersystem sollte nach A. Smith gemäß folgenden vier Grundsätzen gestaltet sein: 1. Es sollte gleichmäßig sein, das heißt im Verhältnis zur Leistungsfähigkeit der Besteuerten stehen. 2. Es sollte dem Erfordernis der Bestimmtheit genügen, das heißt, die Bemessung sollte eindeutig und nachvollziehbar sein. 3. Es sollte bequem sein, das heißt, die Steuerpflicht sollte leichtestmöglich erfüllbar sein. 4. Es sollte billig sein, das heißt, die Kosten der Steuererhebung sollten möglichst gering sein und die Steuerpflicht sollte wirtschaftliche Leistungsanreize möglichst wenig beeinträchtigen. Insbesondere der erstgenannte Grundsatz stellt hohe Anforderungen an die Steuerpolitik. So ist schon die Bestimmung der Leistungsfähigkeit umstritten, also die Frage, welche Einkünfte zugrunde gelegt und wie individuelle Merkmale des Besteuerten berücksichtigt werden. Außerdem gerät eine gleichmäßige Besteuerung v. a. bei einem tendenziell steigenden staatlichen Finanzierungsbedarf in Konflikt mit ökonomischen Erwägungen. So ist das Niveau der Belastung strittig, jenseits dessen die Besteuerung zu Widerständen und unerwünschten Reaktionen (Verlagerung von Steuerquellen ins Ausland, Steuerhinterziehung) führt.

Steuerbord [das] → Backbord.

Stevenson ['sti:vənsən], Robert Louis Balfour, * 1850, † 1894; englischer Schriftsteller. Neben Erzählungen über die Südsee schrieb er Abenteuerromane. Sein Werk »Die Schatzinsel« wurde ein großer Erfolg.

Steward ['stjuəd, der], Kellner oder Angehöriger des Bedienungspersonals in der See- oder Luftfahrt. Die weibliche Berufsbezeichnung ist *Stewardess.*

Stickstoff [der], ein chemisches Element mit dem Zeichen N (von lateinisch Nitrogenium). Stickstoff ist ein geruch- und geschmackloses Gas, das in elementarer Form ein wesentlicher Bestandteil der Luft ist. Gebunden kommt es in Form von Nitraten und als ein wichtiger Bestandteil von Eiweiß vor. Stickstoff wird aus flüssiger Luft gewonnen und in Stahlflaschen unter hohem Druck in den Handel gebracht. Er ist unbrennbar und bei normaler Temperatur sehr reaktionsträge. Unentbehrlich in der Landwirtschaft sind Stickstoffdünger. Zwischen der obersten Erdschicht und der Atmosphäre findet ein *Stickstoffkreislauf* statt.

Stier [der], Bulle, männliches Rind.

Stil [der], **1.** die besondere Art zu sprechen oder zu schreiben. **2.** Eigenart eines Künstlers, einer Künstlergruppe oder der Künstler einer bestimmten Epoche bei der Gestaltung von Kunstwerken. Haben mehrere Kunstschöpfungen (z. B. auf dem Gebiet der bildenden

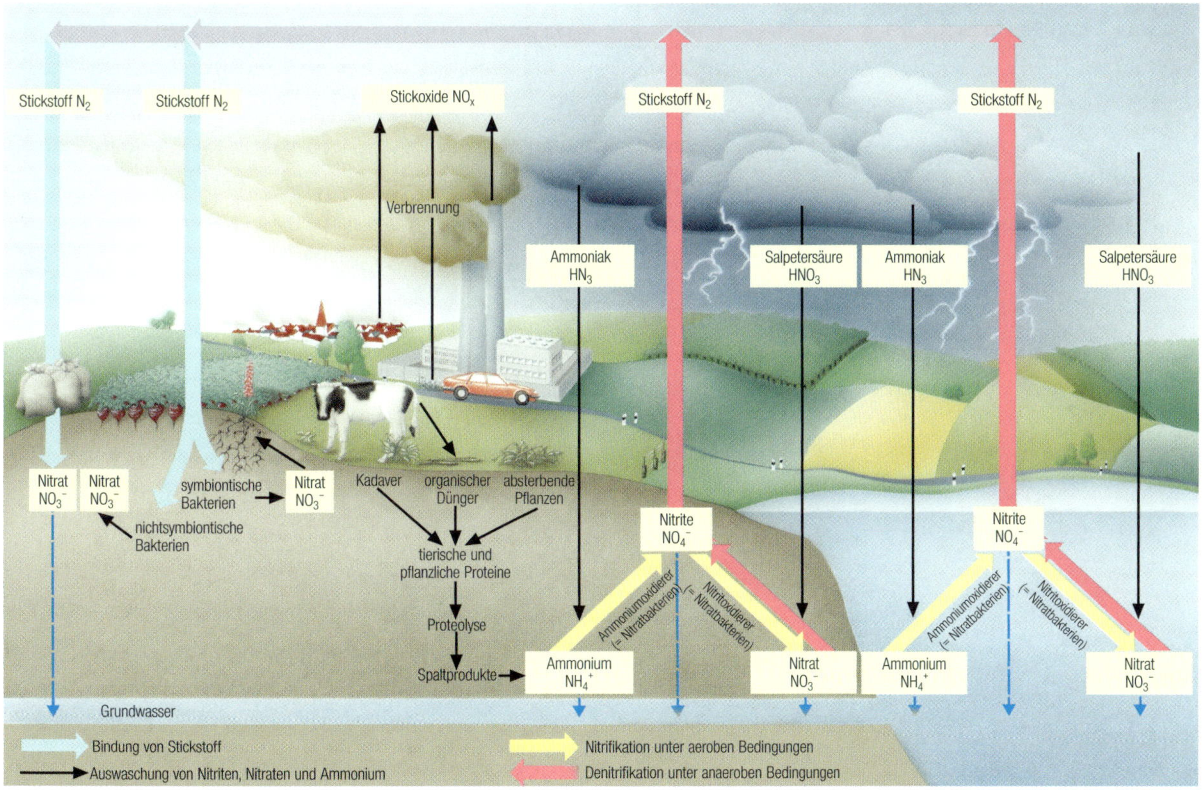

Stickstoff: Alle Lebewesen benötigen Stickstoff zum Aufbau ihrer Körpersubstanz, doch sind die meisten Pflanzen, alle Tiere und auch der Mensch nicht in der Lage, den Stickstoff direkt aus der Luft aufzunehmen. Sie sind darauf angewiesen, dass der Stickstoff in einem Kreislauf chemisch umgewandelt und dadurch für sie nutzbar wird. So wandeln Mikroorganismen bei der Zersetzung toter organischer Substanz den gebundenen Stickstoff zu Ammoniak um, der stufenweise zu Nitrit und Nitrat oxidiert und in dieser Form wiederum für die Pflanzen verwertbar wird.

Künste, der Musik, der Literatur) gemeinsame Merkmale, dann sind sie im gleichen Stil geschaffen worden. Jedes Zeitalter hat eigene Stilrichtungen. Neben den verschiedenen Zeitstilen (z. B. Klassik, Romantik) gibt es die Individualstile einzelner Künstler.

Stillleben [das], die Darstellung von bewegungslosen Gegenständen, z. B. Blumen und Früchte.

Stiller Ozean → Pazifischer Ozean.

Stimmbänder [Pl.], mit Schleimhaut überzogene Bandstreifen im Kehlkopf. Sie dienen der Stimm- und Lautbildung.

Stimmbruch [der], die einige Monate dauernde Übergangszeit während der Pubertät, in der die helle, hohe Knabenstimme um etwa eine Oktave sinkt und zur tieferen männlichen Stimme wird, weil Kehlkopf und Stimmbänder wachsen.

Stinktier [das], *Skunk,* Marder von etwa 40 cm Körperlänge, der den gesamten amerikanischen Kontinent bewohnt. Sein Fell ist dunkel mit weißen Längsstreifen. Das Paar *Stinkdrüsen* kurz vor der Afteröffnung hat Schutz- und Abwehrfunktion. Bei Gefahr kann das übel riechende, ölige Sekret bis zu 5 m weit gespritzt werden.

Stinktier: Das Hinterteil des Skunks ziert ein langer, buschiger Schwanz, der bei Gefahr hochgestellt wird.

Stockholm: Die im 13. Jh. auf der Insel Riddarholmen errichtete Riddarholmskirche ist die Grabstätte vieler schwedischer Könige.

Stipendium [das], eine Geldunterstützung für Studierende, Wissenschaftler, Künstler (Stipendiaten), die aus öffentlichen oder privaten Mitteln gewährt wird.

Stockhausen, Karlheinz, * 1928; deutscher Komponist. Er ist führend auf dem Gebiet der seriellen und elektronischen, seit den 1970er Jahren vor allem intuitiven Musik. Werke von ihm sind u. a. »Telemusik«, »Sirius« und »Licht«.

Stockholm, Hauptstadt und Haupthafen von Schweden, Residenz des schwedischen Königs, 762 000 Einwohner. Die Altstadt mit vielen historischen Bauten liegt auf kleinen Inseln. In Stockholm werden in jedem Jahr die Nobelpreise verliehen.

Stoffwechsel [der], die Zufuhr und Umwandlung von Nährstoffen (Eiweiß, Kohlenhydrate, Fette) sowie die Abgabe von Abfallstoffen im tierischen und menschlichen Körper. Zum Stoffwechsel gehören auch Atmung und Verdauung. Die Stoffwechselprozesse dienen zur Aufrechterhaltung der Körperfunktionen.

Stoiber, Edmund, * 1941; deutscher Politiker. Stoiber war 1993–2007 Ministerpräsident von Bayern und 1999–2007 Vorsitzender der CSU; 2002 war er Kanzlerkandidat der CDU/CSU.

stoisch [griech.], gelassen, von einer unerschütterlichen Ruhe. Das Wort leitet sich von der antiken Philosophenschule *Stoa* ab, in der u. a. Selbstbeherrschung und eine gelassene Lebensführung gelehrt wurden. Die Vertreter dieser Philosophie nennt man *Stoiker,* ihre Lehre ist der *Stoizismus.*

Störche [Pl.], Stelzvögel mit hartem, langem Schnabel und langen Beinen. Störche sind ausgezeichnete Flieger und Segler. Am bekanntesten ist der *Weiße Storch,* der in Europa, Nordafrika und Asien verbreitet ist. In Mitteleuropa wird er jedoch immer seltener. Er klappert bei Erregung und zur Verständigung laut mit dem Schnabel. Der Storch baut einen großen Reisighorst (Nest) auf Dachfirsten von Kirchen und Bauernhöfen, seltener im Wald oder auf Schornsteinen, der in jedem Jahr wieder aufgesucht wird. Er liebt feuchte Wiesen und Sümpfe, wo er auf Nahrungssuche geht (Lurche, kleine Säuger, Würmer, Schnecken u. a.). Der Storch ist ein Zugvogel.

Störche: Weißstörche haben sich einen Schornstein als Horstplatz ausgesucht.

Störtebeker: Der Seeräuber Klaus Störtebeker wird in Liedern und Sagen als volkstümlicher Held gefeiert.

Störe [Pl.], Fische, die in den Meeren der Nordhalbkugel verbreitet sind. Sie werden 1–2 m, in seltenen Fällen bis 6 m lang. Die Eier (Rogen) des Störs werden zu *Kaviar* verarbeitet.

Storm, Theodor, * 1817, † 1888; deutscher Dichter. Seine Werke sind eng mit der norddeutschen Küstenlandschaft verbunden. Bekannte Novellen sind beispielsweise »Pole Poppenspäler«, »Immensee« und »Der Schimmelreiter«.

Störtebeker, Klaus, † 1401; deutscher Seeräuber. Störtebeker war seit 1394 der Führer einer Seeräuberbande. Nach vielen Raubfahrten gegen die Schiffe der Hanse fiel er 1401 in die Hände der Hamburger und wurde hingerichtet.

Stoß, Veit, * um 1448, † 1533; deutscher Bildhauer, Maler und Kupferstecher. Er war einer der bedeutendsten Bildhauer zu Beginn des 16. Jh. und war vor allem in Nürnberg und Krakau tätig. Sein Hochaltar in der Krakauer Marienkirche ist mit 16 Metern Höhe und 11 Metern Breite der größte geschnitzte Flügelaltar der Epoche.

Stoßdämpfer [Pl.], *Schwingungsdämpfer,* Vorrichtungen an Kraftfahrzeugen, die Unebenheiten der Fahrbahn dämpfen und damit Fahrkomfort und -sicherheit verbessern.

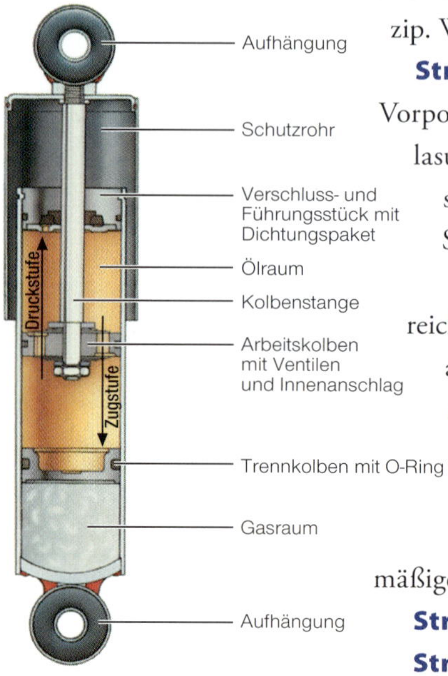

Stoßdämpfer: Gasdruck-Stoßdämpfer im Längsschnitt

St. Petersburg, *Sankt Petersburg,* 1703 bis 1914 Sankt Petersburg, 1914 bis 1924 *Petrograd,* 1924 bis 1991 *Leningrad,* die zweitgrößte Stadt Russlands, 4,7 Mio. Einwohner (mit Vororten). Die Stadt ist das Zentrum Nordrusslands und reich an barocken und klassizistischen Bauten. Die *Eremitage* (ehemalige Residenz des russischen Zaren) beherbergt heute eines der bedeutendsten Museen der Welt. – Die Stadt wurde 1703 von *Peter dem Großen* gegründet und war 1712–1918 Residenz und Hauptstadt Russlands.

Strafrecht [das], die Gesamtheit der Rechtsvorschriften, durch die alle Taten mit Strafe bedroht werden, die gegen das Leben und das Eigentum des Bürgers oder der Allgemeinheit gerichtet sind. Hierzu gehören z. B. Raub, Mord, Betrug. Die Rechtsvorschriften sind meist in Strafgesetzbüchern zusammengefasst.

Strahlenschutz [der], alle Maßnahmen, die dem Schutz von Menschen, Tieren, Pflanzen und Sachen vor Röntgenstrahlen und radioaktiven Strahlen dienen. Dazu gehören die Abschirmung der Strahlungsquelle, die ständige Überwachung der Strahlungsintensität (beispielsweise mit Geigerzählern) und die schadlose Beseitigung strahlender Abfälle.

Strahltriebwerk [das], eine Antriebsanlage besonders für Flugzeuge, basierend auf dem Rückstoßprinzip. Weit verbreitet sind Strahlturbinen.

Stralsund, eine Hafenstadt in Mecklenburg-Vorpommern, gegenüber der Insel Rügen, am Strelasund, rund 57 000 Einwohner. Die alte Hansestadt hat ein gut erhaltenes mittelalterliches Stadtbild.

Straßburg, eine Stadt im Nordosten Frankreichs, im Elsass, 264 000 Einwohner. Die Stadt am Rhein hat eine gut erhaltene Altstadt, berühmt ist das *Straßburger Münster* aus dem 12./13. Jh. Straßburg ist Sitz des Europarats und des Europaparlaments.

Strategie [die], kluges Verhalten, planmäßiges Vorgehen.

Stratosphäre [die] → Atmosphäre.

Strauß [der], mit einer Höhe bis 3 m und einem Gewicht bis 150 kg der größte heute lebende Vogel. Strauße bewohnen die Steppen und Wüstenländer Afrikas. Sie können besonders schnell laufen (bis zu 70 km in der Stunde), jedoch nicht fliegen.

Strauß: Das Straußenmännchen besitzt ein überwiegend schwarzes Federkleid, während die Hennen eher braun gefiedert sind.

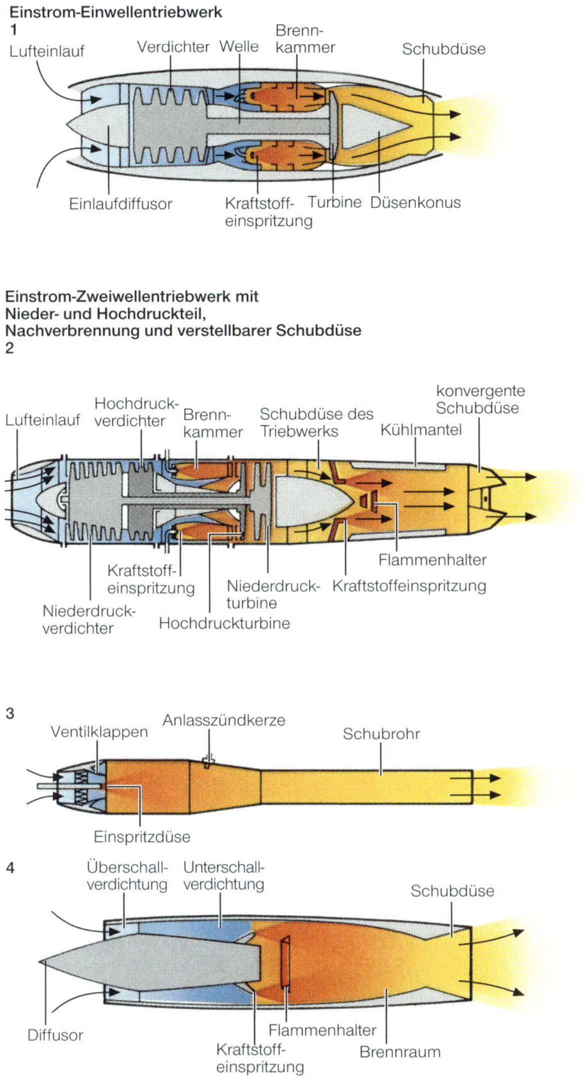

Schnitte durch verschiedene Strahltriebwerke: 1 und 2 Turbinen-Luftstrahl-Triebwerk, 3 Verpuffungsstrahltriebwerk, 4 Staustrahltriebwerk

Strauß, **1.** Johann (Vater), *1804, †1849; österreichischer Komponist und Hofballmusikdirektor. Von seinen Kompositionen ist neben zahlreichen Walzern der »Radetzky-Marsch« besonders bekannt geworden. **2.** Johann (Sohn), *1825, †1899; österreichischer Komponist und Hofballmusikdirektor. Strauß war ein Meister des Konzertwalzers (u. a. »Wiener Blut«, »An der schönen blauen Donau«, »Kaiserwalzer«) und wurde darum auch »Walzerkönig« genannt. Berühmt sind seine Operetten »Die Fledermaus«, »Der Zigeunerbaron« und »Eine Nacht in Venedig«.

Strauss, Richard, *1864, †1949; deutscher Komponist, Dirigent und Kompositionslehrer. Aus der Zusammenarbeit mit dem Dichter Hugo von *Hofmannsthal* gingen mehrere Opern hervor, u. a. »Salome«, »Elektra«, »Der Rosenkavalier«, »Ariadne auf Naxos«, »Arabella«. Strauss komponierte auch sinfonische Dichtungen, Kammermusik und Lieder.

Strawinsky, Igor Fjodorowitsch, *1882, †1971; russisch-amerikanischer Komponist. Strawinsky war einer der bedeutendsten Vertreter der modernen Musik. Sein Werk umfasst Opern, Orchester- und Chorwerke, Kammermusik und Ballette (u. a. »Petruschka« und »Pulcinella«).

Streetball [striːtbɔːl], Sportart, die sich aus dem Basketballspiel der farbigen Bevölkerung in den Slums der US-Städte entwickelte. Ein Team besteht aus vier Spielern einschließlich Ersatzspieler, wobei auf nur einen Korb gespielt wird.

Streichinstrumente [Pl.], Musikinstrumente mit Saiten, die durch Streichen mit einem Bogen zum Klingen gebracht werden, wie beispielsweise Geige, Bratsche oder Cello.

Streik [der], *Ausstand*, eine gemeinschaftliche Arbeitsniederlegung der Arbeitnehmer, um beispielsweise bessere Arbeitsbedingungen oder höhere Löhne durchzusetzen. Der *organisierte Streik* wird von den Gewerkschaften, der *wilde* oder *spontane Streik* ohne ihren Willen geführt. Vor dem organisierten Streik findet eine geheime Abstimmung der gewerkschaftsangehörigen Arbeitnehmer statt, um Einleitung und Ablauf des Streiks zu regeln *(Urabstimmung)*. Es gibt verschiedene Arten von Streiks, je nachdem, wie viele Arbeitnehmer an ihm beteiligt sind (z. B. *Generalstreik,*

Die Stromlinienform des Autos wird im Windkanal getestet, einer tunnelartigen Versuchseinrichtung, in der vom Gebläse ein von Wirbeln freier Luftstrom erzeugt wird.

Teilstreik) oder auf welche Art und Weise er durchgeführt wird (z. B. *Sitzstreik, Bummelstreik*). Da ein Streik für die Arbeitgeber und oft auch für die Bevölkerung immer mit großem Schaden verbunden ist, sollte er als letztes Mittel nach vorangegangenen Verhandlungen eingesetzt werden. Die Arbeitgeber können auf ihn mit einer *Aussperrung* reagieren, d. h. die Arbeitsverträge aufheben und die Arbeitnehmer von der Arbeit ausschließen.

Stresemann, Gustav, * 1878, † 1929; deutscher Politiker. Stresemann war Außenminister (1923–1929) in der Weimarer Republik. Erfolgreich suchte er die Verständigung zwischen Deutschland und den Siegermächten des Ersten Weltkriegs. Für seine Bemühungen um eine Versöhnung mit Frankreich erhielt er zusammen mit dem Franzosen A. *Briand* 1926 den Friedensnobelpreis.

Stress [der], eine anhaltende Überbeanspruchung des Körpers und der Psyche. Stress löst Reaktionen im Organismus aus und kann Gesundheitsschäden verursachen.

Strichpunkt [der], *Semikolon,* → Zeichensetzung, auch »Genauer betrachtet«, Seite 206.

Strom [der] → Elektrizität.

Stromlinienform [die], die äußere Form von Fahr- oder Flugzeugen, die einer Flüssigkeits- oder Luftströmung den geringsten Widerstand entgegensetzt.

Stromstärke [die], die Ladung, die bei konstantem Strom in einer Sekunde durch den Leiterquerschnitt hindurchfließt. Die gesetzliche Maßeinheit dafür ist das → Ampere.

Strontium [das], ein chemisches Element mit dem Zeichen Sr. Strontium ist ein silberweißes, weiches Leichtmetall. Strontiumsalze werden in der Feuerwerkstechnik verwendet.

Strophe [die], Abschnitt eines Gedichts oder Lieds mit mehreren Versen.

Struktur [die], innerer Aufbau, Gefüge aus einzelnen Elementen.

Strychnin [das], ein Gift aus dem Samen der indischen Brechnuss, das schon in kleinen Mengen krampfartige Muskelstarre und damit den Tod durch Ersticken hervorruft.

Stuart → Maria Stuart.

Studio [das], der Aufnahmeraum in Funkhäusern, Fernsehanstalten und Musikfirmen.

Stunde [die], der 24. Teil eines Tages, ein Zeitraum von 3600 Sekunden oder 60 Minuten. Die Einteilung des Tages ist erst seit dem Ende des Mittelalters üblich.

Stuntman ['stʌntmən, der, engl.], im Film ein → Double bei gefährlichen Szenen.

stupid, geistlos, stumpfsinnig, beschränkt.

Sturm und Drang [der], eine Epoche der deutschen Literaturgeschichte. Sie beginnt etwa 1765 als Gegenbewegung zur Vernunftherrschaft der *Aufklärung* und mündet in die *Klassik* um etwa 1790. Beeinflusst von Rousseau, Shakespeare und der Entdeckung des Volksliedes findet eine Hinwendung zur Natur und zum »einfachen Volk« statt. Der Sturm und Drang verherrlichte Gefühl, Leidenschaft und die Schöpferkraft des Genies. Er forderte die Befreiung von gesellschaftlichen Bindungen und starren Regeln in Leben und Kunst. Zum Sturm und Drang zählen u. a. Goethes »Götz von Berlichingen« und Schillers »Die Räuber«.

Stuttgart, die Hauptstadt des Landes Baden-Württemberg, am Neckar, 589 000 Einwohner. Die Stadt ist das Kultur- und Wirtschaftszentrum des Landes. Stuttgart war seit Mitte des 15. Jh. Residenz der württembergischen Herzöge und seit 1806 Mittelpunkt des Königreichs Württemberg.

Subjekt [das], *Satzgegenstand,* derjenige Teil des Satzes, über den etwas ausgesagt wird.

subjektiv, persönlich voreingenommen, vom eigenen Standpunkt aus beurteilt; Gegensatz: *objektiv.*

Subkultur [die], die Kultur einer Gruppe innerhalb einer größeren, umfassenden Kultur oder Gesellschaft. Die Subkultur kann eigene Verhaltensnormen haben (z. B. Sekten, Jugendbanden) oder sich auch als »Gegenkultur« verstehen (z. B. Punker).

Substantiv [das], *Hauptwort,* ein Wort, das ein Lebewesen, einen Gegenstand, einen Namen oder einen Begriff bezeichnet und mit einem Artikel verbunden werden kann, der das *Genus* (Geschlecht) des Substantivs anzeigt, z. B. »Hund«, »Tisch«, »Köln«.

Substanz [die], der Stoff, die Materie, aus der etwas besteht. Man verwendet den Begriff auch, um den geistigen Inhalt, das Wesentliche zu bezeichnen.

Subtraktion [die], das Abziehen von Zahlen, wobei die Differenz gebildet wird, die Umkehrung der Addition. Auch → Mathematik (Tabelle Grundrechenarten).

Subventionen [Pl.], Beihilfen an Unternehmen oder Wirtschaftszweige aus öffentlichen Mitteln, u. a. bei Krisen, starker internationaler Konkurrenz oder zur gezielten Förderung (z. B. Landwirtschaft, Wohnungsbau, Steinkohlenbergbau).

Suchmaschine [die], Suchdienst im Internet (z. B. Google, Altavista, Lycos oder Yahoo), mit dem mittels eingegebener Stichwörter nach im Internet präsentierten Themen gesucht werden kann. Eine *Meta-Suchmaschine* (z. B. Metacrawler) gibt den eingegebenen Suchbegriff an mehrere Suchmaschinen parallel weiter und sammelt die Ergebnisse. Der Benutzer kann so auf die Ergebnisse mehrerer Suchmaschinen gleichzeitig zurückgreifen.

Sucht [die], → Abhängigkeit, auch ZEIT-Beitrag → »Sucht: Wenn es nicht mehr ohne geht«, Seite 38–41.

Sucre, formell Hauptstadt Boliviens (Regierungssitz ist *La Paz*), 216 000 Einwohner.

Ländersteckbrief Südafrika

Fläche:	1 219 090 km²
Einwohner:	47,6 Millionen = 39 je km²
Hauptstadt:	Pretoria (Regierungssitz); Kapstadt (Parlamentssitz)
Religion:	Christentum
Amtssprache:	Englisch, Afrikaans, Ndebele, Setswana, Swati, Tsonga, Venda, Xhosa, Zulu, Nordsotho, Südsotho
Währung:	1 Rand = 100 Cents

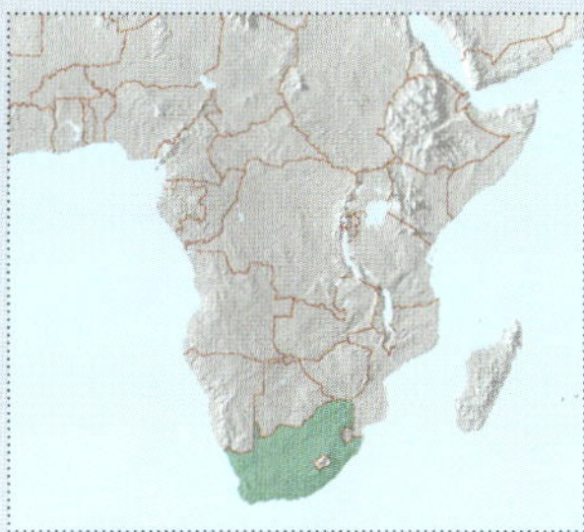

Südafrika, Staat in Südafrika.

Landesnatur: Der größte Teil Südafrikas ist eine 900 bis über 1200 m hohe muldenförmige Hochebene. Nach Norden geht sie in das *Kalahari-Becken*,

Fortsetzung → Seite 42

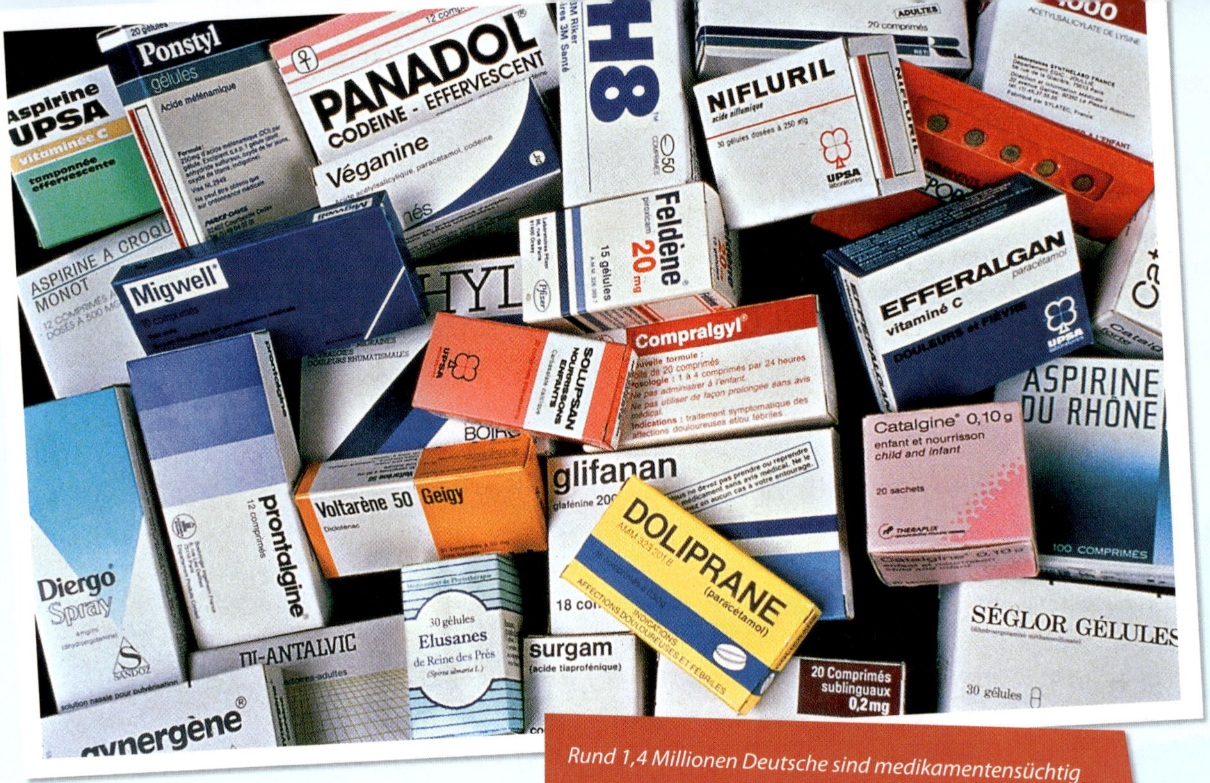

Rund 1,4 Millionen Deutsche sind medikamentensüchtig

Sucht

Wenn es nicht mehr ohne geht

Von Achim Wüsthof

Ich bin süchtig nach Gummibärchen«, sagt der neunjährige Leon, als ihm seine Mutter drei rote und zwei gelbe auf die Hand abzählt. Fünf sind ihm zu wenig. Am liebsten würde er die ganze Tüte leer futtern. Die Mutter lacht und sagt: »Wenn du zu viele Süßigkeiten isst, tut dein Magen weh, und dein Bauch wird dick und wabbelig.«

Das wäre Leon aber in diesem Moment völlig egal. Er hat ein starkes Verlangen nach Gummibärchen und sagt selbst, dass er nach ihnen »süchtig« sei. Doch gibt es überhaupt eine Sucht nach Gummibärchen? Normalerweise wird eine Sucht mit Zigaretten, Alkohol und anderen Drogen in Verbindung gebracht. Also mit Substanzen, die Menschen körperlich und seelisch abhängig machen können. Wer abhängig ist, schafft es nicht, ohne seine Droge auszukommen. Werden Abhängige am Rauchen oder Trinken gehindert, fühlen sie sich unwohl, werden unruhig oder gar zornig.

Gegen besseres Wissen

Dabei wissen sie natürlich, dass sie mit der Sucht ihre Gesundheit aufs Spiel setzen. Den meisten Rauchern etwa ist bewusst, dass ihnen Lungenkrebs, Herzinfarkt und Raucherbein drohen. Das ist ja gerade das Verrückte an der Sucht: Man verhält sich unvernünftig, obwohl der eigene

Verstand die Gefahren kennt. Doch die Abhängigen merken nicht, dass sie bereits in einer Falle sitzen, aus der sie so schnell nicht mehr herauskommen. Sie reden sich ein, jederzeit aufhören zu können. Meist gelingt ihnen das nicht. Oft rauchen oder trinken sie stattdessen immer mehr. Denn mit der Zeit schwindet die Wirkung der Suchtmittel. Damit es sich genauso anfühlt wie am Anfang, brauchen die Abhängigen eine immer größere Menge. Das ist ein entscheidender Unterschied zu den Gummibärchen: Leon freut sich auch über fünf Stück – sie schmecken ihm richtig gut. Ein Alkoholiker hingegen hat ein berauschendes Gefühl erst dann, wenn er mehr als eine halbe Flasche Whisky getrunken hat.

Zum Glück wird niemand von Gummibärchen auf die gleiche Weise abhängig. Leon denkt zwar gelegentlich an seine Lieblingssüßigkeiten – aber eben nur gelegentlich. Bei einem Alkoholiker hingegen kreisen sämtliche Gedanken fast nur noch darum, wie er am schnellsten wieder etwas zu trinken bekommt. Dabei vergisst er alles um sich herum, seine Familie, seine Arbeit, seine Freunde. Die Sucht macht ihn einsam und traurig. Doch anstatt die Sucht aufzugeben, versuchen die Süchtigen ihre Verzweiflung mit ihrem Suchtmittel zu bekämpfen, was alles noch schlimmer macht. Unter dem Einfluss von Drogen hat niemand einen klaren Kopf, um Probleme zu lösen.

Oft sind es auch gerade die Schwierigkeiten im Leben, die zu einer Sucht führen. Wenn zum Beispiel ein Jugendlicher in der Schule keinen Erfolg hat, mit seinen Eltern nicht zurechtkommt und sich insgesamt nicht wohl in seiner Haut fühlt, wird er leicht anfällig für vermeintlich wundersame Stoffe, die ihm Bekannte vielleicht auf einer Party oder in der Schule anbieten. Alkohol etwa lässt ihn dann für kurze Zeit vergessen, warum er unglücklich war.

Probleme über Probleme

Viele nehmen Drogen zunächst aus Neugierde oder um mit Freunden etwas Verbotenes auszuprobieren. Einige merken dann, dass sie dadurch in eine neue Welt gelangen, in der ihre Probleme erträglicher erscheinen. Nur: Zur Lösung dieser Probleme trägt das nicht bei. Im Gegenteil: Sobald jemand nicht nur probiert, sondern süchtig geworden ist, wird die Lage bedrohlich. Denn nun gilt es, mit den ursprünglichen Schwierigkeiten fertig zu werden und außerdem noch mit jenen, die durch die Abhängigkeit dazukommen! Man muss sich ja neue Drogen besorgen, man

Nicht nur Alkohol, auch Computerspiele können abhängig machen – und ganz schön einsam

braucht Geld dafür, man kommt keineswegs plötzlich gut mit den Eltern oder in der Schule zurecht (eher wird es schlimmer). Vor allem aber verliert man seinen freien Willen: Wenn man süchtig ist, bestimmt die Droge, was man tut.

Am besten können echte Glücksgefühle eine Sucht verhindern. Wer das Leben genießen kann, der hat es gar nicht erst nötig, nach künstlichem Ersatz zu suchen. Sich über Freundschaften, die Natur, Kunst oder Musik freuen: Wer das kann, den bringen auch Schwierigkeiten oder Probleme nicht so schnell aus dem Gleichgewicht.

Manchmal allerdings führt auch ein bestimmtes Leiden zu einer Sucht. Der Arzt kann dafür sogar mitverantwortlich sein: Wenn beispielsweise ein Patient über Schlaflosigkeit oder Schmerzen klagt und der wohlmeinende Arzt ein entsprechendes Medikament verordnet und dann immer wieder das gleiche Rezept ausstellt, ohne die Gefahr einer Abhängigkeit zu berücksichtigen. Am Anfang wirkt die Arznei sehr gut, doch schon bald benötigt der Patient immer mehr Tabletten. Nach einer gewissen Zeit kommt er ohne die Pillen überhaupt nicht mehr zurecht: Er ist süchtig geworden. Das kann sowohl einer Großmutter passieren, die ein Mittel schluckt, weil sie nachts nicht schlafen kann, als auch einem von Rückenschmerzen geplagten Menschen.

Arbeiten bis zum Umfallen

Es gibt allerdings auch Süchte, die gar nichts mit Drogen oder Medikamenten zu tun haben. In diesen Fällen wird das Verhalten einer Person zur Sucht. Zum Beispiel bei Leuten, die es nicht schaffen, nach Feierabend mit dem Arbeiten aufzuhören. Sie gehen auch am Wochenende ins Büro und bringen sich abends Aktenorder mit nach Hause, um sie bis zum Schlafengehen noch zu wälzen. Solche »Arbeitssüchtigen« (Workaholics genannt; das kommt vom englischen *work* = arbeiten, *alcoholic* = Alkoholiker) setzen sich selbst unter starken Druck und haben immer den Eindruck, nie genug getan zu haben.

Essen kann ebenfalls zur Sucht werden: In Deutschland ist bereits jedes sechste Kind zu dick. Das Risiko für Zuckerkrankheit, Herzinfarkt, Schlaganfall, vorzeitigen Gelenkverschleiß und gewisse Krebsformen steigt dadurch rapide an. Gefährdete Kinder verlieren die Kontrolle darüber, was sie alles in sich hineinschlingen, und glauben, sie würden gar nicht so viel essen. Ein kritischer Blick in den Spiegel verrät ihnen zwar, dass ihre Wampe wächst – doch vor lau-

Gar nicht cool: Wer mit dem Rauchen anfängt, kann oft nur schwer wieder aufhören

Auch Essen kann zur Sucht werden: Jedes sechste deutsche Kind ist zu dick

ter Verzweiflung darüber trösten sie sich, indem sie noch mehr essen. Auch das Gegenteil gibt es: Magersüchtige, die sich fast zu Tode hungern.

Gefangen in Computerwelten

Der Computer und das Internet locken ebenfalls in ein Universum, das einige Menschen schnell abhängig macht. Viele Kinder, Jugendliche und auch Erwachsene schlüpfen auf dem Bildschirm täglich über mehrere Stunden in die Hülle von muskelbepackten Helden, in technisch hochgerüstete Fahr- oder Flugzeuge und kämpfen um die Macht des Stärkeren, Schnelleren oder Pfiffigeren. Was alle Spielsüchtigen reizt, ist das Gefühl, etwas Großes zu erreichen.

Oft sind die Strategien, um in dem Spiel voranzukommen, extrem brutal: Per Joystick wird geschossen, zur Explosion gebracht, erdrosselt, erwürgt. Wer zu viel spielt, verlernt, in der echten Welt aktiv zu sein. Computersüchtige gehen kaum noch vor die Tür, treiben kaum Sport – und wenn sie sich mit Freunden treffen, dann nur noch, um mit ihnen gemeinsam am Computer zu spielen. Je länger der Bildschirm Kinder und Jugendliche in seinen Bann zieht, desto schlaffer werden auch ihre Muskeln. Es gibt Untersuchungen, die zeigen, dass viel Fernsehen und Computerspielen deutlich die Entwicklung von Übergewicht begünstigen. Die Spielsucht ist also nicht nur für Geist und Seele, sondern auch für den Körper schädlich.

Eine zumindest körperlich unbedenkliche Sucht ist die Sehn-Sucht. Sie erfasst uns, wenn wir uns an etwas Schönes erinnern und es herbeisehnen. Auch Leon kennt diese Sucht. Oft denkt er an die Sommerferien letztes Jahr in Norwegen zurück, wo er mit den anderen Kindern des Ferienlagers in der Natur spielen konnte. Das waren sehr glückliche Wochen.

nach Nordosten in die *Limpopo-Senke* über. Im Westen, Süden und Osten wird sie von der Großen Randstufe gesäumt, die in den *Drakensbergen* (3482 m) ihre höchste Erhebung erreicht. – Südafrika hat subtropisches Klima. Die Temperaturen im Hochland sind besonders im Winter niedrig. Im größten Teil des Landes fallen die geringen Niederschläge im Sommer. Sie nehmen von Osten nach Westen und von Süden nach Norden ab. Im Winterregengebiet des Kaplandes gedeiht Hartlaubvegetation. Baumreiche Feuchtsavannen im östlichen Teil gehen nach Westen und Nordwesten zur Kalahari hin in Trocken- und in Dornsavannen über.

Südafrika: In der Kalahari lebt eine Vielzahl von Erdmännchen.

Bevölkerung: Die Bevölkerung setzt sich aus 78% Schwarzen (Bantu), 10% Weißen, 9% Mischlingen und 2,5% Asiaten zusammen. Es herrscht Sprachenvielfalt; 1994 wurden neben Englisch und Afrikaans auch die neun Bantusprachen zu offiziellen Amtssprachen erklärt. 87% der Bewohner sind Christen.

Wirtschaft: Südafrika gehört zu den an Bodenschätzen reichsten Ländern der Erde; es liefert knapp 16% der Weltförderung an Gold sowie große Mengen an Uran, Diamanten, Platin, Eisen, Vanadium, Mangan, Chrom, Kupfer, Asbest und Steinkohle. Die vielseitige und leistungsfähige Industrie erzeugt v. a. Maschinen, chemische Produkte und Textilien und verarbeitet die Produkte der Landwirtschaft und des Bergbaus. Die weit verbreitete Viehzucht (Rinder, Schafe) hat für den Export größere Bedeutung als der Ackerbau. Hauptanbauprodukte sind Mais und Weizen, daneben Zuckerrohr, Baumwolle, Tabak, Wein und Zitrusfrüchte. – Die zahlreichen Nationalparks und Wildschutzgebiete sowie die reizvollen Strände an der langen Küste sind Zielorte des internationalen Fremdenverkehrs. Die wichtigsten Seehäfen sind Durban, Kapstadt, East London und Port Elizabeth; internationale Flughäfen gibt es bei Johannesburg, Durban, East London und Kapstadt.

Geschichte: Auf dem Gebiet des heutigen Staates lebten bereits vor der europäischen Besiedelung Khoisanvölker (Buschleute) und Bantuvölker. 1652 errichteten Holländer die Siedlung Kapstadt. 1806 besetzte England die *Kapkolonie* (seit 1814 Kronkolonie). Die Buren wanderten 1836–1840 aus und gründeten weiter östlich die Burenrepubliken Natal, Oranjefreistaat und Transvaal. Nach dem Burenkrieg (1899–1902) nahm England den Burenstaaten ihre Selbstständigkeit. 1910 schlossen sich die Kapkolonie, *Natal*, *Oranjefreistaat* und *Transvaal* zur *Südafrikanischen Union* zusammen; sie wurde ein britisches Dominion. Die Union eroberte im Ersten Weltkrieg (1915) Deutsch-Südwestafrika und erhielt vom Völkerbund 1920 ein

Südafrika: Der Tafelberg mit seinem Plateau ist das Wahrzeichen von Kapstadt.

Mandat über dieses Gebiet. 1931 erhielt Südafrika von Großbritannien volle Selbstregierung zuerkannt. Das Land nahm unter J. *Smuts* (1919–1924 und 1939–1948 Ministerpräsident) am Zweiten Weltkrieg teil.

Die Nationale Partei setzte seit 1948 konsequent die Politik der → Apartheid durch. Die Schwarzafrikaner erhielten gesonderte Siedlungsgebiete zugewiesen (Homelands, »Bantustans«; Townships). In den übrigen »weißen« Gebieten hatten Nicht-Weiße keine politischen Rechte. Dagegen sammelte sich der schwarze Widerstand im *Afrikanischen Nationalkongress (ANC)*, der 1960 verboten wurde. Die Apartheidpolitik führte zur internationalen Isolierung des Landes. Es trat 1961 aus dem Commonwealth aus. Die Republik Südafrika wurde ausgerufen. 1964 ließ das Regime N. *Mandela*, den führenden schwarzen Oppositionspolitiker, zu lebenslanger Haft verurteilen. 1966 entzog die UNO Südafrika das Mandat über das ehemalige Deutsch-Südwestafrika (Namibia). Der Widerstand gegen das Apartheidregime wuchs. 1976 brachen blutige Unruhen in *Soweto* aus. 1984 wurde unter der Regierung P. *Bothas* eine neue Verfassung verabschiedet, die bestimmte politische Mitspracherechte für Mischlinge und Inder vorsah. 1988 schlossen Südafrika, Angola und Kuba ein Abkommen über den Rückzug der kubanischen Truppen aus Angola sowie die Unabhängigkeit Namibias.

Präsident F. de *Klerk* (seit 1989) leitete die endgültige Abkehr vom Apartheidsystem ein. Er veranlasste 1990 die Freilassung Mandelas sowie die Wiederzulassung des ANC und anderer schwarzer Gruppierungen. Alle Apartheidgesetze wurden abgeschafft, die Homelands aufgelöst und die Alleinherrschaft der weißen Bevölkerung beendet. Freie Wahlen 1994 gewann der ANC mit überwältigender Mehrheit. N. Mandela wurde zum Staatspräsidenten gewählt. 1997 trat eine neue Verfassung in Kraft. Parlamentswahlen 1999 und 2004 gewann wiederum der ANC (2004 mit Zweidrittelmehrheit). 2003 legte eine Wahrheits- und Versöhnungskommission den Abschlussbericht über das Unrecht der Apartheidzeit vor. Seit 1999 ist T. *Mbeki* (ANC) als Nachfolger Mandelas Staatspräsident.

Ländersteckbrief
Sudan

Fläche:	2 505 810 km²
Einwohner:	37,0 Millionen = 15 je km²
Hauptstadt:	Khartum
Religion:	Islam, Naturreligionen
Amtssprache:	Arabisch
Währung:	1 Sudanesischer Dinar = 100 Piastres

Sudan, Staat in Nordostafrika.

Landesnatur: Im Norden liegen die einförmigen Hügel- und Tafelländer der Wüste Sahara, die im Randgebirge am Roten Meer auf 2780 m ansteigen. Südlich schließt sich eine breite Steppenzone an, auf die äquatorwärts das feuchtheiße Becken am Weißen Nil und Bahr Al Ghazal mit der weiten Sumpflandschaft Sud folgt. Im Westen liegt das steppenhafte Bergland von Darfur mit dem Basaltgebirge Jabal Marrah (3088 m).

Bevölkerung: Die Bevölkerung des islamischen Nordens besteht v. a. aus Arabern und Nubiern. Dagegen leben im Süden Niloten u. a. afrikanische Volksgruppen. Sie gehören vorwiegend traditionellen Religionen und dem christlichen Glauben an.

Wirtschaft: Die Landwirtschaft liefert für den Export v.a. Sesam und Baumwolle. Im Süden werden 80% der Weltproduktion an Gummi arabicum gewonnen. Aus der Viehzucht gelangen lebende Tiere, Häute und Felle in den Export. Die Industrie verarbeitet v.a. Agrarprodukte; obenan steht die Textilindustrie. Am Rande des Weißnilbeckens wird Erdöl gefördert. – Einziger Hochseehafen ist Port Sudan, Khartum besitzt einen internationalen Flughafen.

Sudan: Die Große Moschee im Zentrum von Karthum

Geschichte: Im 9. Jh. v. Chr. entstand das Reich *Kusch*, das 350 n. Chr. zerfiel. Nach wechselnden Herrschaften dominierte der ägyptische Einfluss im Sudan. Der Aufstand des Mahdi *Mohammed Ahmed* brachte im 19. Jh. den Verlust der ägyptischen Herrschaft. 1899 entstand ein britisch-ägyptisches Kondominium (gemeinsame Hoheitsausübung), das bis zur Unabhängigkeit des Sudan 1956 Bestand hatte. Religiöse Gegensätze zwischen islamischem Norden und christlichem Süden bestimmten die Innenpolitik des Landes. Ein 17-jähriger Bürgerkrieg wurde 1972 mit der Gewährung der Autonomie für die Südprovinzen beendet. Der in

Der Suezkanal verkürzt den Seeweg von Europa nach Südostasien um mehr als ein Drittel.

einem Einparteienstaat regierende Präsident D. *An Numeiri* (seit 1969) wurde 1985 gestürzt. Bereits 1983 war der Bürgerkrieg im Süden unter Führung der *Sudanesischen Volksbefreiungsbewegung* neu entflammt. 1989 übernahm General *Ahmad Al Bashir* die Macht (seit 1993 ziviler Präsident). Während sich die Lage im Süden entspannte, eskalierten Auseinandersetzungen zwischen Regierungseinheiten und Rebellengruppen in der Region Darfur seit 2003 zu einem neuen Konflikt, der von schweren Menschenrechtsverletzungen begleitet wurde und eine Flüchtlingskatastrophe auslöste. Regierung und Sudanische Volksbefreiungsbewegung schlossen 2005 ein Friedensabkommen zur Beendigung des Bürgerkriegs im Südsudan, der rund 2 Mio. Tote gefordert hatte. Im Sommer 2007 beschlossen die Vereinten Nationen die Entsendung einer Friedenstruppe, um den Konflikt in Darfur beizulegen.

Süden [der], Abkürzung S, eine Himmelsrichtung.

Sudeten [Pl.], ein waldreiches Mittelgebirge zwischen Schlesien (Polen) und Böhmen (Tschechische Republik).

Südkorea → Korea.

Sudoku [japanisch su »Zahl«, doku »einzeln«], Zahlenpuzzle bestehend aus einem Quadrat, das in 9 Felder zu je 9 Kästchen eingeteilt ist, die neben vorgegebenen Ziffern so ergänzt werden müssen, dass in jeder

Zeile und Spalte sowie in jedem Feld die Ziffern 1–9 einmal vorkommen.

Südpol [der], südlichstes Ende der Erdachse → Antarktis. Er liegt auf 2804 m Höhe und wurde 1911 von R. *Amundsen* entdeckt.

Suezkanal [der], einer der wichtigsten Schifffahrtswege der Erde. Er verbindet das Mittelmeer mit dem Roten Meer und erspart die Umschiffung Afrikas auf dem Weg zwischen Europa und Asien. Der Suezkanal ist 161 km lang, seine Fahrrinne ist 180 m breit. Er wurde unter der Leitung des französischen Ingenieurs Ferdinand de *Lesseps* 1859–1869 gebaut. Als Folge des israelisch-arabischen Krieges war der Suezkanal 1967–1975 gesperrt.

Suffix, dem Stamm eines Worts angehängtes Wortbildungs- oder Flexionselement; beispielsweise -bar in »denkbar«.

Suggestion [die], unterschwellige Beeinflussung des Denkens, Fühlens, Wollens oder Handelns eines Menschen. Werbung und Propaganda arbeiten mit Methoden der Suggestion.

Sukkulenten [Pl.], Pflanzen mit fleischig-saftigen Blättern und Stängeln, die an trockene Standorte angepasst sind, da sie in ihrem Gewebe Wasser speichern können. Die bekanntesten Sukkulenten sind die *Kakteen*.

Sukkulenten: Die Blätter der Sukkulenten-Pflanze können geerntet und in der Naturheilkunde eingesetzt werden.

Suleiman II. Kanuni [türkisch, »der Gesetzgeber«], *Sulaiman*, *Soliman*, in Europa: *Suleiman der Prächtige*, * 1494, † 1566; osmanischer Sultan 1520–1566. Er führte das Osmanische Reich auf den Höhepunkt seiner Macht und Kultur. 1521 eroberte er Belgrad, 1522 Rhodos, und durch die Schlacht bei Mohács 1526 Ungarn. 1529 belagerte er vergeblich Wien, stattdessen nahm er den Persern Tabriz und Bagdad. Auf innenpolitischer Ebene führte er umfassende Reformen im Militärwesen, im Steuersystem, in Verwaltung und Justiz durch und förderte Dichtung, Bauwesen und Wissenschaft.

Sultan [der, arab., »Herrschaftsgewalt«], der Herrschertitel in islamischen Staaten.

Sumerer: Abformung eines Rollsiegels, gefunden im Irak; man sieht einen Kämpfer mit Stieren und Löwen (links) und einen Sitzenden, dem von einem Diener ein Becher gereicht wird.

Sumerer [Pl.], ein Volk aus vorgeschichtlicher Zeit, das vom 4. Jahrtausend v. Chr. bis zum 1. Jahrtausend v. Chr. das Land *Sumer* im nördlichen Mesopotamien bewohnte. Es entstanden mehrere Stadtstaaten, von denen einige große Macht erlangten. Die Sumerer schufen die älteste Kultur Mesopotamiens und erfanden die *Keilschrift*.

Sünde [die], das Übertreten göttlicher Gebote. Auch → Erbsünde.

Sunniten [Pl.], die Anhänger der *Sunna,* einer Sammlung von Regeln, Vorschriften und Sprüchen *Mohammeds*. Zu ihnen gehören die meisten Muslime. Im Gegensatz zu den Schiiten erkennen sie als Nachfolger Mohammeds nur Kalifen an, die in ihr Amt eingesetzt werden.

Superlativ [der], die höchste Steigerungsform der Adjektive und Adverbien: z. B. »das schönste«, »am meisten«.

Superman [supəmæn], Comicfigur von Jerome *Siegel* und Joe *Shuster;* ein mit unglaublichen Kräften ausgestatteter Superheld, der sich, solange seine Heldentaten nicht gefordert sind, als der schüchterne Journalist Clark Kent ausgibt.

Surfing ['sørfiŋ, das] → Windsurfing.

Ländersteckbrief Suriname

Fläche:	163 820 km²
Einwohner:	452 000 = 3 je km²
Hauptstadt:	Paramaribo
Religion:	Christentum, Hinduismus, Islam
Amtssprache:	Niederländisch
Währung:	1 Suriname-Dollar = 100 Cents

Suriname, Staat in Südamerika.

Landesnatur: Das Land ist an der Küste eben und sumpfig, im Innern gebirgig (Bergland von Guyana). Es herrscht feuchtheißes tropisches Klima mit dichten Regenwäldern im Landesinneren und einem Mangrovensaum an der Küste.

Bevölkerung: Die Bevölkerung ist zu 34% indischer Herkunft, 34% sind Kreolen, 17% Indonesier, 8% Schwarze und 2% Indianer. Je nach Volkszugehörigkeit sind die Bewohner entweder Hindus, Christen oder Muslime.

Wirtschaft: Neben Bauxit, das z. T. im Land zu Aluminium verarbeitet wird, liefert Suriname tropische Pflanzungsprodukte (Bananen, Reis u. a.) und Fischfangprodukte (Shrimps).

Geschichte: Suriname wurde 1667 von den Niederländern im Tausch gegen New Amsterdam (das heutige New York) erworben. 1954 erhielt die Kolonie Autonomie, 1975 die Unabhängigkeit. Die politische Macht wechselt häufig zwischen Militärregierungen und zivilen Regierungen. 2000 wurde R. *Venetiaan* Staatspräsident.

Surrealismus [der], eine Richtung der modernen Kunst, die sich nach 1918, von Frankreich kommend, ausbreitete. Der Surrealismus, von der Tiefenpsychologie angeregt, versucht – unter Ausschaltung des Verstandesmäßigen – das Traumhafte, Fantastische und Unbewusste darzustellen. Bekannte surrealistische Maler waren S. *Dalí,* J. *Miró,* M. *Ernst.* In der Literatur wurde der Surrealismus u. a. von L. *Aragon*, A. *Breton* und A. *Artaud* vertreten.

Sushi [zuːʃi], japanisches Gericht, das aus gewürztem, essigsaurem Reis und – je nach Rezept – verschiedenen Beilagen, hauptsächlich Fisch und anderen Meerestieren, die bisweilen auch im rohen Zustand gegessen werden, besteht.

Suspension [die], **1.** die vorläufige Beurlaubung vom Dienst, wenn ein Beamter ein Vergehen begangen haben könnte. **2.** Aufschwemmung sehr feiner fester Teilchen in einer Flüssigkeit.

Süßstoffe [Pl.], künstlich gewonnene Stoffe, die eine größere Süßwirkung haben als Rüben- oder Rohrzucker, aber ohne Nährwert sind (beispielsweise Saccharin).

Ländersteckbrief Swasiland

Fläche:	17 364 km^2
Einwohner:	1,0 Mio. = 59 je km^2
Hauptstadt:	Mbabane
Religion:	protestantische Kirchen, Naturreligionen
Amtssprache:	SiSwati
Währung:	1 Lilangeni = 100 Cents

Swasiland, Staat in Südostafrika.

Landesnatur: Das Land liegt auf der Ostabdachung der Großen Randstufe und fällt von West nach Ost von über 1500 m bis unter 100 m ab. Die höheren, z. T. noch bewaldeten Lagen erhalten relativ hohe Niederschläge (Sommerregen) und haben gemäßigtere Temperaturen als die trockenwarmen tieferen Zonen mit Trockensavannen.

Bevölkerung: 97% der Einwohner gehören dem Bantuvolk der Swasi an. 78% sind Christen (v. a. Protestanten), der Rest Anhänger von Bantu-Religionen.

Wirtschaft: Swasiland ist wirtschaftlich eng mit der Republik Südafrika verbunden. Große Bewässerungsanlagen ermöglichen für den Export den Anbau von Zuckerrohr, Zitrusfrüchten, Reis und Ananas; Baumwolle und Tabak werden im Trockenfeldbau angebaut. Die Forstwirtschaft nutzt die Waldbestände des Hochlands. An Bodenschätzen werden Asbest, Diamanten und Kohle gewonnen und exportiert. Die Industrie liefert v. a. Cellulose, Zucker, Frucht- und Fleischkonserven für den Export.

Geschichte: Seit 1890 geriet Swasiland zunehmend unter den Einfluss Großbritanniens. 1907 wurde es britisches Protektorat. 1968 erlangte das Land die Unabhängigkeit. Staatsoberhaupt war von 1921–1982 König *Sobhuza II.* Seit 1986 ist *Mswati III.* König.

Swift, Jonathan, * 1667, † 1745; englischer Geistlicher und Schriftsteller. Swift griff durch politische Schriften in die Tagesereignisse ein und kämpfte für Irland. Sein literarisches Hauptwerk »Gullivers Reisen« ist eine scharfe Satire auf die menschliche Dummheit.

Swing, Sammelbezeichnung für Jazzstile, die sich ab Ende der 1920er Jahre bis etwa 1945 hauptsächlich in New York und Kansas City herausbildeten. Typisch ist der »schwingende« Rhythmus mit stark ausgeprägten Arrangements. Im Swing kam es erstmals zur Bildung von Bigbands, die großen Einfluss auf die Tanzmusik der 1950er Jahre hatten.

Sydney ['sidni], die größte Stadt Australiens mit 4,2 Mio. Einwohner. Sydney liegt an der Südostküste und hat einen bedeutenden Hafen. 2000 war Sydney Austragungsort der Olympischen Sommerspiele. – Die Stadt wurde 1788 als erste europäische Siedlung in Australien gegründet.

Swasiland: Frauen beim landwirtschaftlichen Unterricht im Freien

Sylt, die größte und nördlichste Insel der deutschen Nordfriesischen Inseln (→ Friesische Inseln). Sylt ist 99,2 km^2 groß und hat 21 500 Einwohner. Der Hauptort ist *Westerland.* Seit 1927 ist die Insel durch den 11 km langen *Hindenburgdamm* mit dem Festland verbunden.

Symbiose [die], zeitweiliges oder dauerndes Zusammenleben zweier verschiedenartiger Lebewesen zum beiderseitigen Nutzen. Viele Pflanzen, z. B. Waldbäume, gehen in ihrem Wurzelbereich eine enge Symbiose mit Pilzen ein. Derartige Zweckgemeinschaften finden sich auch zwischen zwei Tierarten oder zwischen Tieren und Pflanzen.

Symbol [das], ein Sinnbild, Wahrzeichen (z. B. Waage als Symbol der Gerechtigkeit). Ein weit verbreitetes Symbol ist das christliche Kreuz.

Symmetrie [die], Gleichförmigkeit, Ebenmäßigkeit, in der Geometrie spezielle Lagebeziehung zwischen den Punkten eines geometrischen Gebildes (bzw. zweier Gebilde untereinander) bezüglich einer Ebene, einer Geraden oder eines Punktes. Man unterscheidet zwischen Achsensymmetrie, Drehsymmetrie und Punktsymmetrie.

Sympathie [die], Einklang, Verbundenheit, Zuneigung. Gegensatz: *Antipathie.*

Symphonie [die] → Sinfonie.

Symptom [das], ein Anzeichen, Merkmal, z. B. einer Erkrankung.

Synagoge [die, griech.], ein jüdisches Gotteshaus, in dem Gottesdienste, aber auch Versammlungen und Unterricht in Glaubensfragen stattfinden.

Synchronisation [die], in der Filmtechnik das zeitliche Abstimmen von Bild und zugehörigem Ton, damit beides gleichzeitig *(synchron)* wiedergegeben wird; auch das Übertragen eines Tonfilms in eine andere Sprache (wobei auf die Gleichzeitigkeit von Lippenbewegungen und Sprache geachtet werden muss) heißt Synchronisation.

Syndikat [das], **1.** die straffste Form des → Kartells. **2.** eine straff organisierte Verbrecherorganisation.

Synkope [die], in der Musik die Verschiebung eines Taktschwerpunktes auf einen sonst unbetonten Taktteil.

Synode [die], eine Kirchenversammlung, in der katholischen Kirche gleichbedeutend mit einem *Konzil.*

synonym, bedeutungsgleich, sinnverwandt. Wörter gleicher Bedeutung (z. B. bunt, farbig, farbenfroh) werden als *Synonyme* bezeichnet.

Syntax, Satzlehre, Lehre von dem Bau und der Gliederung des Satzes.

Synthese [die], **1.** in der Philosophie die Zusammensetzung von Teilen zu einem neuen Ganzen. Aus *These* (Behauptung) und *Antithese* (Gegenbehauptung) kann man zur *Synthese* gelangen, die die beiden Gesichtspunkte vereint; Gegensatz: *Analyse.* **2.** der Aufbau von chemischen Verbindungen aus einfacheren Verbindungen oder aus den Elementen.

Synthesizer ['sinθisaizə, der], ein Gerät, mit dem Töne jeglicher Art auf elektronischem Weg erzeugt werden können. Der in den 1950er Jahren entwickelte Synthesizer ist heute eines der wichtigsten elektronischen Instrumente in der Rock- und Popmusik.

Syrien: Das römische Theater in der Ruinenstätte Bosra bot in antiker Zeit 15 000 Zuschauern Platz.

Syphilis [die], gefährliche Geschlechtskrankheit, die von Bakterien hervorgerufen wird. Die Ansteckung erfolgt durch den Geschlechtsverkehr. Die Syphilis führt zu einer unheilbaren Erkrankung des Nervensystems, wenn sie nicht frühzeitig mit Penizillin behandelt wird.

Ländersteckbrief
Syrien

Fläche:	185 180 km²
Einwohner:	19,5 Millionen = 105 je km²
Hauptstadt:	Damaskus
Religion:	Islam
Amtssprache:	Arabisch
Währung:	1 Syrisches Pfund = 100 Piastres

Syrien, Staat in Vorderasien.

Landesnatur: Hinter der Küstenebene erhebt sich das *Alauiten-Gebirge*. Im Südwesten hat Syrien Anteil am Hochgebirge des *Antilibanon*. Östlich erstreckt sich das syrische Tafelland. Es geht nach Südosten in die Syrische Wüste über. Während im Küstengebiet Mittelmeerklima herrscht, nehmen nach Osten und Südosten die Niederschläge rasch ab.

Bevölkerung: 89% der Bewohner sind Araber, 6% Kurden und 2% Armenier. Außer den 9% Christen bekennt sich die Bevölkerung zum Islam.

Wirtschaft: Wichtigste Anbauprodukte sind Baumwolle, Weizen und Gerste sowie Gemüse und Früchte. Die Schafzucht ist von großer Bedeutung. An Bodenschätzen werden v.a. Erdöl, Bauxit, Schwefel und Kupfer gewonnen. Syrien ist ein wichtiges Erdöltransit- und -verschiffungsland. Wichtigster Industriezweig ist die Textilindustrie – Haupthäfen sind Ladiqiyah, Banias und Tartus; internationaler Flughafen in Damaskus.

Geschichte: Im 4. Jahrtausend v. Chr. war das Land von Kanaanäern und Hurritern, später von Aramäern besiedelt. Nach den Assyrern beherrschten es die Perser 539 v. Chr. Die Seleukiden machten um 300 v. Chr. Syrien zum Zentrum ihres Reichs. 64 v. Chr. wurde es römische Provinz und kam 395 an das Byzantinische Reich. Seit dem 7. Jh. stand Syrien unter arabischem Einfluss. 1516–1918 war es Teil des Osmanischen Reichs. 1920 wurde Syrien französisches Völkerbundsmandat, 1944 endgültig unabhängig. Im Sechstagekrieg 1967 gegen Israel verlor Syrien die Golanhöhen. Staatspräsident war seit 1971 H. *Al Assad*, der sich 1970 an die Macht geputscht hatte. 1976 griffen syrische Truppen in den libanesischen Bürgerkrieg ein. Syrien wurde dort zur Besatzungs- und Ordnungsmacht. Eine Verständigung mit Israel scheiterte am Problem der Golanhöhen. 2000 starb H. Al Assad. Nachfolger als Staatspräsident wurde sein Sohn B. *Al Assad*. Hoffnungen auf demokratische Reformen erfüllten sich nicht. 2005 zog Syrien auf internationalen Druck hin seine Truppen aus dem Libanon ab.

System [das], Gliederung, Plan, sinnvolle Ordnung nach bestimmten Gesichtspunkten.

Szene [die], allgemein der Bühnenraum im Theater; Szene heißt auch die kleinste Aufbaueinheit im Drama, also der Teil des Akts, der durch das Auftreten oder Abtreten einer Person bedingt ist. Im übertragenen Sinne ein besonders theatralischer Auftritt im täglichen Leben.

T

t, Kurzzeichen für Tonne.

T, 20. Buchstabe des Alphabets (Konsonant).

Tabak [der], eine krautige Pflanze, die bis 3 m hoch werden kann und die ursprünglich aus den wärmeren Gegenden Amerikas kommt, heute aber in vielen wärmeren und auch gemäßigten Ländern angebaut wird. Aus den großen, ovalen Blättern erhält man durch bestimmte Trocknungsverfahren, bei denen sich im Tabakblatt eine Art Gärung abspielt, Pfeifen-, Zigaretten- oder Zigarrentabak. Man stellt auch Schnupftabak und Kautabak daraus her. Das Tabakaroma hängt von der Tabaksorte, vom Anbaugebiet und von der Aufbereitung ab. Für die anregende, aber auch schädliche Wirkung des Tabaks ist der Gehalt an *Nikotin* verantwortlich. Auch → »Genauer betrachtet«.

Tabak: Die ursprünglich wild wachsende Tabakpflanze wurde vor Jahrtausenden als Heilmittel verwendet.

Genauer betrachtet …
Tabak

Die erste Kenntnis von der Tabakpflanze erhielt die Alte Welt durch Christoph *Kolumbus*. Als er 1492 Amerika entdeckte, sah er, wie die Eingeborenen Tabak rauchten. Die Einführung des Tabaks nach Europa erfolgte endgültig im Jahr 1556 durch André *Thevet*. Er hatte Tabakpflanzen aus Brasilien mitgebracht und in seinem Garten in der Charente kultiviert. Etwa zwei Jahre später führte Francisco *Hernandez*, der Leibarzt *Philipps II.*, den Tabak am spanischen Hof ein. Von dort wurde er von dem französischen Botschafter Jean *Nicot* (daher »Nikotin«) nach Paris gebracht, wo das »Schnupfen« allgemein in Mode kam.

Tabelle [die], eine übersichtlich aufgegliederte Zusammenstellung von Sachangaben, meist mit Unterteilung in Rubriken (Spalten).

Tabernakel [der oder das], in der katholischen Kirche ein kunstvoll gestaltetes Gehäuse, das zur Aufbewahrung der Hostien dient.

Tabu [das], ursprünglich das religiös begründete Verbot, bestimmte Menschen oder Gegenstände zu berühren oder bestimmte Dinge zu tun. Ein Tabu brechen bedeutet heute: über etwas sprechen, worüber man normalerweise nicht redet, oder etwas tun, das außerhalb der gesellschaftlichen Norm steht.

Tachometer [der oder das], ein Geschwindigkeitsmesser für Fahrzeuge, ein Drehzahlmesser, der bei Kraftfahrzeugen die Geschwindigkeit in Kilometern pro Stunde (km/h) angibt. Der Tachometer ist meist mit einem Kilometerzähler und bei vielen Lastkraftwagen mit einem Fahrtenschreiber verbunden. Für Fahrzeuge mit einer Höchstgeschwindigkeit von mehr als 20 km/h ist ein Tachometer vorgeschrieben.

Tacitus, Publius Cornelius, *um 55, †um 120; römischer Geschichtsschreiber. Tacitus verfasste u. a. eine römische Geschichte vom Tode des Augustus bis zum Tod Kaiser Domitians und eine Beschreibung germanischer Stämme, ihrer Wohnsitze, Sitten und Gebräuche (»Germania«). Dieses im Jahr 98 entstandene Werk ist die älteste erhaltene schriftliche Quelle über unsere Vorfahren.

Ländersteckbrief Tadschikistan

Fläche:	143 100 km²
Einwohner:	6,6 Millionen = 46 je km²
Hauptstadt:	Duschanbe
Religion:	Islam
Amtssprache:	Tadschikisch
Währung:	1 Somoni = 100 Diram

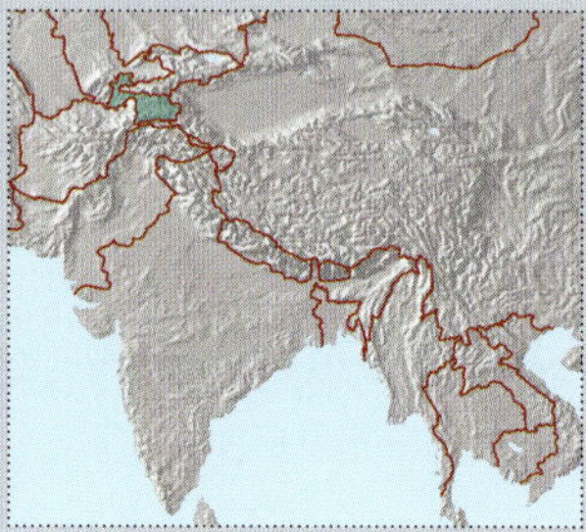

Tadschikistan, Staat in Mittelasien.

Landesnatur: Das Land umfasst u. a. die Gebirgszüge des Alai und die vergletscherten Ketten des Pamir (bis 7495 m). Tadschikistan gehört zu den stark erdbebengefährdeten Regionen der Erde. Es herrscht trockenkaltes Kontinentalklima.

Bevölkerung: Die vorwiegend islamische Bevölkerung besteht zu 80% aus Tadschiken, rund 15% sind Usbeken, daneben Russen und Tataren.

Wirtschaft: Hauptanbauprodukt ist Baumwolle (Bewässerungsfeldbau). Die wichtigsten Industriezweige sind Aluminium-, Nahrungsmittel- und Textilindustrie. Von den Bodenschätzen sind Uran und Gold am wichtigsten. Das starke Gefälle der Flüsse wird durch zahlreiche Wasserkraftwerke genutzt.

Geschichte: Die Tadschiken waren seit vorchristlicher Zeit in Mittelasien ansässig und lebten unter wechselnden Herrschaften. Seit dem 17. Jh. gehörten sie zum usbekischen Emirat von Buchara. Im 19. Jh. kam das Gebiet unter die Herrschaft des russischen Zaren (Generalgouvernement Turkestan). 1929 wurde Tadschikistan zur Unionsrepublik der Sowjetunion. 1991 erklärte es die Unabhängigkeit und wurde Mitglied der GUS. Von 1991 bis 1997 forderte ein Bürgerkrieg zwischen prokommunistischen und islamisch-demokratischen Gruppen über 100 000 Todesopfer. Staatspräsident ist E. *Rachmonow.*

Tag [der], **1.** die Zeit zwischen Aufgang und Untergang der Sonne im Gegensatz zur Nacht. **2.** der Zeitraum von 24 Stunden, der jeweils um Mitternacht beginnt. In 24 Stunden dreht sich die Erde einmal um ihre Achse.

Tageslichtprojektor [der] → Overheadprojektor.

Tahiti, die größte der Gesellschaftsinseln im Pazifischen Ozean, zu Frankreich gehörig. Die Insel besteht aus zwei Vulkanen. Die Hauptstadt ist *Papeete.*

T'ai Chi Ch'uan [-tʃi tʃuan, chin.], chinesisches Schattenboxen, aus fließenden Bewegungen bestehende Übungen, die ohne Anstrengung ausgeführt werden. Hauptaspekte: Gesundheit, Selbstverteidigung und Meditation.

Taifun [der], ein tropischer Wirbelsturm in den ostasiatischen Gewässern, der im Sommer und Frühherbst auftritt.

Tadschikistan: Fast die Hälfte des Landes liegt im Pamir-Gebirge, dem sogenannten »Dach der Welt«.

Taiga [die], das größte zusammenhängende Waldgebiet der Erde, ein bis 1000 km breites, 4800 km langes Nadelwaldgebiet in Nordrussland und Sibirien. Im Norden Übergang in die Tundra, wo nur noch Zwerggehölze wachsen.

Taikonaut, chines. Bezeichnung für → Astronaut.

Taipeh, Hauptstadt von Taiwan, nahe der Nordspitze des Inselstaates mit 2,6 Mio. Einwohnern.

Ländersteckbrief
Taiwan

Fläche:	36 006 km^2
Einwohner:	22,3 Millionen = 619 je km^2
Hauptstadt:	Taipeh
Religion:	Konfuzianismus, Buddhismus, Daoismus
Amtssprache:	Chinesisch
Währung:	1 Neuer Taiwan-Dollar = 100 Cents

Taiwan, Staat in Ostasien.

Landesnatur: Dem von tropischem Regenwald überwucherten Zentralgebirge (bis 3997 m) ist im Westen eine fruchtbare Küstenebene vorgelagert. Das Klima ist subtropisch bis tropisch und regenreich.

Bevölkerung: Die Bewohner sind Chinesen (ab dem 17. Jh. eingewanderte Taiwanesen und 1948/1949

Taiwan: Taipeh ist das Kultur- und Handelszentrum des Landes.

nach Taiwan geflohene Festlandchinesen). Sie bekennen sich zu Buddhismus oder Daoismus.

Wirtschaft: Die hoch entwickelte Landwirtschaft liefert für den Export besonders Zucker, Bananen, Ananas, Champignons, Zitrusfrüchte, Tee und Spargel. Die Industrie hat sich zum wichtigsten Wirtschaftszweig Taiwans entwickelt. Sie umfasst insbesondere die elektronische Industrie, ferner Metallverarbeitung, chemische und Textilindustrie. Internationale Häfen sind Jilong (Keelung) und Kaohsiung, internationale Flughäfen: Taoyuan und Kaohsiung.

Geschichte: Die Ureinwohner Taiwans kamen vermutlich aus Südasien. Chinesen wanderten verstärkt seit dem 17. Jh. ein. 1590 entdeckten Portugiesen Taiwan, das sie *Ilha Formosa* (»schöne Insel«) nannten. 1624–1661 war es niederländische Kolonie, dann wurde die Insel Teil der chinesischen Provinz Fujian. 1895–1945 war Taiwan in japanischem Besitz. 1949 flüchtete die von den Kommunisten im Bürgerkrieg geschlagene chinesische Regierung unter *Chiang Kai-*

shek mit 1,5 Mio. Anhängern nach Taiwan. Sie betrachtete sich als alleinige legitime Regierung Chinas und wurde zunächst von vielen Staaten als solche anerkannt. Taiwan schloss ein Militärabkommen mit den USA und wurde mit deren Hilfe ein moderner, exportorientierter Industriestaat. Die Anerkennung der Volksrepublik China durch die Vereinten Nationen 1971 bewirkte automatisch den Ausschluss Taiwans aus der Weltorganisation. Staatspräsident war 1950–1975 Chiang Kai-shek. Er errichtete ein autoritäres Regime mit der *Guomindang* als Staatspartei, wobei alle Führungspositionen von 1948/1949 nach Taiwan gekommenen »Festlandchinesen« bekleidet wurden. Sein Sohn *Chiang Ching-kuo* (Präsident 1978–1988) begann mit einer vorsichtigen Lockerung des Regimes. Ihm folgte als Präsident *Lee Teng-hui,* ein gebürtiger »Taiwanese«, der die Politik der Demokratisierung fortsetzte. 2000 wählte die Bevölkerung mit *Chen Shui-bian* von der Demokratischen Fortschrittspartei erstmals den Kandidaten der Opposition zum Staatspräsidenten. Er wurde bei Wahlen 2004 im Amt bestätigt. Obwohl Taiwan und die Volksrepublik China einander die Staatlichkeit bestreiten, entwickelten sich seit Mitte der 1980er Jahre zwischen ihnen vielfältige Kontakte vor allem auf wirtschaftlicher Ebene.

Takelage [die], alle festen (Masten) und beweglichen Teile (Segel usw.), die zur Segelausrüstung eines Schiffs gehören.

Takt [der], **1.** in der Musik die Gliederung einer Melodie oder eines Musikstückes in eine regelmäßige Folge von betonten und unbetonten Zeiteinheiten und ihre Zusammenfassung in Gruppen von gleich langer Dauer. **2.** Feingefühl für gutes Benehmen.

Taktik [die], allgemein geschicktes Verhalten, kluges, genau geplantes Vorgehen.

Tal [das], meist von fließenden Gewässern, aber auch von Gletschern gebildete, langgestreckte Hohlform in der Erdoberfläche. Nach dem Querschnitt lassen sich das Kerbtal und das Trogtal voneinander unterscheiden. So ist das *Kerbtal* v-förmig, es entstand durch fließende Gewässer. Das *Trogtal* ist dagegen u-förmig ausgeweitet und wurde durch Gletschererosion ausgehobelt. Zu den besonderen Talformen zählen der *Cañon,* ein tief und steil eingeschnittenes Flusstal, und die *Klamm,* eine durch reißende Gebirgsbäche gebildete, enge Steilschlucht. Ein enges, tiefes Tal ohne Talsohle nennt man *Schlucht.*

Talent [das], eine besondere Begabung, die man durch Übung fördern kann.

Taler [der], eine 1484 erstmals in Tirol geprägte große Silbermünze. Der *Reichstaler* wurde vielerorts bis zum 18. Jh. geprägt; 1908 wurden die letzten Taler außer Kurs gesetzt. Aus dem Taler ging in den USA der Dollar hervor.

Talg [der], tierisches Fett (u. a. vom Rind, Hammel) von fester Beschaffenheit. Talg schmilzt schwer und erstarrt bei Abkühlung leicht. Er wird zu Lebensmitteln, Seife, Kerzen u. a. verarbeitet.

Taliban, radikale Gruppierung der sunnitischen Glaubensrichtung des Islams. Die Taliban kamen zumeist aus den traditionellen islamischen Schulen beiderseits der afghanisch-pakistanischen Grenze. Die Talibanmilizen beteiligten sich seit 1994 mit Unterstützung Pakistans und Saudi-Arabiens (z. T. auch der USA) am afghanischen Bürgerkrieg und beherrschten bald den größten Teil des Landes. Die Taliban riefen das *Islamische Emirat Afghanistan* aus und setzten eine strenge islamische Ordnung durch. Der Führer der Taliban, *Mullah Omar,* hatte sich 1996 zum »Beherrscher der Gläubigen« ausrufen lassen. Die Zusammenarbeit der Taliban mit der Terrororganisation *Al Qaida* unter *Usama Bin Ladin* führte nach den Anschlägen auf das World Trade Center und das Pentagon 2001 (→ Terrorismus) zum militärischen Konflikt mit den USA und zum Ende der Talibanherrschaft in Afghanistan. Die Talibanmilizen konnten jedoch in der Fol-

Eine Talsperre schließt ein Tal in voller Breite ab und führt so zur Aufstauung des Flusses; im Bild die Talsperre Glen Canyon (USA), die den Colorado River staut.

gezeit an Schlagkraft zurückgewinnen und seit 2003 in Ost- und Südafghanistan wieder militärische Aktionen durchführen.

Talisman [der], ein Gegenstand, den man bei sich trägt, weil er einem durch magische Kräfte Glück bringen soll.

Tallinn, *Reval,* die Hauptstadt von Estland, am Finnischen Meerbusen, 397 000 Einwohner.

Talmud [der, hebr., »Lehre«], neben dem Alten Testament die wichtigste Schriftensammlung des Judentums, das die aus der Bibel hergeleiteten rechtlichen und sittlichen Vorschriften und ihre Auslegung enthält, nach denen die religiösen Juden leben. Die Schriften entstanden zwischen dem 6. Jh. v. Chr. und dem 5. Jh. n. Chr.

Talsperren [Pl.], die künstliche Aufstauung von Wasserläufen durch Sperr- oder Staumauern beziehungsweise Staudämme in Tälern zur Schaffung von Stauseen. Die Staumauern werden oft aus Stahlbeton errichtet und entsprechend dem aufzunehmenden Wasserdruck konstruiert. Talsperren dienen unterschiedlichen Zwecken: u. a. der Gewinnung von elektrischer Energie aus Wasserkraft, dem Hochwasserschutz und der Trinkwassergewinnung. Auch → »Genauer betrachtet, Seite 56.

Tamburin [das], eine kleine, mit Fell bespannte Handtrommel mit Schellen.

Tamilen [Pl.], ein Volk in Südindien und Sri Lanka. In Sri Lanka stehen die Tamilen im Konflikt mit den vorherrschenden Singhalesen.

Tampon [der], ein Pfropf aus Watte oder Verbandsstoff zum Stillen von Blutungen oder zum Ausstopfen von Körper- oder Wundhöhlen.

Tandem [das], ein Doppelfahrrad, auf dem zwei Fahrer hintereinandersitzen. Gesteuert wird nur vom vorderen Fahrer.

Tang [der], eine Sammelbezeichnung für große Meeresalgen mit meist band- oder blattförmigem Wuchs. In der Nord- und Ostsee ist beispielsweise der *Blasentang* sehr häufig. In den Polarmeeren kommen *Riesentange* vor, die bis zu 100 m lang werden können.

Tanganjika, ein Teil des afrikanischen Staats → Tansania. Der *Tanganjikasee* ist der zweitgrößte See Afrikas, mit einer Fläche von 32 893 km², und bis zu 1435 m tief.

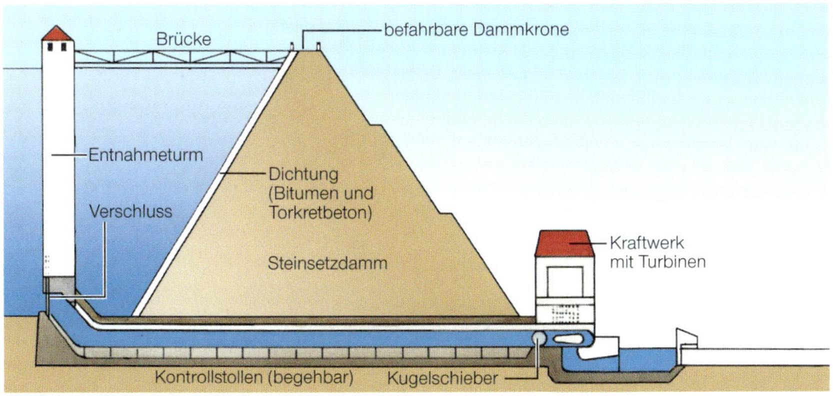

Talsperren: Querschnitt eines Staudamms mit Kraftwerkseinrichtungen

Genauer betrachtet …
Talsperren

Die größten Talsperren Deutschlands sind:

Name (Fluss)	Stauraum (Mio. m³)	Fläche (km²)
Bleiloch (Saale)	215,0	9,2
Schwammenauel (Rur)	202,6	7,8
Edersee (Eder, Fulda)	202,0	12,0
Hohenwarte (Saale)	182,0	7,3
Bigge (Bigge, Lenne, Ruhr)	171,8	7,1
Forggensee (Lech)	165,0	15,3
Großer Brombachsee (Brombach, Rednitz, Regnitz)	145,0	8,9
Möhne (Möhne, Ruhr)	134,5	10,4
Rappbode (Rappbode, Bode, Saale)	109,1	4,0
Schluchsee (Schwarza, Wutach)	108,0	5,1

Tangente [die], in der Mathematik eine Gerade, die eine Kurve oder eine Fläche in einem Punkt berührt.

Tango [der], ein argentinischer Tanz, der in Europa seit 1910 als Gesellschaftstanz verbreitet ist.

Tanker [der], ein Spezialfrachtschiff zur Beförderung großer Mengen von Flüssigkeiten, besonders von Erdöl. Da Tanker verhältnismäßig leicht zu be- und entladen sind, werden sie mit immer größerem Fassungsvermögen gebaut. Große Tanker können oft nicht mehr in Häfen einlaufen, sondern müssen an Löschinseln leergepumpt werden.

Tanne [die], ein Nadelbaum. Von der Fichte unterscheidet sie sich durch die silbergraue Borke, die gestielten flachen Nadeln mit zwei weißen Wachsstreifen auf der Nadelunterseite sowie aufrecht stehende Zapfen, deren Schuppen bei der Reife abfallen.

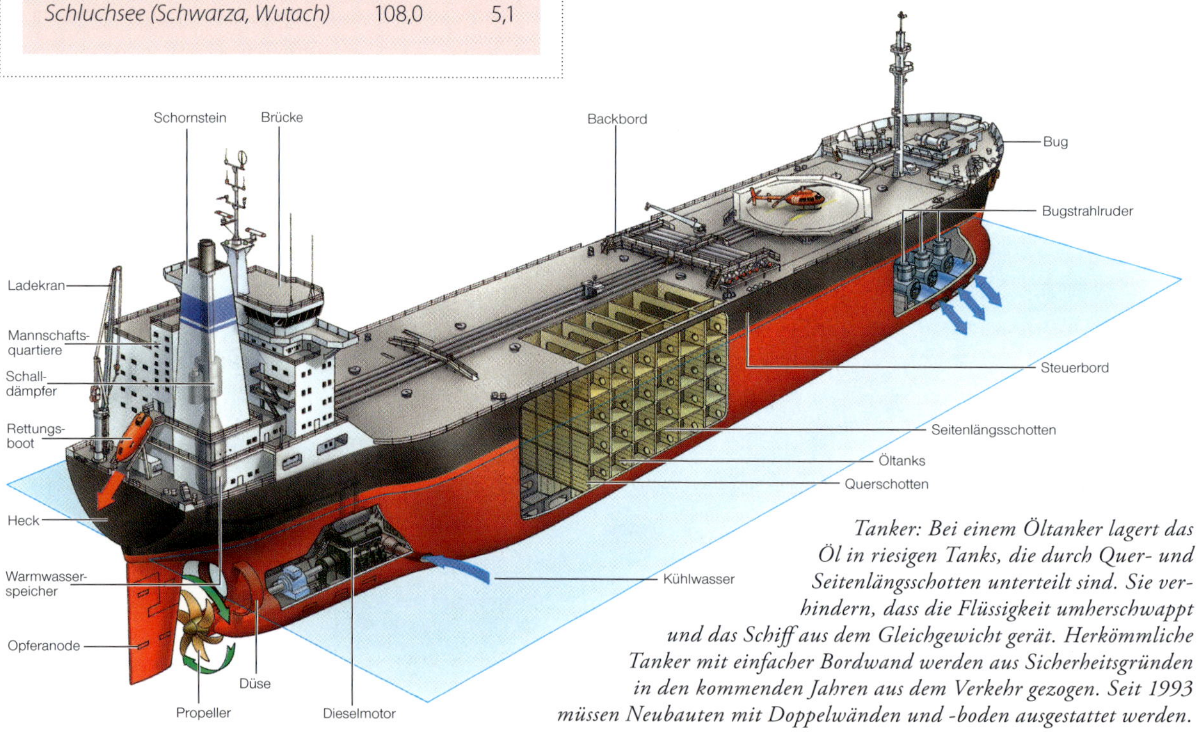

Tanker: Bei einem Öltanker lagert das Öl in riesigen Tanks, die durch Quer- und Seitenlängsschotten unterteilt sind. Sie verhindern, dass die Flüssigkeit umherschwappt und das Schiff aus dem Gleichgewicht gerät. Herkömmliche Tanker mit einfacher Bordwand werden aus Sicherheitsgründen in den kommenden Jahren aus dem Verkehr gezogen. Seit 1993 müssen Neubauten mit Doppelwänden und -boden ausgestattet werden.

Ländersteckbrief
Tansania

Fläche:	883 749 km^2
Einwohner:	39,0 Millionen = 44 je km^2
Hauptstadt:	Dodoma
Religion:	Islam, Naturreligionen, Christentum
Amtssprache:	Kisuaheli, Englisch
Währung:	1 Tansania-Schilling = 100 Cents

Tansania, Staat in Ostafrika.

Landesnatur: Zwischen dem Zentralafrikanischen Graben im Westen und dem Ostafrikanischen Graben befindet sich das durchschnittlich 1200 m hoch gelegene Hochbecken von Unyamwezi mit dem Victoriasee. In Tansania gibt es zahlreiche Vulkane, zu denen auch der *Kilimandscharo* (mit 5895 m höchster Berg Afrikas) gehört. Das Klima im Küstentiefland ist tropisch heiß; der größte Teil des Landes hat gemäßigtes tropisches Hochlandklima. Meist herrschen Feucht- und Trockensavannen mit Galeriewäldern sowie laubabwerfender Trockenwald (Miombo) vor.

Bevölkerung: Die Bevölkerung besteht aus über 100 Bantustämmen, ferner aus ostnilotischen Hirtenvölkern (Massai, Tutsi) im Norden und Nordwesten. An der Küste leben die Suaheli, deren Sprache *Kisuaheli* offizielle Landessprache ist. 37% der Bevölkerung sind Muslime, 46% Christen, der Rest Anhänger von traditionellen Religionen.

Wirtschaft: Die Landwirtschaft ist der wichtigste Wirtschaftszweig. Sie liefert für den Export Baumwolle, Kaffee, Sisal, Cashewnüsse, Tee u. a., auf Sansibar und Pemba Gewürznelken (15% der Welterzeugung) und Kokospalmprodukte. Die Viehzucht wird z. T. noch nomadisch betrieben. Der Schwerpunkt der Industrie liegt auf der Verarbeitung von Agrarprodukten. Die Nationalparks und Wildreservate sind Ziele des internationalen Tourismus. – Die wichtigsten Seehäfen sind Dar es Salaam, Sansibar, Tanga und Mtwara; internationale Flughäfen in Dar es Salaam und am Kilimandscharo.

Geschichte: 1919 wurde das *Tanganjika-Territorium* (früher ein Teil Deutsch-Ostafrikas) Völkerbundsmandat unter britischer Verwaltung, 1946 UN-Treuhandgebiet. Am 9. 12. 1961 wurde das Land unabhängig. 1964 wurde durch Vereinigung von Tanganjika mit Sansibar die *Vereinigte Republik Tansania* geschaffen. 1967 wandte sich Tansania unter J. *Nyerere*, Staatspräsident seit der Unabhängigkeit, einer sozialistischen Politik zu. 1977 wurde die Revolutionäre *Staatspartei* (CCM) gegründet. Der Nachfolger Nyereres, A. H. *Mwinyi*, leitete 1992 eine Demokratisierung ein. Seit 2005 ist J. *Kikwete* Präsident.

Tansania: Die der Küste vorgelagerte Koralleninsel Sansibar gehört zum Staatsgebiet, ist jedoch weitgehend unabhängig.

Tanz [der], ein Ausdrucksmittel der Menschen, das durch den rhythmischen Ablauf der Bewegungen gekennzeichnet ist. Der Tanz kann mehr spielerischen Charakter haben (z. B. bei kultischen Umzügen, höfischen Aufzügen, Reigen, Gemeinschafts- und Gesellschaftstänzen) oder sich vorwiegend als Ausdruckstanz

Taranteln: Früher glaubte man, dass der italienische Volkstanz »Tarantella« als Heilmittel gegen den Biss der Spinne helfe.

äußern (z. B. beim Ballett, bei alten Dämonen-, Jagd- und Werbetänzen). In Europa entwickelten sich seit dem Mittelalter zahlreiche Volks- und Nationaltänze mit landschaftlichen Eigenarten (z. B. Bolero, Fandango und Flamenco in Spanien, Tarantella in Italien, Csardas in Ungarn, Mazurka in Polen, Polka in Böhmen, Schuhplattler im Alpenland). Beliebte Gesellschaftstänze des 19. und 20. Jh. waren Walzer, Polka, Galopp, Quadrille, Rheinländer u. a. Danach setzten sich anglo- und lateinamerikanische Tänze durch, z. B. Charleston, Boston, Foxtrott, Blues, Tango, Rumba und Samba. Aus den Reigen-, Kreis-, Kolonnen- und Vierpaartänzen früherer Jahrhunderte entwickelte sich der Einzelpaartanz des 20. Jh., der noch immer eine Rolle spielt, bei vielen modernen Tanzformen jedoch zugunsten einer stärkeren Betonung der Bewegung aufgelöst wird.

Taoismus [der] → Daoismus.

Tapire [Pl.], Huftiere, die in den feuchten Tropenwäldern Amerikas und Südostasiens leben. Die Tiere haben einen plumpen Körperbau, sie erreichen eine Höhe von rund 1 m. Die Schnauze ist zu einem kurzen Rüssel verlängert.

Tara [die], das Verpackungsgewicht einer Ware.

Taranteln [Pl.], große Wolfsspinnen (bis 4 cm), die in den Tropen und im Mittelmeergebiet vorkommen. Taranteln leben in Erdröhren. Sie spinnen kein Netz, sondern erjagen Insekten im Lauf und betäuben sie durch einen giftigen Biss. Ihr Biss ist auch für den Menschen schmerzhaft, aber nicht gefährlich.

Tarif [der], allgemein verbindliche Bedingungen für Lieferungen und Leistungen (z. B. Eisenbahntarif). Arbeitgeber und Gewerkschaften schließen für einen bestimmten Bezirk und eine bestimmte Dauer einen *Tarifvertrag* ab, der die beiderseitigen Rechte und Pflichten, die sich aus dem Arbeitsverhältnis ergeben (z. B. Entlohnung, Arbeitszeiten, Urlaub, Sozialleistungen) regelt.

Tarzan, der weißhäutige Held der Abenteuerromane von E. R. *Burroughs,* der im Dschungel lebt.

Taschkent, die Hauptstadt von Usbekistan, in einer großen Oase, 2,2 Mio. Einwohner.

Taskforce [-fɔːs], Arbeitsgruppe bzw. Spezialeinheit mit weitreichenden Kompetenzen, die für einen

Tapire: junger Flachlandtapir im Jugendkleid

begrenzten Zeitraum zur Bewältigung einer Aufgabe zusammengestellt wird; z.B. bei der Polizei oder im Management.

Tasmanien, eine Insel südöstlich von Australien, mit 68 400 km^2 und 457 000 Einwohnern. Sie ist der kleinste Bundesstaat Australiens.

Tastatur [die], alle Tasten bei Tasteninstrumenten, Büromaschinen und Computern.

Tastsinn [der], die Fähigkeit fast aller Tiere und des Menschen, Berührungsreize wahrzunehmen. Tastkörperchen (freie Nervenenden) in der Haut liefern Informationen über Form und Beschaffenheit von Gegenständen. Beim Menschen sind die Tastkörperchen an den Fingerspitzen, auf der Innenfläche der Hand, auf der Fußsohle und an der Zungenspitze am dichtesten angeordnet.

Tataren [Pl.], verschiedene Völker in Zentralasien. Im Mittelalter nannte man alle Mongolen Tataren. Heute bezeichnet man alle Völker, die aus der Verschmelzung der Mongolen, Türken und Slawen im Gebiet der Wolga, auf der Krim und in Westsibirien hervorgegangen sind, als Tataren.

tätowieren, *tatauieren*, die Haut des menschlichen Körpers mit Mustern und Bildern ausschmücken. Dabei werden mit Nadeln oder Messern Farbstoffe unter die Haut gebracht. Tätowierungen können durch Abschleifen der Haut oder mit einem Laserstrahl entfernt werden, allerdings bleiben danach oft Narben.

Tauben [Pl.], eine weltweit verbreitete Vogelfamilie mit rund 310 Arten. Tauben fliegen schnell und gewandt, sind gute Läufer, leben gesellig und haben eine gurrende Stimme. Bei uns leben wild die *Ringeltaube* und die *Turteltaube* sowie zahlreiche Haustaubenrassen, die alle von der *Felsentaube* aus dem Mittelmeergebiet abstammen.

Taubheit [die], *Gehörlosigkeit*, die Unfähigkeit zu hören. Die Ursachen können Schädigungen oder Missbildungen des Innenohrs, des Gehörnervs oder des Hörzentrums im Gehirn sein. Die angeborene oder früh im Kindesalter erworbene vollständige Taubheit verhindert die Entwicklung der Sprache, wenn nicht eine spezielle Schulung erfolgt, durch die eine Gebärdensprache, das Ablesen von den Lippen und auch eine Artikulation durch Nachahmung der Lippenbewegungen erlernt werden kann.

Tauchen: Ein beliebtes Tauchgebiet ist die farbenprächtige Unterwasserwelt von Korallenriffen.

Tauchen [das], der Aufenthalt unter Wasser. Beim Tauchen ohne Hilfsmittel (z.B. bei Perlentauchern) können bei 2–3 Minuten unter Wasser Tiefen bis zu 30 m erreicht werden. Beim Tauchen mit Tauchmaske und Pressluft-Atemgeräten können sich Taucher bis zu 3 Stunden in Tiefen von 40–60 m aufhalten. Für Arbeiten in diesen Tiefen werden meist Tauchanzüge mit einem Kupferhelm benutzt, der über einen Luftschlauch und eine Fernsprechleitung mit dem Schiff verbunden ist.

Taufe [die], in den christlichen Kirchen das erste Sakrament, das der Täufling erhält und durch das er in die christliche Gemeinde aufgenommen wird. Der Täufling wird dabei mit Wasser übergossen und so von seinen Sünden gereinigt. Seit dem 3. Jh. setzte sich die Kindertaufe durch. Manche christlichen Glaubensgemeinschaften taufen wie die frühen Christen nur Erwachsene.

Taunus [der], südöstlicher Teil des Rheinischen Schiefergebirges, zwischen Rhein und Main, Lahn und Wetterau. Die höchste Erhebung ist der *Große Feldberg* mit 879 m. Im Taunus befinden sich berühmte Mineralquellen und Badeorte, z. B. Bad Nauheim, Bad Homburg.

Tausendfüßer [Pl.], Gliederfüßer, die den Boden bewohnen, durch Luftröhren atmen und ein Fühlerpaar besitzen. Tausendfüßer sind flügellos, lang gestreckt und haben zahlreiche gleichartige Körperabschnitte mit je einem Beinpaar. Insgesamt können sie bis zu 350 Laufbeinpaare haben.

Tausendundeine Nacht, aus indischen, arabischen und persischen Quellen zusammengestellte Sammlung von Märchen, Sagen und verschiedenen Erzählungen, die vermutlich im 16. Jh. ihre endgültige Form fand. Sie wird durch eine Rahmenerzählung zusammengefasst: Ein Sultan, den seine Gemahlin betrogen hat, heiratet darauf jeden Abend eine Frau, die er am nächsten Morgen töten lässt. Als Scheherezade seine Frau wird, rettet sie ihr Leben, indem sie ihn tausendundeine Nacht lang durch Erzählungen unterhält und seine Liebe gewinnt. Die bekanntesten Märchen aus Tausendundeiner Nacht sind »Sindbad der Seefahrer«, »Ali Baba und die 40 Räuber« und »Aladin und die Wunderlampe«.

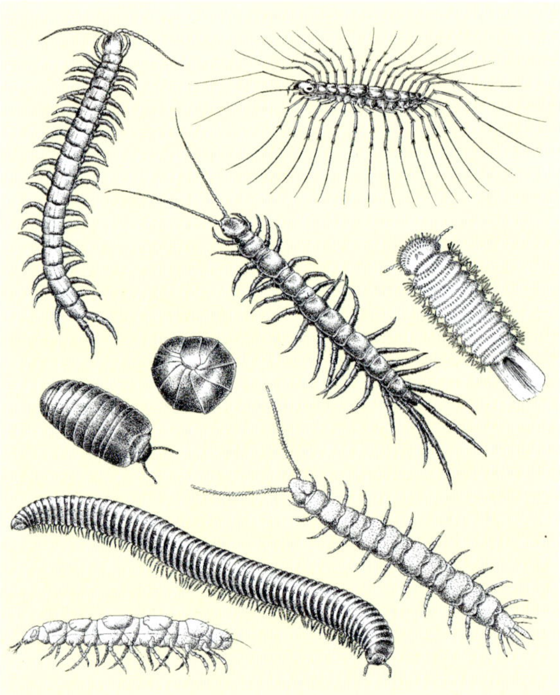

Tausendfüßer sind vielgestaltig und weisen immense Größenunterschiede auf. Zwergfüßer, Wenigfüßer und Pinselfüßer werden nur wenige Millimeter lang, Skolopender und Schnurfüßer erreichen dagegen 26–28 cm Länge.

Taxe [die], **1.** amtliche Preisfestsetzung, Gebührenordnung. **2.** Beurteilung eines Wertes, Schätzwertbestimmung.

Tbilissi, *Tiflis,* die Hauptstadt von Georgien, im Tal der Kura gelegen, 1,1 Mio. Einwohner.

Teakholz [ti:k-, das], in zahlreichen Sorten gehandeltes Holz des asiatischen Teakbaums. Der Baum erreicht Höhen von 40 m und hat gelblich braunes Holz, das dauerhaft und witterungsfest ist. Es wird als Konstruktions- und Ausstattungsholz verwendet.

Technik [die, griech., »Kunstfertigkeit«], allgemein die Methode, mit den zweckmäßigsten Mitteln ein bestimmtes Ziel zu erreichen, ein Werk oder eine Leistung zu vollbringen (z. B. Technik des Hochsprungs, des Geigenspiels); im engeren Sinn alle Mittel und Methoden, um rationell etwas herzustellen oder den Aktionsbereich der Menschen zu erweitern, indem die durch die Naturgesetze gegebenen Möglichkeiten planvoll ausgenutzt werden. Schon im Altertum war ein großes technisches Wissen vorhanden, doch erst die Erfindung der ersten praktisch brauchbaren Dampfmaschine 1769 brachte den Durchbruch zum technischen Zeitalter. Die schnell fortschreitende Entwicklung der Technik und die damit verbundene völlige Umgestaltung des menschlichen Lebens im 19. und 20. Jh. hat auch zu Kritik an der Technik geführt.

Tausendundeine Nacht: eine Szene aus dem Märchen »Die Geschichte von Ali Baba und den vierzig Räubern«

Techno [tɛknɔ, der], eine elektronische, von Musikcomputern erzeugte Tanzmusik, die den reinen Rhythmus betont und auf eine Melodie verzichtet. Auch → Rockmusik.

Technologie [die], allgemein die Wissenschaft von der Technik, besonders von Verfahren, mit deren Hilfe Produkte aus Rohstoffen hergestellt werden.

Tee [der], ein Getränk aus den Blättern des Teebaums oder Teestrauchs, der besonders in Indien, Sri Lanka und China verbreitet ist. Aus den frisch gepflückten jungen Blättchen werden durch unterschiedliche Aufbereitung zwei Hauptarten von Tee hergestellt: Der *grüne Tee* ist bei uns weniger bekannt. Er besteht aus grün gebliebenen Teeblättchen, die im eigenen Saft gedämpft, gerollt und getrocknet werden. Der *schwarze Tee* besteht aus getrockneten, gerollten und fermentierten (gegorenen) Blättern, die ein kupferfarbenes Braun angenommen haben. Die Teearten werden nach geographischen Lagen unterschieden, z. B. Assam, Ceylon, Darjiling. Durch Mischen verschiedener Sorten ergeben sich unterschiedliche Geschmacksrichtungen. Die anregende Wirkung des Tees beruht auf seinem Gehalt an Koffein. In China wurde Tee bereits im 1. Jh. v. Chr. schriftlich erwähnt. Zunächst diente er als Arzneimittel, seit dem 8. Jh. auch als allgemeines Genussmittel. 1610 wurde der Tee durch die Holländer nach Europa gebracht. Aus vielen Pflanzen können medizinisch wirksame Tees hergestellt werden, z. B. aus Pfefferminzblättern, Linden- oder Kamillenblüten.

Teenager ['tiːnɛidʒə], die Jugendlichen beider Geschlechter von 13 bis 19 Jahren.

Teer [der], eine zähflüssige, dunkelbraune bis schwarze Masse, die bei der Destillation von Stein- und Braunkohle, Torf und Holz u. a. gewonnen wird. Teer ist ein wertvoller Rohstoff der chemischen Industrie. Er bildet die Grundlage zur Herstellung von

Tee: Der Teebaum wird als Kulturpflanze in Strauchform gezogen, die Blätter zumeist von Hand gepflückt.

Farbstoffen, Kunstharzen, Lösungsmitteln, Heilmitteln, Kraftstoffen und Riechstoffen.

Tegucigalpa, Hauptstadt der zentralamerikanischen Republik Honduras, 820 000 Einwohner.

Teheran, die Hauptstadt des Iran, größte Stadt Vorderasiens, 6,8 Mio. Einwohner.

Teilchenbeschleuniger [der], eine sehr aufwändige Anlage für Experimente der → Kernphysik, in der elektrisch geladene Teilchen mit Hilfe starker elektrischer Felder auf sehr hohe Geschwindigkeiten beschleunigt werden, um sie dann mit anderen Teilchen zusammenstoßen zu lassen. Die wichtigsten Teilchenbeschleuniger in Europa sind das Elektronen-Synchrotron DESY in Hamburg und CERN in Genf.

Tel Aviv ist der wichtigste Industriestandort Israels.

Tel Aviv, *Tel Aviv-Jaffa,* die zweitgrößte Stadt Israels, die 1909 als Vorort von Jaffa gegründet wurde. Bis 1949 war Tel Aviv die Hauptstadt von Israel. Die Stadt liegt am Mittelmeer und hat 368 000 Einwohner.

Telebanking ['telebæŋkiŋ, das] → Homebanking.

Telefax [das], die Übertragung von Texten oder Zeichnungen mit Fernkopiergeräten, die an das Telefonnetz angeschlossen sind.

Was ist ein …
Telefon

Das Telefon ist ein Gerät zum Empfangen und Senden von Sprache mit elektrischen Mitteln. Es ist eines der wichtigsten Kommunikationsmittel. Umgangssprachlich wird der Begriff auch für das Telefonnetz verwendet, das neben den Telefonendgeräten auch Leitungsnetz und Vermittlungsdienst umfasst und von grundlegender Bedeutung für die moderne Telekommunikation ist. Die erste brauchbare Übertragung von gesprochenen Nachrichten gelang 1861 dem Deutschen J. P. *Reis*. Der US-Amerikaner A. G. *Bell* erfand 1876 das elektromagnetische Telefon, der Brite D. E. *Hughes* 1878 das Kohlemikrofon, das neben seiner Funktion als elektroakustischer Wandler einen Verstärkungseffekt besaß. Seither hat sich die Technik der Telefonapparate wesentlich weiterentwickelt, und insbesondere Leitungs- und Vermittlungstechnik haben sich drastisch verändert. Zusatzgeräte erzeugen eine immer größere Flexibilität der Endapparate und ermöglichen das Speichern von Gesprächen (Anrufbeantworter), Gespräche mehrerer Teilnehmer (Telefonkonferenz), den Versand von Bildern und Text (Telefax) oder von Daten (ISDN, DSL). Schnurlose Telefone und Mobiltelefone (Handys) machen zudem von einem fest installierten Endgerät unabhängig (Mobilfunk).

Endgerät: Im Telefon wird der Schall mithilfe eines Mikrofons in elektrische Signale umgewandelt, über das Telefonnetz gesandt und beim Empfänger wieder als Schallwellen ausgegeben. Allerdings wird dabei nicht der gesamte Frequenzbereich der Sprache übertragen, sondern nur der Bereich zwischen 300 Hz und etwa 3400 Hz. Sehr tiefe und sehr hohe Töne fehlen, was jedoch die Verständlichkeit nicht beeinträchtigt. Das Wählen der Telefonnummer erfolgte in den früheren Wählscheibentelefonen durch unterbrochene Stromstöße. Diese Methode wurde jedoch durch das Mehrfrequenzverfahren (MFV) abgelöst, bei dem für jede Ziffer beziehungsweise Taste ein Ton mit einem bestimmten Frequenzpaar gesendet wird. In Mobiltelefonen sind Wähltechnik und Schallübertragung in einem Gerät vereinigt.

Telefonnetz: Das Telefonnetz ist das Übertragungsmedium der Telefonsignale. Es besteht zum Großteil aus Kupferkabeln, zu einem kleineren Teil aus Glasfaserkabeln oder Funkstrecken. Das Kabelnetz verbindet die Telefone mit den Vermittlungsstellen, welche die Gesprächsteilnehmer aufgrund der gewählten Nummern miteinander verbinden. Diese Stellen bestanden bis vor wenigen Jahren aus elektromechanischen Relais, die aber z.B. in Deutschland vollständig durch digitale Vermittlungstechnik ersetzt wurden. Seit Beginn der 1980er Jahre ist weltweites mobiles Telefonieren mithilfe von geostationären Satelliten (Inmarsat) möglich. Ein auf Kommunikationssatelliten in erdnahen Umlaufbahnen gestütztes Mobilfunknetz konnte sich bislang aus Kostengründen nicht durchsetzen.

Ein Schnurlos-Telefon besteht aus Mobilteil und Basisstation. Die Basisstation ist mit dem Festnetz verbunden, der Kontakt zum Mobilteil, dem Hörer, funktioniert per Funk.

Zusatzdienste und Bildtelefon: Über die Übertragung von Gesprächen hinaus sind Telefone heute vielfältig einsetzbar. Durch den Dienst Anklopfen kann sich während eines Gesprächs ein zweiter Anrufer bemerkbar machen und mit der Funktion Makeln kann man mit zwei Personen abwechselnd sprechen. Mit Hilfe der Konferenzschaltung können drei oder mehr Teilnehmer ein Gespräch miteinander führen. Besonders für betriebliche Anwendungen wurden Bildtelefone entwickelt, die parallel zum Gespräch das Bild einer fest mit dem Telefon verbundenen Videokamera übermitteln. Eine neuere Entwicklung ist die Internet-Telefonie, auch Voice-over-IP genannt. Die Gespräche werden dabei von einem Computer in Datenpakete zerlegt, die wie bei Verbindungen im Internet einzeln an einen Zielrechner gesandt werden. Dieser setzt die Bruchstücke wieder zusammen und macht sie für den Empfänger hörbar. Befindet sich dieser nicht am Computer, wird das Gespräch an das normale Telefonnetz überstellt. Auch → Mobiltelefon.

Telegrafie [die], *Telegraphie,* die Übermittlung schriftlicher Nachrichten oder Zeichen auf elektrischem Wege über Leitungen oder Funk. Buchstaben, Zeichen, Ziffern werden auf der Sendeseite in elektrische Impulsgruppen umgesetzt und auf der Empfängerseite zurückverwandelt. Eine so weitergeleitete Mitteilung ist das *Telegramm.* Die älteste Form der Telegrafie ist der 1837 erfundene Morseapparat. Hier werden die *Morsezeichen* durch entsprechende Stromstöße gesendet, die durch das Schließen eines Stromkreises mit einer Taste erzeugt wurden. Heute wird der telegrafische Verkehr v. a. über *Telex* betrieben. Daneben gibt es das *Gentex-Netz,* das »allgemeine« amtliche Telegrafennetz, und private Sondernetze.

Telelearning, Form des Lernens, bei der Lernender und Lehrer räumlich voneinander getrennt sind, die Lerninhalte zentral verwaltet und über die Telekommunikationsnetze (z. B. über das Internet) abgerufen werden können.

Telepathie [die], die Gedankenübertragung von einer Person auf eine andere ohne weitere Hilfsmittel. Die Telepathie ist umstritten.

Teleskop [das] → Fernrohr.

Teletex [der], ein Angebot der Deutschen Telekom, zwischen zwei Schreibplätzen über das *Datex-L-Netz* Texte u. a. auszutauschen. Teletexgeräte sind Speicherschreibmaschinen mit Sende- und Empfangsspeicher. Sie können alle Schreibmaschinenzeichen senden bzw. empfangen. Die Übertragung einer Din-A4-Seite dauert etwa 10 Sekunden. Mit Hilfe eines speziellen Umsetzers kann das Datex-Netz mit dem *Telex-Netz* verbunden werden, so dass das Teletexgerät weltweit einsetzbar ist.

Wilhelm Tell: Die älteste Darstellung der Apfelschussszene stammt aus dem Jahr 1507.

Telex [das], Abkürzung für englisch teleprinter exchange (»Fernschreiber-Austausch«), ein öffentliches Fernschreibnetz, das in Deutschland im Selbstwählverkehr betrieben wird.

Tell, Wilhelm, ein Schweizer Sagenheld (um 1300) aus dem Kanton Uri. Tell soll vom habsburgischen Statthalter (Landvogt) Gessler gezwungen worden sein, einen Apfel vom Kopf des eigenen Sohnes zu schießen, weil er sich nicht unterwerfen wollte. Als Tell Gessler bei Küssnacht tötete, kam es zum Aufstand der drei Urkantone gegen die habsburgische Oberhoheit. Die Tell-Sage wurde durch *Schillers* Schauspiel »Wilhelm Tell« weithin bekannt.

Teller, Edward, * 1908, † 2003; US-amerikanischer Physiker ungarischer Herkunft. Er entwickelte 1951

Genauer betrachtet …
Temperatur

absoluter Nullpunkt	−273,15 °C
Siedepunkt flüssigen Heliums	−268,93 °C
Siedepunkt flüssigen Stickstoffs	−195,8 °C
Kältemischung aus Eis und Kochsalz	−21 °C
Eispunkt des Wassers	0 °C
Siedepunkt des Wassers	100 °C
Erstarrungspunkt des Platins	1769 °C
innerer Erdkern	rund 5000 °C
Strahlungstemperatur der Sonne	5700 °C
Sonneninneres	rund 15 000 000 °C
Zentrum einer explodierenden Wasserstoffbombe	rund 300 000 000 °C

die Wasserstoffbombe und wirkte am Bau der Atombombe mit.

Tempel [der], zunächst jede als heilig geltende Stätte, die kultischen Zwecken diente. Später war ein Tempel dann das einer Gottheit oder mehreren Göttern geweihte Bauwerk. Heute ist es allgemein die Bezeichnung für Kultbauten nichtchristlicher Religionen.

Temperament [das], allgemein die Erregbarkeit des Gefühlslebens und das Tempo seelischer Abläufe. Man teilt die Temperamente der einzelnen Menschen in vier Typen ein: *Sanguiniker* (lebhafter, heiterer Mensch), *Choleriker* (jähzorniger, leidenschaftlicher Mensch), *Phlegmatiker* (langsamer, schwer ansprechbarer Mensch) und *Melancholiker* (schwermütiger, trübsinniger Mensch).

Temperatur [die], die Kennzeichnung des Wärmezustandes eines Körpers, einer Flüssigkeit oder eines Gases. Die Temperatur wird mit einem Thermometer gemessen und meistens in Grad Celsius (°C) angegeben. Die absolut tiefste Temperatur, der absolute Nullpunkt, liegt bei –273,15 °C. In der Physik ist die thermodynamische Temperaturskala gebräuchlich, die in Kelvin unterteilt ist. Hier wird der absolute Nullpunkt mit 0 Kelvin (K) bezeichnet. Auch → »Genauer betrachtet«.

Tempus, die Zeitform eines Verbums (Gegenwart, Vergangenheit, Zukunft).

Tendenz [die], erkennbare Absicht, Neigung zu etwas, Entwicklungsrichtung, Zeitströmung. *Tendenziös* nennt man Meinungen, die einseitig sind, in eine Richtung gehen.

Teneriffa, die größte der zu Spanien gehörenden Kanarischen Inseln.

Tennis [das], ein Rückschlagspiel, das auf Rasenplätzen, Hartplätzen und in Hallen gespielt wird. Beim Tennis kommt es darauf an, einen mit Filz überzogenen Ball (Durchmesser 6,35–6,67 cm, Gewicht 56,7–58,47 g) so über ein in der Spielfeldmitte gespanntes Netz zu schlagen, dass ihn der Gegner nicht oder nur fehlerhaft zurückschlagen kann. Das Spielfeld ist ein Rechteck von 23,77 m Länge und 8,23 m Breite, das für das Doppelspiel durch zwei seitliche Korridore auf 10,97 m verbreitert wird. Das Netz muss in der Mitte eine Höhe von 0,91 m aufweisen. Gespielt wird entweder zwischen 2 Spielern (Einzel) oder zwischen 2 Paaren (Doppel). Gewertet wird nach Punkten, Spielen und Sätzen.

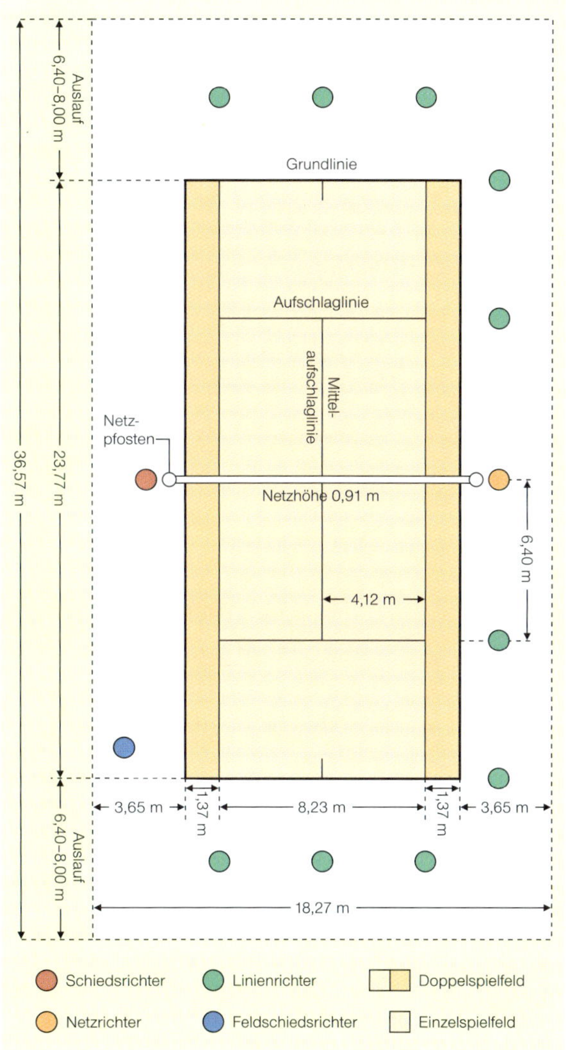

Tennis: schematische Darstellung des Spielfelds

Tennis geht auf das seit dem 13. Jh. in Frankreich gespielte »Jeu de paume« (Spiel mit der Handfläche) zurück, bei dem ein Lederball zunächst mit der flachen Hand, später mit Schlägern hin- und hergeschlagen wurde.

Tenno [japanisch, »Erhabener«, »Himmelskönig«], der Titel des japanischen Kaisers.

Tenor [der], die hohe Männerstimme. Bei ausgebildeten Opernsängern unterscheidet man je nach Klangfülle und -farbe, Geschmeidigkeit und Stimmumfang den *lyrischen Tenor,* den *Heldentenor* und den *Tenorbuffo.*

Tentakel [die], ein Körperanhang, der zum Tasten und Fangen der Beute dient. Wasser bewohnende Tiere wie z. B. Polypen haben Tentakeln.

Teresa, auch Mutter Teresa genannt, * 1910, † 1997; katholische Ordensschwester albanischer Abstammung. Sie gründete den Orden »Missionarinnen der Nächstenliebe« und setzte sich für Arme und Kranke in den Slums von Kalkutta ein. 1979 erhielt sie den Friedensnobelpreis und wurde 2003 seliggesprochen.

Term [der], mathematischer Ausdruck; wird meist als Bezeichnung für ein aus mehreren Größen bestehendes Glied einer Summe oder eines Produktes verwendet, z. B. der Term bx in $y = ax^2 + bx + c$.

Terminal [der oder das, engl., »Endstation«], **1.** ein Busbahnhof für den Flughafenverkehr. **2.** ein Umschlagplatz für den Containerverkehr. **3.** ein Gerät zur Dateneingabe und -ausgabe bei Großrechnern.

Termiten [Pl.], *Weiße Ameisen,* besonders in den Tropen verbreitete Insekten, die nicht mit den Ameisen, sondern mit den Schaben verwandt sind. Termiten leben in Staaten mit einer Königin, einem König und vielen Arbeitstieren. Die Königin schwillt durch Vergrößerung der Eierstöcke unverhältnismäßig stark an und legt täglich mehrere Tausend Eier. Die Arbeiter sind geschlechtlich verkümmerte Männchen und Weibchen, die für Nestbau, Futtersuche, Fütterung der übrigen Staatenmitglieder und die Brutpflege sorgen. Einige von ihnen sind zu Soldaten umgebildet und haben oft riesig vergrößerte Mundwerkzeuge zur Verteidigung des Staates. Termiten leben im Holz oder bauen meterhohe Erdnester aus Holzteilchen, Erde und Kot, die sie mit Speichel verkleben. Die über 6 m hohen Termitenhügel in Australien gehören zu den größten Bauten, die Tiere herstellen.

Terpentin [das], ein scharf riechendes, gelbliches Öl aus dem Harz verschiedener Kiefernarten.

Terrakotta [die], unglasierter, gebrannter Ton, aus dem Gefäße, Figuren und Gebäudeverzierungen hergestellt werden.

Termiten: Mit Hilfe von Luftschächten und Isolationsschichten im Innern ihrer oft meterhohen Bauten regulieren Termiten die hohe Luftfeuchtigkeit und die Temperatur.

Terrarium [das], ein Glasbehälter zur Haltung von Reptilien und Amphibien.

Territorium [das], Grund und Boden, Staats- und Hoheitsgebiet.

Terror [der, lat., »Schrecken«], gewalttätiges, rücksichtsloses Vorgehen, das die Betroffenen in Angst und Schrecken versetzen soll; Unterdrückung, brutale Willkür.

Terrorismus [der], gewalttätige Handlungen Einzelner oder kleiner Gruppen mit dem Ziel, eine Fremdherrschaft zu beseitigen oder eine politische und gesellschaftliche Ordnung grundlegend zu verändern. Typische Mittel des Terrorismus sind Attentate, Bombenanschläge, auch Flugzeugentführungen und Geiselnahmen.

Seine theoretischen Wurzeln hat der Terrorismus im Anarchismus des 19. Jh. Seit Mitte des 20. Jh. entwickelte sich eine Art des Terrorismus, die sich aus nationalen bzw. separatistischen Zielen speist, z.B. bei der arabischen PLO in Palästina oder der IRA in Nordirland. Terrorismus kann sowohl von »rechts« als auch von »links« ausgehen. Der Linksterrorismus der RAF (Rote Armee Fraktion) in der Bundesrepublik Deutschland entstand als ein Zerfallsprodukt der studentischen Protestbewegung der 1960er Jahre. Auch rechtsextremistische terroristische Aktionen konnten seit den 1980er Jahren in verschiedenen europäischen Staaten beobachtet werden (Briefbombenattentate in Österreich, Anschläge gegen Asylbewerber in Deutschland). In den 1990er Jahren zeigte der internationale Terrorismus neue Facetten. Die japanische Aum-Sekte setzte Giftgas gegen die U-Bahn in Tokyo ein. Damit wurden die Schaltstellen der modernen Industriegesellschaft Ziel terroristischer Aktivitäten. Die verheerenden Anschläge u.a. auf das World Trade Center und das Pentagon im September 2001 sowie auf öffentliche Verkehrsmittel in London 2005 bestätigten diese Entwicklung. Das Vernichtungspotenzial atomarer, chemischer und biologischer Waffen erhöht die Risiken für die weltweit vernetzte moderne Kommunikationsgesellschaft, die auch durch die Anwendung von Computerviren und durch »Hacker« gefährdet ist. Siehe auch ZEIT-Beitrag → »Terrorismus: Schrecken, Angst, Entsetzen«, Seite 68–71.

Tertiär [das], ein Abschnitt der Erdneuzeit; → Erdzeitalter (Tabelle).

Terzett [das], eine Komposition für drei Singstimmen mit oder ohne Begleitung. Ein Musikstück für drei Instrumente ist ein *Trio.*

Tessin, der südlichste Kanton der Schweiz, Hauptstadt ist *Bellinzona.*

Testament [das], Bestimmungen, die festlegen, wer den Nachlass erben soll. Ein Testament kann mit der Hand geschrieben sein oder bei einem Notar aufgesetzt werden. Testamentsvollstrecker regeln die Verteilung des Erbes nach dem Tod des Erblassers. In jedem Testament kann auch festgelegt werden, dass jemand von der Erbschaft ausgeschlossen (enterbt) wird.

Tetanus [der] → Wundstarrkrampf.

Tetraeder [das, griech.], *Vierflach,* ein von vier Dreiecken begrenzter Körper, eine Sonderform der Pyramide.

Teufel [der], die Verkörperung des Bösen in der Welt, die in fast allen Religionen anzutreffen ist. Im Alten Testament ist der Teufel als *Satan* Verführer der Menschen, ein von Gott geschaffener Engel Luzifer, der aber von ihm abgefallen ist. Im Neuen Testament ist er der Widersacher Gottes.

Teutoburger Wald [der], ein Mittelgebirge in Westfalen, in seiner höchsten Erhebung 468 m hoch *(Velmerstot).* Das Hermannsdenkmal erinnert an den Sieg des → Armin über die Römer.

Teutonen [Pl.], ein germanisches Volk, das sich mit den Kimbern vereinigte und nach Italien und Südfrankreich zog. Sie wurden 102 v.Chr. von den Römern geschlagen.

11. September 2001: Der Anschlag auf das World Trade Center in New York

Terrorismus

Schrecken, Angst, Entsetzen

Von Jochen Bittner

Wenn von Terroristen die Rede ist, dann zeigt das Fernsehen meist Bilder, bei denen man am liebsten wegschauen möchte. Da explodieren Autos, Hochhäuser brechen in sich zusammen, schreiende Menschen rennen durch die Straßen. Die Kameras zeigen Rauchwolken und Blutlachen. Warum tun Menschen so etwas? Das erklären die Nachrichten fast nie. Die Täter, die all den Schrecken verursacht haben, waren Terroristen, heißt es meist nur.

Terrorismus kommt vom lateinischen Wort *terror,* das heißt »Schrecken«, »Furcht« oder »Angst«. Ist ein Terrorist also jemand, der Angst und Schrecken verbreiten will, einfach deshalb, weil er ein blutdürstiger Kerl ist?

Nein, so einfach ist es nicht. Man könnte sogar sagen, das eigentlich Schlimme an Terroristen ist, dass sie ihre Taten für gar nicht schlimm halten. Selbstmordattentäter etwa finden das, was sie erreichen wollen, so richtig und wichtig, dass sie nicht nur bereit sind, andere dafür in die Luft zu sprengen, sondern auch sich selbst. Terroristen würden sich auch nie Terroristen nennen. Sie sagen lieber »Krieger« oder »Freiheitskämpfer«.

Gegen Ungerechtigkeiten

Wenn man sich die Geschichte der bekanntesten Terroristengruppen anschaut, dann fällt tatsächlich auf, dass viele dieser Gruppen – jedenfalls am Anfang – durchaus nachvollziehbare Gründe hatten, sich gegen die Herrschenden in ihren Ländern zu wehren. Die IRA zum Beispiel, die Irisch-Republikanische Armee, hat sich gegründet, weil die britische Regierung in London die Nachbarinsel Irland besetzt hielt und den Katholiken, die dort wohnten, nicht die gleichen Rechte einräumen wollte wie den ebenfalls dort lebenden englandtreuen Protestanten.

Mit brutaler Gewalt

Das waren ohne Zweifel ungerechte Zustände. Und wenn sich ungerechte Zustände, also Unterdrückung oder unerträgliches Unrecht, nicht mit Wahlen und friedlichem Protest ändern lassen, dann kann man schon darüber streiten, ob es nicht in Betracht kommt, sich mit Gewalt zu wehren. Allerdings hat die IRA bald angefangen, Bomben zu legen, bei deren Explosionen viele Menschen ums Leben kamen, die an den Zuständen in Irland überhaupt keine Schuld trugen. Auf diese Weise wollte die IRA die britische Regierung erpressen, sich aus Irland zurückzuziehen. Das hat natürlich nichts mehr mit erlaubter Gegenwehr zu tun. Es ist kriminell – weil es Unrecht mit noch schlimmerem Unrecht beantwortet.

Richtig ist es deshalb, von Terroristen zu reden, wenn Leute versuchen, im Namen einer vermeintlich guten oder gar heiligen Sache Unschuldige angreifen, als Geiseln nehmen oder ermorden, um Regierungen zu bestimmten Handlungen zu zwingen.

In Deutschland gab es bis in die neunziger Jahre hinein die sogenannte Rote Armee Fraktion (RAF), die genau das versucht hat. Ihre Mitglieder glaubten, die Bundesregierung sei zusammen mit den großen deutschen Industriechefs Teil einer Verschwörung kapitalistischer Länder, die auf Kosten der Dritten Welt Reichtum anhäuften und Krieg trieben. Deshalb, so behauptete die RAF, sei es nicht verwerflich, die Vertreter dieser »Herrschaftsklasse« zu töten. Bis heute teilen viele Menschen die Kritik, dass die Politik der reichen Länder gegenüber der Dritten Welt ungerecht ist. Doch um dagegen etwas zu unternehmen, muss man niemanden umbringen: Man kann zum Beispiel die Parteien wählen, die sich für eine andere Politik stark machen. Oder sich in Gruppen engagieren, die auf Ungerechtigkeiten hinweisen. Deswegen ist eine funktionierende Demokratie die beste Vorsorge gegen Terrorismus: Wer mitbestimmen kann, muss nicht zum Gewehr greifen oder Bomben legen.

Mit Wandbildern wie diesem warb die irische Terrororganisation IRA für ihren blutigen Kampf

Insofern ist es kein Zufall, dass die meisten Terroristen heute aus Ländern stammen, die kaum oder gar nicht demokratisch sind. Aus Saudi-Arabien zum Beispiel, aus Pakistan, aus Ägypten oder aus den Ländern Nordafrikas. Überall dort bevormunden und gängeln Diktatoren die Bevölkerung, statt sich für ihre Probleme zu interessieren. Zugleich sind viele Menschen in diesen muslimischen Ländern sehr religiös. Nicht wenige von ihnen fänden es besser, wenn nicht die verhassten Diktatoren Gesetze erlassen würden, sondern wenn die Staatsordnung und das ganze Leben von den Regeln des Korans, der heiligen Schrift des Islams, bestimmt würde. Einige wenige Radikale unter diesen Gläubigen sind so überzeugt von ihren politischen und religiösen Ideen, dass sie es in Ordnung finden, andere zu töten, um sie durchzusetzen. Solche Leute sind gemeint, wenn von »islamistischen Terroristen« die Rede ist. Und von ihnen ist sehr oft die Rede seit dem 11. September 2001.

An diesem Tag richteten in Amerika 19 Islamisten eine Katastrophe an, die noch für lange Zeit als der Beginn eines neuen terroristischen Zeitalters gelten wird. Aufgeteilt in Gruppen, entführten die Männer vier Passagierflugzeuge. Nachdem sie die Piloten getötet hatten, setzten sie sich selbst ans Steuer und rasten mit den Flugzeugen in die beiden Türme des World Trade Centers in New York. Mit dem dritten Flugzeug versuchten sie, das Verteidigungsministerium in der amerikanischen Hauptstadt Washington zu zerstören. Das vierte stürzte über einem Feld ab.

Fast 3000 Menschen starben

Alle Passagiere in den Flugzeugen, die Attentäter selbst und noch viel mehr Menschen in den getroffenen Gebäuden kamen ums Leben. Die beiden Türme des World Trade Center stürzten, kurze Zeit nachdem die Flugzeuge in sie hineingerast waren, wegen der enormen Feuerhitze in sich zusammen. Insgesamt starben an diesem Vormittag innerhalb weniger Stunden fast 3000 Menschen. Die ganze Welt hielt den Atem an. Denn eins war klar: Amerika würde sich wehren und von nun an die Terroristen von Al Qaida jagen.

Al Qaida ist Arabisch und bedeutet »die Basis«. Auch sie war ursprünglich als Widerstandsgruppe gegründet worden, und zwar von dem saudiarabischen Millionärssohn Osama bin Laden. Er rief in den 1980er Jahren Muslime aus aller Welt nach Afghanistan. Dort herrschte Krieg. Der Grund: Das damals noch kommunistische Russ-

Von der RAF entführt: Der Arbeitgeberpräsident Hanns Martin Schleyer im Oktober 1977

Amerikanische Soldaten auf dem Flugplatz der afghanischen Hauptstadt Kabul

land versuchte, Afghanistan in sein Sowjetreich einzuverleiben. Da Afghanistan ein muslimisches Land ist, rief Osama bin Laden zum »Heiligen Krieg« auf, das heißt, er sagte den Muslimen, es sei ihre religiöse Pflicht, gegen die nichtmuslimischen, russischen Besatzer zu kämpfen.

Erzfeind Amerika

Tausende von Gläubigen folgten seinem Ruf, und tatsächlich: Nach wenigen Jahren war es ihnen gelungen, die sowjetischen Soldaten aus Afghanistan zu vertreiben. Nachdem sie die mächtige Sowjetunion besiegt hatten, wollten die Al Qaida-Kämpfer ihren »Heiligen Krieg« allerdings weiterkämpfen. Und der nächste große Feind auf ihrer Liste hieß Amerika. Warum?

Die Mitglieder von Al Qaida glauben, dass Amerika zusammen mit anderen westlichen Staaten die Muslime in aller Welt unterdrückt. Außerdem halten die Al Qaida-Kämpfer alle Menschen, die keine Muslime sind, für gottlos und deshalb für weniger »wertvoll«.

Kurz nach dem 11. September 2001 bekannte sich Osama bin Laden in einer Videobotschaft zu den Anschlägen auf Amerika. Der amerikanische Präsident George W. Bush zögerte nicht lange: Er griff Afghanistan an, wo sich bin Laden mit seinen Al Qaida-Mitgliedern verschanzt hielt. Wenige Monate tobte ein blutiger Krieg, dann war Al Qaida aus dem Land vertrieben. Eine Lösung war das allerdings noch lange nicht.

Damit Afghanistan in Zukunft nicht noch einmal zur Basis für »die Basis« Al Qaida wird, versuchen deshalb bis heute viele Staaten aus aller Welt, dem bitterarmen Land zu mehr Wohlstand und Demokratie zu verhelfen. Auf diese Weise soll verhindert werden, dass die Al Qaida-Terroristen noch einmal so schlimm zuschlagen können wie am 11. September 2001 in Amerika.

Texas ['tɛksəs], der zweitgrößte Staat der USA, Hauptstadt ist *Austin.* Texas hat große Erdöl- und Erdgasvorkommen. Seit 1870 ist Texas ein Bundesstaat der USA.

Ländersteckbrief Thailand

Fläche:	513 115 km²
Einwohner:	64,8 Millionen = 126 je km²
Hauptstadt:	Bangkok
Religion:	Buddhismus
Amtssprache:	Thai
Währung:	1 Baht = 100 Stangs

Thailand, Staat in Südostasien.

Landesnatur: Fächerförmig greifen die hinterindischen Kettengebirge (2000 bis 3000 m hoch) in die fruchtbare Schwemmlandebene des *Menam*. Im Süden erstreckt sich Thailand mit einem langgezogenen Ausläufer auf die Malakkahalbinsel. Das Monsunklima begünstigt das Wachstum von dichtem tropischem Regenwald.

Bevölkerung: Etwa 95% der Bevölkerung ist buddhistischen Glaubens. Die *Thai*, früher *Siamesen* genannt, gehören überwiegend zur Gruppe der Thaivölker. Daneben gibt es Minderheiten von *Khmer* und *Mon* sowie Chinesen und Malaien.

Wirtschaft: Thailand ist eines der größten Reisexportländer der Welt. Wichtig ist auch der Anbau von Mais, Hirse und Zuckerrohr sowie die Gewinnung von Kautschuk. Die wichtigsten Bodenschätze sind Erdgas, Zinn und Wolfram. Die Industrie liefert Textilien, Baustoffe, chemische Produkte, elektronische Geräte und Konserven. Der Tourismus (Bangkok, Ayutthaya, Pattaya, Phuket) spielt eine bedeutende Rolle. – Überseehäfen sind Bangkok und Sattahip; bedeutender internationaler Flughafen in Bangkok.

Geschichte: Thai-Stämme wanderten seit dem 9. Jh. aus Südchina in das Land ein und gründeten im 13. Jh. das *Sukothai-Reich*, das im 14. Jh. vom *Ayutthaya-Reich* abgelöst wurde. 1767 zerstörten die Birmanen Ayutthaya. 1782 begründete General *Chakri* als *Rama I.* die bis heute regierende Dynastie. Im Zeitalter des Kolonialismus blieb Thailand stets unabhängig. 1932 wurde es konstitutionelle Monarchie. 1938 erhielt es seinen heutigen Namen, bis dahin hieß es *Siam*. Im Zweiten Weltkrieg stand es auf Seiten Japans. In der Folgezeit kam es zu zahlreichen Putschen. Militär- und Zivilregierungen wechselten. In den 1990er Jahren setzte eine politische Stabilisierung ein. 1997 trat eine neue Verfassung in Kraft. Nach Massenprotesten gegen Ministerpräsident T. *Shinawatra* (seit 2001)

Thailand: Bauern bei der Ernte auf einem Reisfeld im Norden des Landes

Genauer betrachtet …
Theater

Akt: die Handlungseinheit beim Drama
Dramaturgen: künstlerisch-wissenschaftliche Mitarbeiter, die den Spielplan erstellen, Theaterstücke für die Aufführung bearbeiten und das Programmheft herausgeben
eiserner Vorhang: eine Feuerschutzeinrichtung, die bei Bedarf zwischen Bühne und Zuschauerraum heruntergelassen wird
Engagement: die Anstellung der Schauspieler oder Sänger am Theater
Ensemble: die Schauspielertruppe eines Theaters
Gage: das Gehalt der Künstler
Inszenierung: die Umsetzung des Textes in ein Bühnenstück
Intendanten: die Leiter eines Theaters
Komparsen: die Darsteller einer Rolle ohne Text
Kulisse: die Bühnendekoration
Loge: eine Zuschauernische im Theater
Parkett: der untere Zuschauerraum
Proben: die Übungen vor der Aufführung eines Stückes
Rang: die balkonartige Etage im Theater mit Sitzplätzen
Regisseure: Personen, die die Rollen besetzen, das Stück inszenieren und die Proben leiten
Repertoire: alle Stücke, die eine Theatergruppe spielen kann
Requisiten: das Zubehör für eine Aufführung
Souffleure: Personen, die den Text mitsprechen und den Schauspielern notfalls weiterhelfen
Szene: Vorgang auf der Bühne, Einheit des Aktes
Uraufführung: die Erstaufführung eines neuen Stückes

und vorgezogenen Neuwahlen putschte 2006 das Militär und beseitigte die verfassungsmäßige Ordnung. Staatsoberhaupt ist seit 1946 König *Phumiphol Aduljadedsch* (*Rama IX.*).

Thales, *von Milet*, *um 625 v. Chr., †um 545 v. Chr.; griechischer Philosoph. Er ist einer der *Sieben Weisen* und gilt seit Aristoteles als Begründer der Philosophie, da er Naturphänomene vernunftmäßig zu erklären versuchte.

Thalessatz [nach *Thales von Milet*], ein Lehrsatz, der besagt, dass jedes Dreieck, dessen Umkreis eine Dreieckseite zum Durchmesser hat, rechtwinklig ist.

Thatcher [ˈθætʃə], Margaret Hilda, Baroness *T. of Kesteven*, (seit 1992) *1925; britische Politikerin. 1975–1990 war sie Parteiführerin der Konservativen, 1979–1990 Premierministerin. Sie war der erste weibliche Regierungschef Europas.

Theater [das, griech., »Schauplatz«], zusammenfassender Begriff für die darstellenden Künste (Schauspiel, Pantomime, Oper, Operette, Ballett) sowie das Gebäude, in dem Schauspiele, Operetten, Opern usw. aufgeführt werden. Das Theater wird vom Intendanten geleitet, zu dessen Mitarbeitern u. a. Dramaturgen, Regisseure, Inspizienten, Requisiteure gehören. Darstellende Künstler sind Schauspieler, Sänger und Tänzer. Das Orchester leitet ein Dirigent. – Die Anfänge des

Theater: Szene aus »Parsifal« von Richard Wagner in einer Inszenierung am Theater Erfurt

europäischen Theaters waren die kultisch-religiösen Freilichtaufführungen im alten Griechenland. In römischer Zeit entstand der überdachte Zuschauerraum, der durch einen Vorhang von der Bühne getrennt war. Im Mittelalter wurden die Schauplätze am Zuschauer vorübergefahren *(Wagenbühne),* oder die Besucher gingen von einem Schauplatz zum anderen *(Simultanbühne).* Im 16. Jh. entstand die *Guckkastenbühne,* auf der das Nacheinander der Szenen an die Stelle des Nebeneinanders trat. Auch → »Genauer betrachtet«, Seite 73.

Themse [die], der größte Fluss Englands, 346 km lang. Die Themse entspringt in Südwestengland, durchfließt Oxford, Windsor und London und mündet bei Sheerness in einem Trichter in die Nordsee.

Theoderich der Große, in der Sage *Dietrich von Bern,* * um 453, † 526; König der Ostgoten. Theoderich wurde am oströmischen Kaiserhof in Konstantinopel erzogen. Im Auftrage des oströmischen Kaisers zog er mit den Ostgoten 488 nach Italien, besiegte und tötete König Odoaker und gewann die Herrschaft über Italien, die Provence sowie Teile des Balkans.

Theologie [die, griech., »Lehre von Gott«], allgemein die wissenschaftliche Gotteslehre beziehungsweise die Lehre von der Religion.

Theorie [die], die Erkenntnis, die man durch Nachdenken gewinnt; Gegensatz: *Praxis.*

Thermen [Pl.], Quellen, die von der Erdwärme auf mindestens 20 °C aufgeheizt sind. In der römischen Kaiserzeit auch große öffentliche Badeanstalten mit heißen Bädern, meist aus Thermalquellen gespeist. Sie waren oft mit Sportplätzen, Kunstsammlungen und Bibliotheken ausgestattet.

Thermik [die], eine aufwärts gerichtete Luftströmung (Aufwind), hervorgerufen durch die von der Sonneneinstrahlung verursachte Bodenerwärmung. Die Thermik wird von Segelfliegern und Drachenfliegern genutzt.

Thermometer [das, griech., »Wärmemesser«], ein Gerät zur Messung der Temperatur. Das Prinzip des Thermometers wurde 1592 von *Galilei* erfunden. Es beruht auf der Ausdehnung von Gasen, Flüssigkeiten oder Metallen. Beim Quecksilber- und Alkoholthermometer wird ein Flüssigkeitsfaden in einem Kapillarröhrchen mit einer Skala gemessen. Zur Eichung des Thermometers führte 1702 Ole *Römer* zwei feste Punkte (Fixpunkte) ein, den Gefrier- und den Siedepunkt des Wassers. Den dazwischenliegenden Abstand unterteilt eine Skala. Anders *Celsius* hat ihn in 100 Grade eingeteilt. Das Maximumthermometer zeigt die höchste (z. B. das Fieberthermometer), das Minimumthermometer die niedrigste Temperatur an, die während einer gewissen Zeitdauer vorgekommen ist.

Thermostat [der], ein Regler, der Temperaturen auf einem bestimmten eingestellten Wert hält. Ein Bimetallstreifen schaltet bei zu großer Erwärmung das Heizelement aus und nach genügender Abkühlung wieder ein, z. B. im Backofen, beim Bügeleisen und bei der Heizung.

These [die], eine aufgestellte Behauptung, die noch bewiesen werden muss; auch ein Lehrsatz.

Thing [das], die Volks-, Gerichts- und Heeresversammlung der Germanen, die unter freiem Himmel auf geweihten Thingplätzen abgehalten wurde. In den skandinavischen Ländern lebt die Bezeichnung noch fort: z. B. Folketing = dänische Volksversammlung; Storting = norwegisches Parlament.

Wer war …
Thomas von Aquin

Der italienische Theologe und Philosoph Thomas von Aquin (* um 1225, † 1274) gilt als der bedeutendste Gelehrte des Mittelalters. Er hinterließ ein umfangreiches Schrifttum, vieles davon wurde erst nach seinem Tod von seinen Schülern gesammelt und unter seinem Namen herausgegeben. In diesen Schriften arbeitete Thomas von Aquin das gesamte antike und christliche sowie philosophische und theologische Gedankengut auf und stellte es in seiner Glaubenslehre *(Thomismus)* systematisch dar. Sein Verdienst liegt darin, die wissenschaftlichen Arbeiten des griechischen Philosophen *Aristoteles* mit der christlichen Lehre verbunden zu haben. Thomas von Aquin betonte die Eigenständigkeit der Philosophie gegenüber der Theologie und legte den Unterschied beider Lehren in ihrer Methodik dar; so bildet der Glaube die Basis der Theologie, die Vernunft die der Philosophie. Den Widerspruch zwischen Vernunft und Glaube löste er in dem Sinne, dass er behauptete, alles – auch Gott – sei durch Vernunft erklärbar, da sowohl Vernunft als auch Glaube von Gott stammten. Thomas von Aquin kam als Kind zu den Benediktinern in das Kloster Monte Cassino, einem der bedeutendsten Klöster des Mittelalters. Nach dem Studium in Neapel trat er gegen den Willen seiner Familie dem Dominikanerorden bei und studierte bei *Albertus Magnus* in Paris und Köln. Thomas von Aquin lebte 1552–1559 in Paris, 1259–1268 in Italien und 1269–1272 erneut in Paris, wo er als theologischer Lehrer gefeiert wurde. Ab 1272 leitete er den Aufbau einer Ordensuniversität in Neapel. – Thomas wurde 1323 von Papst Johannes XII. heiliggesprochen. Sein Fest ist der 28. Januar.

Thomas von Aquin und der heilige Daniel

Tibet: Über der tibetischen Hauptstadt Lhasa, dem »Ort der Götter«, erhebt sich der Potala-Palast, die ehemalige Winterresidenz des Dalai-Lama.

Thrombose [die], die Verstopfung eines Blutgefäßes durch einen Blutpfropf.

Thunfische [Pl.], *Tunfische,* Raubfische der gemäßigten und warmen Meere. Sie werden bis 5 m lang und 500 kg schwer. Thunfische sind als Speisefische von wirtschaftlicher Bedeutung.

Thurgau, ein Kanton im Norden der Schweiz, Hauptstadt ist *Frauenfeld.*

Thüringen, seit 1990 ein Bundesland in der Mitte Deutschlands. Es ist ein Teil der Mittelgebirgsschwelle mit dem Thüringer Wald als bedeutendstem Höhenzug. Die Hauptstadt ist *Erfurt.* Thüringen ist 16 172,14 km^2 groß und hat 2,4 Mio. Einwohner.

Thüringer Wald, ein waldreiches Mittelgebirge in Thüringen, südöstlich von Eisenach, das im *Großen Beerberg* 982 m hoch ist.

Tiara [die], die mit drei Kronen und drei Goldstreifen verzierte hohe Mütze des Papstes.

Tiber [der], ein Fluss in Italien, 393 km lang. Der Tiber entspringt im Apennin, fließt durch Rom und mündet bei Ostia in das Mittelmeer.

Tibet, ein teilweise selbstständiges (autonomes) Gebiet im Westen Chinas, mit der Hauptstadt Lhasa, 2,5 Mio. Einwohner. Tibet ist das größte und höchstgelegene Hochland der Erde (etwa 4000 bis 5000 m hoch). Bereits Ende des 13. Jh. wurde Tibet ein Priesterstaat; im 15. Jh. wurde der Dalai-Lama weltliches Oberhaupt, der Panchen-Lama geistliches Oberhaupt. 1950 wurde das Land von China besetzt, 1951 China angegliedert. Nach einem erfolglosen Aufstand 1959 flohen der 14. Dalai-Lama und Zehntausende Tibeter nach Indien. 1965 wurde die Autonome Region Tibet geschaffen.

Tiden [Pl.], ein anderer Ausdruck für → Gezeiten.

Tieck, Ludwig, * 1773, † 1853; deutscher Dichter der Romantik. Er schrieb den ersten romantischen Künstlerroman (»Franz Sternbalds Wanderungen«), Kunstmärchen sowie das Märchendrama »Der gestiefelte Kater«.

Tief [das], *Tiefdruckgebiet,* ein Gebiet mit niedrigem Luftdruck, das meist Wolken und Niederschläge bringt. In einem Tief wehen die Winde auf der Nordhalbkugel entgegen dem Uhrzeigersinn.

Tiefbau [der], im Gegensatz zum *Hochbau* alle Baumaßnahmen am Gelände oder unterhalb des Geländes, beispielsweise Straßen-, Wasser- oder Tunnelbau, unterirdischer Bergbau sowie das Verlegen von Versorgungsleitungen.

Tiefsee [die], das Meer unterhalb 4000 m Wassertiefe; in der Biologie versteht man unter Tiefsee bereits Meerestiefen unter 200 m, die nicht mehr von den Wind- und Wärmeverhältnissen der Oberfläche beeinflusst werden. Wegen des Lichtmangels gibt es hier nur noch eine Sorte Algen (Geißelalgen), die bis in 400 m Tiefe gedeiht. Die Tierwelt der Tiefsee ist durch zahlreiche Eigentümlichkeiten den hier herrschenden Lebensbedingungen angepasst. Viele Tiere haben rückgebildete Augen, andere wiederum haben besonders leistungsfähige Teleskopaugen ausgebildet. Vielfach kommen besondere Tastorgane vor. Bedingt durch die Nahrungsarmut der Tiefsee, die dazu zwingt, jede Beute auszunutzen, haben Raubfische oft Riesenmäuler, gewaltige Zähne und enorm dehnbare Mägen.

Tiere [Pl.], Lebewesen, die sich im Unterschied zu den Pflanzen von organischen Stoffen ernähren, meist frei beweglich sind und auf Umwelteinflüsse mannigfaltig reagieren. Weitere Kennzeichen sind: begrenztes Wachstum; besondere Organe zum Einverleiben und Verarbeiten der Nahrung; Skelettbildungen; Sinnesorgane, Nerven, Muskeln und ein Gehirn. Bisher sind etwa 1,7 Mio. Tierarten bekannt. Auch → »Genauer betrachtet«.

Tierkreis [der], Zone von 12 Sternbildern am Himmel, die von der Sonne in einem Jahr durchlaufen wird

Tiere der Tiefsee: 1 Tiefsee-Beilfisch; 2 Pelikanaal; 3 Tiefseeangler; 4 Drachenfisch; 5 Schwarzer Schlinger; 6 Borstenmäuler; 7 Borstenmäuler mit gedehntem Magen und Körper; 8 Johnsons Schwarzer Angler; 9 Männchen des Schwarzen Anglers, mit dem Weibchen verwachsen

Genauer betrachtet …
Tiere

Tiere mit der höchsten Lebenserwartung sind:

Name	Jahre
Elefantenschildkröte	150
Stör	bis 150
Sumpfschildkröte	bis 120
Landschildkröte	bis 116
Aaskrähe, Kakadu	100
Elefant	bis 70
Kolkrabe	69
Hecht	60–70
Krokodil	44
Riesensalamander	40
Pferd (je nach Rasse)	bis 40
Blindschleiche	33
Silbermöwe	31

und in der sich auch die anderen Planeten bewegen. Sie ist in 12 gleiche Abschnitte von 30° eingeteilt, die die Namen der 12 Sternbilder *(Tierkreiszeichen)* tragen. Auch → »Genauer betrachtet«, Seite 78.

Tierschutz [der], der Schutz der Haus- und Wildtiere vor Misshandlung, Quälerei und Vernachlässigung sowie die Erhaltung der vom Aussterben bedrohten Wildtiere. Auch → »Genauer betrachtet«, Seite 78.

Tierversuche [Pl.], Experimente mit Tieren sowie die Behandlung von Tieren mit neuen Methoden oder Mitteln zu Versuchszwecken. Durch Tierversuche will man die Auswirkungen neuer Mittel (z. B. Medikamente, Kosmetika) oder Methoden erforschen, bevor sie an Menschen angewendet werden. Tierversuche sind heute heftig umstritten, da sie den betroffenen Tieren häufig Leiden zufügen. Daher wurden für manche Untersuchungen alternative Verfahren entwickelt, durch die Tierversuche in manchen Fällen überflüssig wurden oder die Zahl der benötigten Versuchstiere verringert werden konnte.

Tiflis → Tbilissi.

Tiger [der], eine Großkatze mit gelblichem bis rötlichem Fell und dunklen Querstreifen. Tiger kommen in weiten Teilen Asiens vor und können bis 2,8 m lang werden. Sie sind Einzelgänger. In ihrem großen Verbreitungsgebiet kommen sie in mehreren verschiedenen Unterarten vor, etwa der *Sibirische Tiger,* der *Königs-* oder *Bengaltiger* aus Vorder- und Hinterindien oder der *Sumatra-Tiger.* Sämtliche Unterarten des Tigers sind durch Lebensraumzerstörung und Jagd bedroht, einige sind bereits ausgestorben.

Der Tiger stellt an sein Revier nur wenige Ansprüche. Er muss vor allem genügend Beute vorfinden.

Tigris, ein Strom in Vorderasien, 1899 km lang. Er entspringt in der Türkei am Göldschiksee, bildet mit dem Euphrat das Zweistromland Mesopotamien und mündet in den Persischen Golf.

Tinte [die], eine Schreibflüssigkeit, meist die Lösung eines Farbstoffes in Wasser.

Genauer betrachtet …
Tierkreis

Name	Zeichen	Zeitraum
Widder	♌	21. 03.–20. 04.
Stier	♍	21. 04.–21. 05.
Zwillinge	♎	22. 05.–21. 06.
Krebs	♏	22. 06.–22. 07.
Löwe	♐	23. 07.–22. 08.
Jungfrau	♑	23. 08.–22. 09.
Waage	♒	23. 09.–23. 10.
Skorpion	♓	24. 10.–22. 11.
Schütze	♈	23. 11.–21. 12.
Steinbock	♉	22. 12.–20. 01.
Wassermann	●	21. 01.–20. 02.
Fische	❍	21. 02.–20. 03.

Tintenfische [Pl.] → Kopffüßer.

Tirana, die Hauptstadt Albaniens im Zentrum des Landes, 343 000 Einwohner.

Tirol, ein österreichisches Bundesland, Hauptstadt ist *Innsbruck.*

Tischtennis [das], ein Rückschlagspiel, das auf einem Tisch gespielt wird, der durch ein Netz in zwei Hälften geteilt ist. Ein weißer Zelluloidball ist mit einem Schläger (mit Schaum- oder Noppengummibelag) so über das Netz zu schlagen, dass ihn der Gegner möglichst nicht den Regeln entsprechend zurückspielen kann. Der Ball muss (und darf höchstens) in jeder Spielfeldhälfte einmal aufspringen. Spielwertung: 11 Punkte ergeben einen Satz, drei Gewinnsätze bedeuten den Spielsieg.

Titan [das], ein chemisches Element mit dem Zeichen Ti. Titan ist ein silberweißes Metall. Es kommt in der Natur besonders in eisenhaltigen Erzen vor und wird in Edelstahllegierungen verwendet, die leicht, sehr korrosionsbeständig und sehr fest sind, u. a. im Flugzeug-, Raketen- und Düsentriebwerkbau.

Titanen [Pl.], das älteste Göttergeschlecht in der griechischen Sagenwelt. Die riesenhaften sechs Söhne

Genauer betrachtet …
Tierschutz

Seit dem Jahr 2002 ist der Tierschutz im Grundgesetz verankert. Für die nähere Bestimmung dieses Grundsatzes ist das zuletzt im Jahr 2000 überarbeitete Tierschutzgesetz zuständig, das besagt, dass »niemand … einem Tier ohne vernünftigen Grund Schmerzen, Leiden oder Schäden zufügen« darf. In der Definition des »vernünftigen Grunds« liegt das Problem. Für den einen ist das Schlachten in Ordnung, damit das Fleisch auf dem Teller landet. Ein anderer hält Tierversuche für notwendig, um wirksame Medikamente für den Menschen entwickeln zu können. Andere sind strikte Vegetarier oder der Meinung, dass man das Wohlergehen des Menschen nicht mit Qualen von Tieren erkaufen darf. Eine eindeutige Gesetzgebung ist schwierig, solange die Gesellschaft über dieses Thema uneinig ist. Unstrittig ist aber, dass das Tier als Geschöpf, das dem Menschen ausgeliefert ist, ganz auf eine gute Behandlung durch den Menschen angewiesen ist. Deshalb gilt das Tierschutzgesetz für alle Tiere, unabhängig davon, ob sie vom Menschen genutzt werden oder freilebend sind. Gerade viele Nutztiere warten aber immer noch auf eine bessere Behandlung, denn egal, wie man zu der »Nutzung« von Tieren steht, sollte immer gelten, dass sie so rücksichtsvoll und schonend wie möglich zu geschehen hat.

Titcacasee: Die einheimischen Indios befahren den See mit den althergebrachten Riedgrasbooten.

und sechs Töchter des Uranos (griechisch »Himmel«) mit der Gäa (griechisch »Erde«) setzten ihren Vater ab. Der jüngste der Titanen, *Kronos,* übernahm die Herrschaft über Menschen und Götter, wurde aber von seinem Sohn *Zeus* verdrängt.

Titicacasee [der], der zweitgrößte südamerikanische See. Er liegt in Peru und Bolivien und ist 8288 km^2 groß und bis zu 281 m tief.

Tizian, eigentlich Tiziano *Vecellio,* * um 1477, † 1576; italienischer Maler der Renaissance. Er schuf Bilder zur biblischen Geschichte, von Landschaften, Schlachten und Personen in leuchtenden und düsteren Farben, die Fröhlichkeit und Freude oder tiefen Ernst bekunden.

Tobago → Trinidad und Tobago.

Tod [der], das Ende eines Lebens. Kennzeichnend für den Tod eines Lebewesens ist der Stillstand der wichtigsten Lebensfunktionen, wie Photosynthese und Wachstum bei Pflanzen oder Atmung, Kreislauf und Gehirntätigkeit bei Mensch und Tier. Das endgültige Auslöschen des Zentralnervensystems bestimmt den *biologischen Tod,* während Menschen mit einem Versagen der Herz- oder Atemtätigkeit *(klinischer Tod)* durch den Versuch einer Wiederbelebung nicht selten gerettet werden können.

Todesstrafe [die], die strafweise Vernichtung des menschlichen Lebens. Die Todesstrafe ist die schwerste Strafform, verhängt vor allem bei Mord und vollzogen z. B. durch Erhängen, Enthaupten oder den elektrischen Stuhl. In Deutschland und in vielen anderen Staaten ist sie verboten.

Ländersteckbrief
Togo

Fläche:	56 785 km^2
Einwohner:	6,6 Millionen = 111 je km^2
Hauptstadt:	Lomé
Religion:	Naturreligionen, Christentum, Islam
Amtssprache:	Französisch, Ewe, Kabyé
Währung:	CFA-Franc

Togo, Staat in Westafrika.

Togo besteht vorwiegend aus Ebenen, die durch das *Togo-Atakora-Gebirge* (*Mont Agou,* 1020 m) getrennt sind. Das tropische Klima lässt Feuchtsavanne gedeihen, die im Norden in Trockensavanne übergeht. Unter den mehr als 40 Stammesgruppen mit unterschiedlichen Sprachen bilden die Ewevölker mit rund 45% die größte Gruppe. 35% sind Christen, 15% Muslime, der Rest Anhänger von traditionellen Religionen. Die Landwirtschaft liefert für den Export Kaffee, Tee, Kakao, Palmprodukte, Erdnüsse und Baumwolle. Die

Industrie verarbeitet Agrarprodukte. An Bodenschätzen gibt es Phosphat und Eisenerz. Lomé verfügt über einen bedeutenden Tiefseehafen und einen internationalen Flughafen.

Togo: Auf einem Markt wird Ignam, eine stärkereiche Knollenfrucht, verkauft.

Geschichte: In der 2. Hälfte des 15. Jh. von Portugiesen entdeckt, übernahm das Deutsche Reich die Region 1884 als Schutzgebiet (Gouverneur G. *Nachtigal*). Nach dem Ersten Weltkrieg wurde sie teils britisches, teils französisches Mandatsgebiet des Völkerbundes (seit 1946 UN-Treuhandgebiete). Der britische Teil fiel 1957 an Ghana, während Frankreich seinem Mandatsgebiet 1960 als Togo die Unabhängigkeit gewährte. Nach mehreren Putschen übernahm der Armeebefehlshaber E. *Gnassingbé Eyadéma* 1967 als Präsident die Macht und errichtete ein undemokratisches Herrschaftssystem. Nach seinem Tod 2005 wurde sein Sohn F. *Gnassingbé Eyadéma* neuer Präsident.

Tokyo, Hauptstadt und größte Stadt Japans, auf der Insel Honshu, 8,0 Mio. Einwohner (mit Vororten 11,8 Mio. Einwohner). Mit Yokohama bildet Tokyo den größten städtischen Ballungsraum der Erde.

Toleranz [die], **1.** die Respektierung von Meinungen, Wertvorstellungen und Verhaltensweisen, die von den eigenen abweichen; Duldsamkeit, besonders bei weltanschaulichen Gegensätzen. **2.** zulässige Abweichung von einer vorgesehenen Größe, z. B. bei Maßen und Gewichten.

Tolkien, John Ronald Reuel, * 1892, † 1973; englischer Schriftsteller. Tolkien löste mit der in einer fantastischen Mythenwelt spielenden Romantrilogie »Der Herr der Ringe« eine Modewelle der *Fantasy-Literatur* aus. Zentrales Thema der Trilogie ist der Kampf zwischen Gut und Böse. Weitere Werke: »Der kleine Hobbit« und »Die Briefe vom Weihnachtsmann«.

Tollkirsche [die], ein bis mannshohes Nachtschattengewächs mit glänzend schwarzen, sehr giftigen Beeren von ekelhaft süßem Geschmack. Das Gift der Pflanze, das sogenannte Atropin, wird in geringen Mengen in der Medizin verwendet, u. a. zur Behandlung von Nervenleiden.

Tollwut [die], eine Infektionskrankheit, die besonders bei fleischfressenden Säugetieren (bei Hunden, Wölfen, Füchsen) auftritt und durch Biss auch auf andere Säugetiere und den Menschen übertragbar ist. Tollwut verläuft ohne Behandlung tödlich.

Tolstoj, Lew (Leo) Nikolajewitsch Graf, * 1828, † 1910; russischer Dichter. Er stellte seine philosophischen und religiösen Ansichten in vielen Schriften

Tokyo: Die Skyline der Millionenmetropole mit dem Fudschijama im Hintergrund

dar. Tolstoj litt unter dem Widerspruch zwischen seinen religiös-sozialen Vorstellungen und seinem Leben als reicher Gutsbesitzer. 1910 verließ er seine Familie und sein Gut, um sein Leben in Einsamkeit zu beschließen. Besonders seine großen Romane, die sich durch die psychologisch tiefe, farbige Schilderung Russlands und seiner Menschen auszeichnen, machten Tolstoj zu einem der hervorragenden Erzähler der Weltliteratur, so z. B. »Krieg und Frieden«, »Anna Karenina« und »Auferstehung«.

Tom & Jerry, Helden vieler Zeichentrickfilme, 1939 von Hanna & Barbera erfunden. Erzählt werden die Abenteuer zwischen einem jähzornigen Kater und einer nur scheinbar schutzlosen Maus.

Tomahawk [tɔməhɔːk, der], ursprünglich die Bezeichnung für eine Wurfkeule der nordamerikanischen Indianer. Ab dem 16. Jh. eine Metallaxt, die von den Europäern eingeführt und vor allem von den nordamerikanischen Indianern als Streitaxt in kriegerischen Auseinandersetzungen verwendet wurde.

Tomate [die], eine Pflanze mit roten, saftigfleischigen Früchten, die in Peru beheimatet ist. Unsere Tomate ist eine Zuchtpflanze, die seit dem 19. Jh. angebaut wird. Frische Tomaten enthalten 94% Wasser, wenig Fett und Kohlenhydrate, dagegen viel Provitamin A, Vitamin C und D.

Ton [der], ein weltweit verbreitetes Verwitterungsprodukt von Silikatgesteinen, ein Gemisch aus verschiedenen Mineralteilchen. Mit Kalk ergibt Ton Mergel, mit Sand Lehm. Ton ist ein wichtiger Rohstoff für die keramische Industrie.

Tonart [die], das für ein Musikstück grundlegende Beziehungssystem der Töne. Die Tonarten werden nach dem Grundton und dem Tongeschlecht benannt, z. B. A-Dur, e-Moll. Sämtliche Tonarten gehören einem der beiden Tongeschlechter *Dur* und *Moll* an.

Tonbandgerät [das], ein Gerät zur Aufzeichnung und Wiedergabe von Sprache und Musik. Als Tonträger dient ein Kunststoffband mit einer magnetisierbaren Schicht. Das Aufsprechen, Wiedergeben und Löschen von Tonaufzeichnungen läuft über *Tonköpfe,* kleine gekapselte Elektromagnete, deren Polabstand nur wenige tausendstel Millimeter beträgt.

Ländersteckbrief
Tonga

Fläche:	649 km²
Einwohner:	103 000 = 159 je km²
Hauptstadt:	Nuku'alofa
Religion:	Christentum
Amtssprache:	Tonga, Englisch
Währung:	1 Pa'anga = 100 Seniti

Tonga, Staat in Ozeanien.

Der Inselstaat im Pazifik umfasst rund 170 Vulkan- und Koralleninseln. Die Wirtschaft basiert v. a. auf der Ausfuhr von Kürbissen, Vanille und Fisch sowie dem Tourismus.

Geschichte: Tonga wurde 1616 von Holländern entdeckt und 1643 von A. J. *Tasman* als erstem Europäer betreten. 1845 errichtete *George Tupou I.* ein christliches Königreich. Es war von 1900 bis 1970 britisches Schutzgebiet unter Fortbestand der alten Königsdynastie. 1970 wurde Tonga unabhängiger Staat im Commonwealth. König ist seit 2006 *George Tupou V.*

Tora: Der Chasan (Vorbeter) ordnet in der Synagoge die Tora-Schriftrollen des Gebetshauses.

Tonleiter [die], *Tonskala,* die stufenweise Aufeinanderfolge von Tönen innerhalb eines bestimmten Tonraumes, z. B. einer Oktave. Grundsätzlich unterscheidet man siebenstufige *diatonische Tonleitern,* darunter Dur-Tonleitern (c d e f g a h c) und Moll-Tonleitern (a h c d e f g a), und zwölfstufige *chromatische Tonleitern* mit Halbtönen: c cis (des) d dis (es) e f fis (ges) g gis (as) a ais (b) h c.

Tonne [die], Kurzzeichen t, Gewichtseinheit: 1 t = 1000 kg.

Tonsur [die], kreisförmig geschorene Stelle auf dem oberen Hinterkopf katholischer Mönche, 1972 in aller Form abgeschafft.

Tool [tuːl, das, engl., »Werkzeug«], ein Hilfsprogramm für den Computer, das das Programmieren und das Überprüfen bestimmter Abläufe erleichtert.

Topographie [die], *Topografie,* die Beschreibung der Bodenformen, Gewässer, Siedlungen, Verkehrswege u. a. Gegebenheiten der Erdoberfläche aufgrund genauer Geländevermessungen.

Tora [die], das in den 5 Büchern Mose des Alten Testaments festgelegte Gesetz Gottes (auch mosaisches Gesetz genannt), das Kernstück des jüdischen Glaubens. Zur Verlesung im jüdischen Gottesdienst in der Synagoge ist die Tora auf Schriftrollen (Torarollen) aus Pergament geschrieben.

Torf [der], abgestorbenes Pflanzenmaterial, das unter Luftabschluss im nassen Boden der Moore oder Sümpfe nur teilweise zersetzt worden ist. Die Torfschicht kann mehrere Meter dick sein. Torf ist eine Vorstufe zur Braunkohle. Da er viel Feuchtigkeit enthält, muss er zunächst getrocknet werden und kann dann als Brennmaterial verwendet werden. Außerdem dient Torf im Garten als Humusanreicherung.

Tornado [der], ein verheerender Wirbelsturm von geringem Durchmesser und kurzer Dauer in Nordamerika. Kennzeichnend für einen Tornado ist die

Tornados entwickeln sich in schwülwarmer Luft im Zusammenhang mit Gewitterwolken.

weit sichtbare Wolkensäule, die sich wie ein Rüssel zum Erdboden erstreckt.

Toronto, Stadt in Kanada, am Ontariosee, mit Vororten 4,7 Mio. Einwohner.

Torpedo [der], ein Unterwassergeschoss mit eigenem Antrieb. Er wird ferngesteuert oder hat eine Einrichtung zur Zielsuche.

Torso [der], allgemein Bruchstück, unvollendetes Werk. Ein Standbild ohne Arme, Beine und Kopf.

Toskana [die], eine Landschaft in Mittelitalien. Die wichtigsten Städte sind die Hauptstadt Florenz sowie Pisa und Siena.

total, gänzlich, vollständig (beispielsweise eine totale Sonnenfinsternis).

totalitär, alles erfassend und alles sich unterwerfend, keine abweichende Meinung oder Lebensform duldend. Gegensatz: *liberal.*

Totem [das], bei Naturvölkern die Darstellung einer Tier- oder Pflanzenart, die besondere Verehrung und Achtung genießt, weil sich Gruppen oder auch einzelne Menschen mit dem Totem durch den Glauben an eine gemeinsame Abstammung verbunden fühlen. Der *Totempfahl* zeigt meist geschnitzte Darstellungen des Totems. Totemverehrungen gibt es bei den Indianern Nordwestamerikas, in Südasien, Australien, Melanesien und im Sudan.

Totengräber [der] → Aaskäfer.

Totes Meer, ein abflussloser See mit sehr hohem Salzgehalt (rund 30%) an der Grenze zwischen Israel und Jordanien. Der See ist 910 km² groß und liegt 406 m unter dem Meeresspiegel. Wegen des hohen Salzgehaltes kommen im See keine Lebewesen vor.

Touchscreen ['tʌtʃ'skriːn], berührungsempfindlicher Bildschirm, bei dem durch Berührung bestimmter Stellen der Bildschirmoberfläche z. B. die Menüsteuerung eines Programms oder die Dateneingabe in einen Computer erfolgen kann; z. B. bei Kundenterminals und Info-Monitoren auf Messen.

Totem: Aus Holz geschnitzter Totempfahl in Namibia (Afrika)

Toulouse [tu'luːz], eine Stadt im Südwesten Frankreichs, 391 000 Einwohner.

Tourismus [der], *Fremdenverkehr,* der Besuch von fremden Orten zur Erholung oder zur Bildung. Für viele Gegenden ist der Tourismus von großer wirtschaftlicher Bedeutung. Andererseits treten durch den Tourismus zunehmend Umweltschäden auf, z. B. in den Alpen durch die Anlage von Skipisten.

toxisch, giftig; *Toxine* sind Giftstoffe.

Trabant [der], im Mittelalter ein Leibwächter der Fürsten; heute allgemein ein Begleiter, besonders die Begleiter von Sternen oder Planeten, z. B. Monde oder Satelliten.

Tracheen [Pl.], Luftröhren, das Atmungssystem von Insekten, Tausendfüßern und Spinnen. Tra-

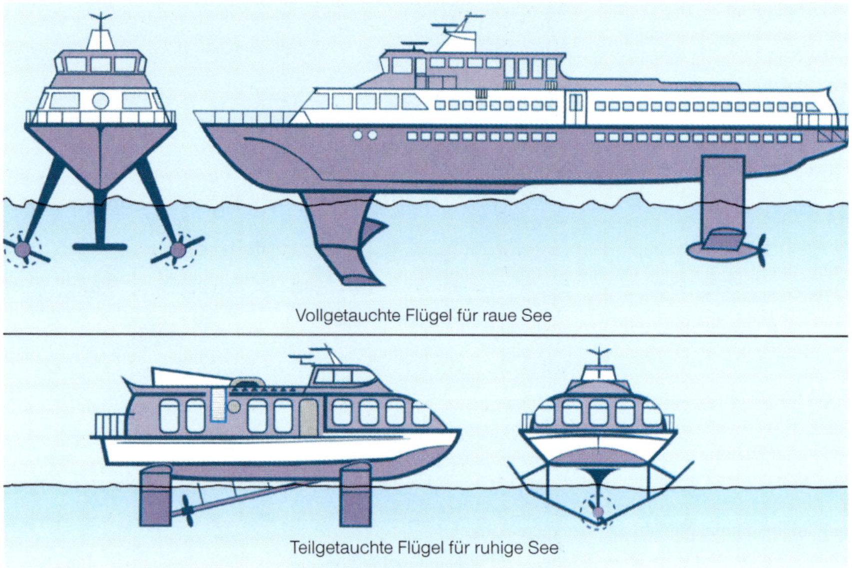

Tragflügelboote werden in erster Linie zur Personenbeförderung eingesetzt.

cheen beginnen mit kleinen Öffnungen an der Körperoberfläche der Tiere und führen unter vielfachen Verzweigungen zu sämtlichen Organen, die sie fein umspinnen. So transportieren sie den Sauerstoff direkt zum Verbrauchsort und nehmen dort das Kohlendioxid auf.

Tracht [die], die in Form, Farbe und Tragweise einheitliche Kleidung einer Gemeinschaft. Die Tracht war ursprünglich ein Ausdruck der ständischen Gliederung der Gesellschaft (ritterliche Tracht, Hoftracht, Bauerntracht). Mit der Auflösung dieses gesellschaftlichen Gefüges im Mittelalter verlor die Tracht diesen Charakter. Teilweise konnte sie sich aber noch als National- und Volkstracht erhalten.

Trackball ['trækbɔːl, der, engl.], Eingabegerät zur Positionierung des Cursors oder anderer grafischer Elemente auf dem Bildschirm, das einer umgedrehten → Maus ähnelt. Die Bewegung einer in allen Richtungen frei drehbar gelagerten Kugel wird von Sensoren registriert und in ein Steuersignal für den Mausanzeiger umgewandelt. Ein *Trackpad* hat statt der Kugel ein berührungsempfindliches ebenes Feld. Wegen der platzsparenden Bauweise werden Trackballs und Trackpads insbesondere bei Notebooks und Laptops eingesetzt.

Tradition [die], Überlieferung, Brauchtum, Herkömmliches.

Tragfläche [die], *Tragflügel,* ein Bauteil von Flugzeugen. Auch → Luftfahrt.

Tragflügelboot [das], *Tragflächenboot,* ein Motorboot, das bei Fahrtaufnahme emporgehoben wird, da der Bootskörper durch Tragflügel unter der Wasseroberfläche zusätzlichen Auftrieb erhält. Durch den so herabgesetzten Wasserwiderstand erreichen Tragflügelboote sehr hohe Geschwindigkeiten.

tragisch, erschütternd, schicksalhaft.

Tragödie [die], *Trauerspiel,* ein Drama, in dem ein tragisches, schicksalhaftes Geschehen dargestellt wird, dem der Held meist unterliegt. Mischt sich Komik in die tragischen Elemente, spricht man von einer *Tragikomödie.*

Training ['trɛiniŋ, das], regelmäßige Übung, oft als planmäßige Vorbereitung auf einen Wettkampf.

Trajekt [das], Fährschiff für den Transport von Eisenbahnzügen.

Trampeltier [das] → Kamele.

trampen ['træmpən, engl.], umherziehen, heute meist das Fahren per Anhalter.

Trampolin [das], ein Sprunggerät für das Trampolinturnen; ein Gerät aus einem Rohrrahmen mit an Stahlfedern eingehängtem, hochelastischem Sprungtuch aus Nylon-Gummi-Geflecht. Durch die Kombination von verschiedenen Aufsprüngen (Fuß-, Knie-, Bauch- oder Rückenlandung) mit Drehungen, Schrauben, Salti u. Ä. ergeben sich vielfältige Übungsarten.

Tran [der], fette Öle, die aus dem Speck (Fettgewebe) von Meeressäugetieren und großen Fischen, z. B. Dorschen, durch Auspressen oder Erhitzen gewonnen werden. Tran wird heute in der Margarineherstellung und in der Seifenherstellung verwendet.

Tranquilizer ['træŋkwilaizə, der, engl.], Beruhigungsmittel. Auch → Drogen.

Transformator [der], *Trafo,* eine Vorrichtung zur Erhöhung oder Verringerung von Spannung und Stromstärke eines elektrischen Wechselstroms. Ein Transformator arbeitet nach dem Prinzip der Induktion. Er besteht aus einem Eisenkern, der zwei Spulen magnetisch koppelt, die eine unterschiedliche Anzahl von Windungen aufweisen. Ein Transformator ändert die Spannung im Verhältnis der Windungszahlen der Eingangs- und der Ausgangswicklung (Primär- und Sekundärwicklung). Will man die Spannung erhöhen, so muss die Windungszahl der Sekundärspule größer sein als die der Primärspule. Die Stromstärken ändern sich im umgekehrten Verhältnis.

Transfusion [die] → Blutübertragung.

Transistor [der], ein meist dreipoliges elektronisches Verstärkerelement aus Halbleitermaterial (z. B. aus Germanium und Silicium). Transistoren haben eine ähnliche Wirkung wie Elektronenröhren, sind jedoch kleiner und haben eine niedrigere Betriebsspannung. Sie haben einen dreischichtigen Aufbau aus zwei leitenden Schichten (Emitter und Kollektor) und einer nichtleitenden Schicht (Basis). Wird an die Basis eine Steuerspannung angelegt, so lässt sie Elektronen vom Emitter zum Kollektor passieren. Die Wirkungsweise des Transistors beruht auf der unterschiedlichen Leitfähigkeit von verschieden dotierten (durch Einlagerung von Fremdatomen im Aufbau veränderten) Kristallen.

Transit [der], *Durchgangsverkehr,* die Durchfuhr von Menschen oder Waren durch ein Land in ein drittes Land.

transparent, durchscheinend, durchsichtig.

Transpiration, Schwitzen, Ausdünstung; beim Menschen: → Schweiß; in der Botanik: Abgabe von Wasserdampf durch Pflanzen.

Transplantation [die, lat., »Verpflanzung«], in der Medizin die Übertragung von Körpergeweben oder Organen zum Ersatz für geschädigte, funktionsuntüchtige Gewebe und Organe. Verpflanzte Gewebeteile wachsen nur dann reibungslos ein, wenn sie vom selben Körper stammen. Bei der Übertragung fremden Gewebes kommt es meist zu Abwehrreaktionen, weil der Körper das Transplantat als »Fremdkörper« empfindet und behandelt (Abstoßung des Fremdgewebes). Fremdübertragungen sind nur möglich, wenn die »Immunsperre« des Körpers gleichzeitig durch Medikamente abgebaut wird. Am häufigsten ist die Transplantation von Nieren, gefolgt von Herz und Lungen,

Genauer betrachtet … Transplantation

Die erste erfolgreiche Herztransplantation beim Menschen führte der südafrikanische Arzt Christiaan *Barnard* 1967 durch. In einer fünfstündigen Operation wurde dem Herzkranken Louis *Washkansky* (55) das Herz einer tödlich verunglückten 25-jährigen Frau eingepflanzt. Obwohl die Operation erfolgreich verlaufen war, starb der Patient nach 18 Tagen an einer Infektion. Neben medizinischen Problemen warf die erste Herztransplantation von Mensch zu Mensch auch grundsätzliche Fragen der Psychologie und Ethik auf. Erst in den 1980er Jahren wurde die Herztransplantation zu einer akzeptierten Routineoperation.

Knochenmark, Leber und Bauchspeicheldrüse. Auch → »Genauer betrachtet«, Seite 85.

transponieren, ein Musikstück aus der Tonart, in der es notiert ist, in eine andere übertragen. Dabei ändern sich Grundton und Vorzeichen, während alle Intervallverhältnisse bestehen bleiben.

Transsibirische Eisenbahn [die], eine Bahnstrecke im asiatischen Russland, vom Ural (Tscheljabinsk) bis zum Pazifischen Ozean (Wladiwostok). Sie wurde 1891–1904 erbaut, 1916 wurde die Gesamtstrecke eröffnet. Die gesamte Strecke ist etwa 9288 km lang. Siehe ZEIT-Beitrag → »Transsibirische Eisenbahn: Im Zeitraffer durch die Jahrhunderte«, Seite 88–91.

Transvestiten [Pl.], Menschen, die das triebhafte Bedürfnis haben, die Kleidung des anderen Geschlechts zu tragen und das andere Geschlecht auch in seinem Verhalten nachzumachen.

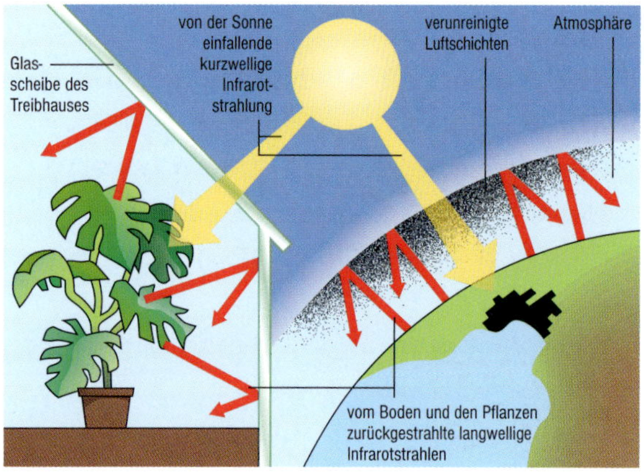

Treibhauseffekt: Im Glashaus (links) ist die Glasscheibe des Treibhauses eine Barriere für die Wärmestrahlung, so dass sich die Luft im Inneren des Glashauses erwärmt. Durch die Anreicherung der Atmosphäre mit strahlungsabsorbierenden Gasen (hauptsächlich Kohlendioxid) kommt es auch auf der Erde zu einer Erwärmung (rechts).

Trapez [das], **1.** ein Viereck mit zwei parallelen Seiten, die unterschiedlich lang sind (Grundlinien), und zwei nicht parallelen Seiten (Schenkel). **2.** im Sport und in der Artistik ein Schaukelreck.

Trapper [der], ein nordamerikanischer Fallensteller und Pelztierjäger.

Traubenzucker [der], *Glukose,* eine Zuckerart, die in Weintrauben, den meisten süßen Früchten und im Honig enthalten ist. Traubenzucker ist nur halb so süß wie Rohr- oder Rübenzucker und wird technisch aus Stärke gewonnen. Er kann vom Blut sofort aufgenommen werden.

Traum [der], Verarbeitung von Erlebnissen unter Ausschaltung des bewussten Verstandes und Willens während des Schlafes. Jeder Mensch träumt, oft kann man sich jedoch nicht an seine Träume erinnern. Die *Psychoanalyse* versucht, Träume wissenschaftlich zu deuten.

Trauma [das], eine Verletzung, Gewalteinwirkung, auch ein psychischer Schock.

Treibhauseffekt [der], *Glashausprinzip,* die Eigenschaft eines Glashauses, das sichtbare und infrarote Sonnenlicht hereinzulassen, aber kaum langwellige Wärmestrahlen nach außen abzugeben. Auf diese Weise kommt es zu einer Erwärmung im Inneren des Glashauses. Dieses Prinzip lässt sich auf die Erde übertragen. Die kurzwelligen Sonnenstrahlen dringen durch die Erdatmosphäre, während die von der Erdoberfläche ausgesandten längerwelligen Wärmestrahlen von der Atmosphäre zum Teil zur Erde zurückgeworfen werden. Durch die zunehmende Belastung der Atmosphäre, z. B. mit Kohlendioxid, wird der natürliche Treibhauseffekt verstärkt, so dass sich die Temperatur auf der Erde im Durchschnitt langsam erhöht. Man vermutet, dass die Temperatur in den nächsten 100 Jahren um etwa 2 bis 7 °C zunehmen wird. Die Klimaveränderung wird noch nicht absehbare Folgen haben (z. B. Abschmelzen der Eisberge).

Trend [der], Entwicklungsrichtung, eine modische Strömung.

Triangel [die], ein hell klingendes Schlaginstrument ohne bestimmte Tonhöhe. Die Triangel besteht aus einem Metallrohr, das zu einem Dreieck gebogen ist und mit einem Metallstäbchen angeschlagen wird.

Trias [die], ein Abschnitt des Erdmittelalters, → Erdzeitalter (Tabelle).

Triathlon [der, griech., »Dreikampf«], ein Mehrkampf im Sport, der aus drei Disziplinen besteht: (Meeres-)Schwimmen, Radfahren und Langlauf. Der bekannteste ist der Triathlon von Hawaii. Er setzt sich aus 3,8 km Meeresschwimmen, 180 km Radfahren und einem Marathonlauf (42,195 km) zusammen.

Trichine [die], ein Parasit von 2–3,5 mm Länge, der zu den Fadenwürmern gehört und den viele Säugetiere in eingekapseltem Zustand in ihrem Muskelfleisch beherbergen. Bei Genuss von infiziertem Fleisch gelangen die Trichinen in Magen und Darm des Menschen und entwickeln sich hier zu geschlechtsreifen Darmtrichinen. Nach der Begattung bohrt sich das Weibchen durch die Darmwand und entlässt etwa 1000 Junge in den Blutkreislauf. Diese gelangen mit dem Blut in die Muskeln, wobei sie schwere gesundheitliche Schäden, unter Umständen bis hin zum Tod, hervorrufen. Daher wird alles für den menschlichen Verzehr bestimmte Fleisch vom Fleischbeschauer auf Trichinen untersucht.

Trinidad und Tobago: Auf den beiden Inseln herrscht ein feuchttropisches Klima mit ganzjährigen Temperaturen über 25 °C und einer Regenzeit von Juni bis Dezember.

Trieb [der], eine innere Bereitschaft zu bestimmten Verhaltensweisen, um lebensnotwendige Bedürfnisse zu befriedigen. Bei Menschen und Tieren kennt man z. B. den Selbsterhaltungstrieb, den Sexualtrieb oder den Nahrungstrieb.

Trier, eine Stadt an der Mosel, 100 000 Einwohner. Trier wurde 15 v. Chr. von *Augustus* gegründet und war 260–399 kaiserliche Residenz.

Trigonometrie [die], ein Teilgebiet der Mathematik, das sich vor allem mit der Berechnung von Dreiecken mit Hilfe der Winkelfunktionen befasst.

Trilogie [die], eine aus drei selbstständigen Teilen bestehende Dichtung.

Ländersteckbrief
Trinidad und Tobago

Fläche:	5128 km²
Einwohner:	1,3 Millionen = 255 je km²
Hauptstadt:	Port of Spain
Religion:	Christentum, Hinduismus
Amtssprache:	Englisch
Währung:	1 Trinidad-und-Tobago-Dollar = 100 Cents

Trinidad und Tobago, Staat in der Karibik.

Der Karibikstaat besteht aus den beiden gebirgigen, dicht bewaldeten Inseln Trinidad und Tobago; das

Fortsetzung → Seite 92

Die längste Bahnreise der Welt: Von Moskau nach Wladiwostok sind es 9288 Kilometer

Transsibirische Eisenbahn

Im Zeitraffer durch die Jahrhunderte

Von Johannes Voswinkel

Wer den Jaroslawer Bahnhof in Moskau betritt und in seinem Rucksack einen Trainingsanzug, ein Taschenmesser, Geschirr, Zahnputzsachen, Seife, zwei Uhren, Kekse, Äpfel im Dutzend und mehrere Rollen Toilettenpapier mit sich trägt, der dürfte zum Fernzug nach Wladiwostok eilen.

Hier, in Russlands Hauptstadt, beginnt die längste Bahnreise der Welt. 9288 Kilometer liegen vor dem Zug mit der Nummer 002, der die Gleise der Transsibirischen Eisenbahn, kurz Transsib genannt, befährt. Wenn er in Wladiwostok am Pazifischen Ozean angekommen ist, hat er fast ein Viertel der Welt umrundet. Knapp sechseinhalb Tage braucht er dafür. Da können ausreichend Reiseproviant und Vorsorge für die Zugtoilette nicht schaden. Rechtzeitig sollten die Reisenden kommen, um nicht kurz vor Abfahrt einen Dauerlauf über den Bahnsteig hinlegen zu müssen. Denn der Zug kann bis zu 500 Meter lang sein.

Durch Steppe und Taiga

Die meisten seiner Waggons haben Zwei- und Vierbettabteile. Aber es gibt auch die billige Kategorie *platzkartnyj*. Da sind alle Fahrgäste in einem großen Waggon ohne Abteiltüren auf 54 Liegen zusammengewürfelt. Die lange Reise führt sie durch zwei Kontinente, Europa und Asien, durch die Ebene des Wolgaflusses, den Gebirgszug Ural, durch Steppe und Taiga und über 16 große Flüsse, die Sibirien wie Lebensadern durchziehen. Viele Russen sind mehrtägige Bahnreisen gewöhnt. Sie richten sich in ihrem Abteil häuslich ein und ziehen gleich nach dem Einsteigen einen bequemen Trainingsanzug an. Der Schaffner im Waggon befeuert den großen Wasserkessel mit Holzscheiten, damit immer kochendes Teewasser bereitsteht. Im Speisesaal gibt es Buchweizengrütze, eine Rote-Bete-Suppe namens Borschtsch und Hühnerschenkel. An den Haltebahnhöfen verkaufen Anwohner eingelegte saure Gurken und dampfende Pellkartoffeln. Wenn der Zug für eine Viertelstunde hält, ist Aussteigen ratsam, um sich die Beine zu vertreten.

Suppe, Gurken, Pellkartoffeln

Wer allerdings zu weit wegspaziert, kann die Abfahrt verpassen. Denn niemand pfeift oder winkt mit dem Fähnchen. Als sicheres Zeichen seiner baldigen Abfahrt gilt unter Transsib-Experten, wenn der Zug zischt. Reisende, die es auch im Spurt nicht mehr bis zu ihrer Waggontür schaffen, müssen mit dem Taxi zum nächsten Bahnhof hinterherrasen. Das geht meist gut, denn der Zug bummelt mit einer Durchschnittsgeschwindigkeit von 58 Stundenkilometern vor sich hin.

Täglich müssen die Reisenden ihre Uhr umstellen, wenn der Zug in eine neue Zeitzone einfährt. Acht sind es insgesamt. Da ist es sinnvoll, zwei Uhren zu besitzen: eine für die jeweilige Ortszeit und eine für die Moskauer Zeit. Sonst sind die Rechnerei und das Durcheinander groß: Der Fahrplan und viele Bahnhofsuhren zeigen nämlich Ankunft und Abfahrt auf der gesamten Strecke in Moskauer Zeit an. Aber das Zeitgefühl geht sowieso schnell verloren. Das Schaukeln zwischen den Schienen wird zum neuen, trägen Lebensrhythmus. Eintönig ziehen die baumbestandenen Weiten Sibiriens, die Taiga mit Kiefern, Birken und Lärchen, vor dem Abteilfenster vorbei. Zwischen den Flüssen Ob und Irtysch verläuft eine Strecke von 600 Kilometern praktisch ohne Gefälle durchgehend geradeaus. Das ist weiter, als wenn man ohne Kurve von Berlin nach München führe.

Einst hat die Transsib eine wahre Zeitrevolution vollbracht. Im 19. Jahrhundert brauchten Güter aus der damaligen Hauptstadt

Die Schaffnerin kontrolliert nicht nur die Fahrkarten – sie befeuert auch den großen Wasserkessel, damit es stets genug heißen Tee gibt

St. Petersburg im Nordwesten des russischen Reiches per Schiff über die Ostsee und durch den Atlantischen Ozean rund um das Kap der Guten Hoffnung im Süden Afrikas Monate bis nach Wladiwostok. Der Landweg war für weite Handelstransporte fast aussichtslos. Der russische Schriftsteller Anton Tschechow brauchte für seine Reise von Moskau bis nach Sachalin am Pazifischen Ozean über Holperpisten und auf Flüssen drei quälende Monate. Im Frühjahr verwandelten sich die aufgetauten Wege in endlose Schlammlöcher, im Winter blieben die Kutschen in Schneewehen stecken. Die Rückfahrt trat Tschechow per Schiff an.

Pelze, Gold, Erz und Kohle

Ende des 19. Jahrhunderts erkannte der in Russland herrschende Zar Alexander III. die Notwendigkeit, eine Eisenbahn quer durchs Land zu bauen. Zur Vermessung der Strecke schickte er Ingenieure los, die für Monate in der Tiefe der Taiga verschwanden. Am 19. Mai 1891 tat der Zarensohn Nikolaj in Wladiwostok den ersten Spatenstich für den »Großen Sibirischen Weg«, wie die Transsib damals genannt wurde. Gebaut wurde die Eisenbahn von beiden Enden her: von Tscheljabinsk östlich des Urals und von Wladiwostok. Der Bau wurde ein Wunderwerk der Technik und ein Monument menschlicher Leidensfähigkeit. Die Transsib führt durch eine Region, in der im Winter als Rekordtemperatur minus 62 Grad gemessen wurden. Die Strecke durchquert Sümpfe und ruht auf Dauerfrostboden, der in der Tiefe ewig vereist ist. Im Sommer aber taut er an der Oberfläche zu einem erdigen Brei auf. Zur Zeit der Bauarbeiten gab es fast keine Straßen. Bis auf das Holz für die Schwellen musste alles Material über Tausende von Kilometern herbeigeschafft werden.

Freiwillige, aber auch Soldaten und Strafgefangene errichteten die Gleise und Brücken. Ihr einfaches Handwerkszeug bestand aus Äxten, Sägen, Spaten, Hacken und Schubkarren. Viele Arbeiter verunglückten oder starben, denn ihre Arbeitsbedingungen waren oft unmenschlich. »Jede Schwelle ein Toter«, lautet ein Volksspruch im Gedenken an die ungezählten Opfer. In der Spitzenzeit der Bauarbeiten, 1895 und 1896, schufteten mehr als 80 000 Arbeiter an der eisernen West-Ost-Verbindung. Gut 500 Kilometer kamen sie im Jahr voran. Die Gesamtstrecke wurde im Jahr 1916 eröffnet und bis 1938 zweigleisig ausgebaut.

Die Transsib war ein Triumph für das technische Selbstbewusstsein Russlands. Das größte Flächenland der Erde verdankt seinen Aufstieg stärker als andere der Eisenbahn. Sie bindet auch ferne Landesteile fest an das europäische Zentrum. Erst die Transsib machte die industrielle Erschließung der Rohstoffe Sibiriens möglich.

Auf der tagelangen Fahrt sorgt ein Besuch im Speisewagen für Abwechslung. Die meisten Fahrgäste nehmen sich aber Proviant mit

Eine Fahrt mit der Transsibirischen Eisenbahn kommt den Fahrgästen oft vor wie eine Reise durch Jahrhunderte russischer Vergangenheit

Anfangs beschränkte sich sein Reichtum auf Pelze von Zobel und Nerz, die verwegene Jäger erlegten und örtliche Kaufleute nach Europa lieferten. Dann kamen Abenteurer auf Goldsuche.

Mit der Eisenbahn konnten Massen russischer Arbeiter nach Sibirien folgen. Sie gruben nach Eisenerz und Kohle, später nach Schwermetallen wie Nickel und Kupfer. Dann bohrten sie nach Erdöl und Erdgas, die den heutigen Energiereichtum Russlands begründen.

Schienen quer übers Eis

Wie im Zeitraffer führt uns heute eine Reise auf der Transsib durch Jahrhunderte der wilden russischen Geschichte: vorbei an den Siedlungen, die Kosaken bei ihrer Eroberung Sibiriens gegründet haben, und entlang der Orte, in denen Strafgefangene in früheren Jahrhunderten als Verbannte in einem natürlichen Gefängnis aus Sümpfen, Steppe und endlos scheinenden Wäldern leben mussten. Im Russisch-Japanischen Krieg 1904 bis 1905 wurden die fertigen Streckenabschnitte der Transsib für den Nachschub der Truppen aus dem Westen genutzt. Damals fehlte noch ein Teilstück am Baikalsee, und die Waggons mit den Soldaten setzten auf Dampfern über. Im Winter verliefen Schienen direkt über das dicke Eis.

Heute erreicht der Zug aus Moskau nach 147 Stunden und 38 Minuten endlich Wladiwostok. Japan ist dann nur noch anderthalb Flugstunden weit entfernt. Am Bahnhof von Wladiwostok schmücken eine Dampflokomotive und ein Denkmal mit der Kilometeraufschrift »9288« den Endpunkt dieser einzigartigen Eisenbahnstrecke. Wer mag, kann schon einen halben Tag später den Zug 001 zurück nach Moskau nehmen. Der fährt schneller. Laut Fahrplan braucht er nur 147 Stunden und 8 Minuten – eine halbe Stunde weniger.

Klima ist tropisch. 40% der Bevölkerung sind Inder, 40% Schwarze und 20% Mulatten. 40% bekennen sich zum Christentum, 24% sind Hindus, 6% Muslime. Hauptexportgüter sind Erdöl und Erdölprodukte, daneben Chemikalien, Stahl, Nahrungsmittel. Der Tourismus ist nach den Erdöleinnahmen die zweitgrößte Devisenquelle.

Geschichte: Die 1498 von *Kolumbus* entdeckten Inseln wurden spanische Kolonien und kamen 1797 bzw. 1814 in englischen Besitz. 1958–1962 waren sie Mitglied der Westindischen Föderation. Seit 1962 sind sie ein unabhängiger Staat im Commonwealth.

Trio [das], ein Musikstück für drei Soloinstrumente, z. B. *Klaviertrio* für Klavier, Violine, Violincello.

Trip [der, engl., »Reise«], allgemein kurze Reise, aber auch ein Rausch, der durch Drogen ausgelöst wird.

Tripolis, die Hauptstadt von Libyen, 1,1 Mio. Einwohner.

Tripper [der], eine häufige Geschlechtskrankheit, die durch Infektion beim Geschlechtsverkehr übertragen wird und zur Unfruchtbarkeit führen kann.

Triumvirat [das], im alten Rom der Zusammenschluss von drei Politikern zu gemeinsamer Herrschaft; z. B. das sogenannte 1. Triumvirat, das Cäsar, Pompeius und Crassus 60 v. Chr. und 56 v. Chr. bildeten.

trivial, abgedroschen, belanglos. So bezeichnet man z. B. Literatur, die keinen künstlerischen Anspruch hat und nur eine breite Leserschaft unterhalten will, als *Trivialliteratur.*

Trochäus, ein Versfuß aus einer langen und einer kurzen Silbe.

Troja, eine berühmte Stadt des griechischen Altertums im Südwesten Kleinasiens. 1870 begann H. *Schliemann* mit seinen Ausgrabungen, 1871 entdeckte er Troja. Bis 1938 wurden die Ausgrabungen mit Unterbrechungen von verschiedenen Forschern fortgeführt, 1988 wurden sie wieder aufgenommen. Troja ist bereits im 4. Jahrtausend v. Chr. erstmals gegründet worden und hat wiederholte Zerstörungen und Neugründungen erlebt. Bis heute stellte man insgesamt 10 Siedlungsschichten fest. Am berühmtesten wurde das von Homer in der »Ilias« beschriebene, wahrscheinlich um 2000 v. Chr. gegründete Troja. Es stand im Mittelpunkt des im 12. Jh. v. Chr. zwischen den meisten griechischen Stadtstaaten und den Trojanern geführten *Trojanischen Krieges.* Nachdem die Griechen unter der Führung von König Agamemnon aus Mykene die Stadt zehn Jahre erfolglos belagert hatten, wandten sie der Sage nach eine List an. Auf den Rat von Odysseus zogen die Griechen scheinbar ab, hinterließen aber ein hölzernes Pferd, in dem sich einige ihrer Krieger versteckt hatten *(Trojanisches Pferd).* Nachdem das Pferd in die Stadt geholt worden war, stiegen die Krieger nachts aus ihrem Versteck und öffneten den zurückgekehrten Griechen die Tore. Troja wurde von ihnen völlig zerstört, seine Bewohner getötet. Danach wurde Troja noch mehrmals aufgebaut, zuletzt unter Augustus.

Trommel [die], ein sehr altes, in allen Kulturen anzutreffendes Rhythmus- und Schlaginstrument aus einem Metall- oder Holzrahmen, der oben und meist auch unten mit Fell bespannt ist. Mit Hilfe von Stimmschrauben kann die Tonhöhe verändert werden. Die kleine Trommel wird mit zwei Holzschlägeln angeschlagen, die große Trommel mit einem einzelnen

Troja: Bei Ausgrabungen wurden mittlerweile 10 Siedlungsschichten der sagenumwobenen Stadt freigelegt.

Schlägel, der an einem Ende einen ballartigen Filz- oder Korkkopf trägt.

Trommelfell [das], ein Teil des → Ohres.

Trompete [die], ein meist aus Messing hergestelltes Blasinstrument. Kennzeichnend sind das überwiegend zylindrische Rohr, das sich erst am Ende erweitert, und das sogenannte Kesselmundstück. Seit dem 19. Jh. sind Ventiltrompeten üblich, die das Spielen der zwischen den Naturtönen liegenden Tonstufen ermöglichen.

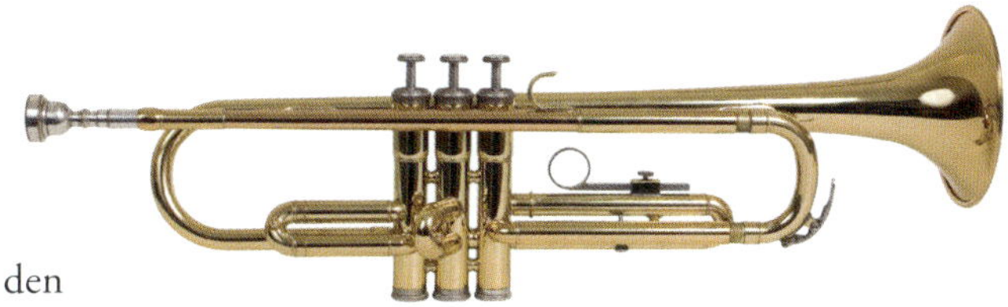

Die Trompete ist heute ein bevorzugtes Instrument des Jazz.

Tropen [die], ein Hitzegürtel der Erde beiderseits des Äquators, der zwischen den beiden Wendekreisen liegt. Im Äquatorialgebiet sind die Tropen gekennzeichnet durch ganzjährig starke Sonneneinstrahlung (Jahresmittel über 25 °C) und hohe Niederschläge (tropische Regenwälder). In den Randgebieten fallen geringere Niederschläge. Hier finden sich Savannen und Trockengebiete. Die Tropen bedecken 31% der Landfläche der Erde.

Tropenwald [der], siehe ZEIT-Beitrag → »Tropenwald: Schatzkammer der Natur«, Seite 94–97.

Tropfstein [der], ein Kalksteingebilde, das in Höhlen aus kalkhaltigem Tropfwasser entsteht. Von der Höhlendecke tropfendes Wasser bildet dabei *Stalaktiten,* auf den Höhlenboden auftreffendes Wasser *Stalagmiten.* Beide Tropfsteinarten können schließlich »zusammenwachsen«.

Trophäe [die], ein Siegeszeichen, ein Beutestück.

Troposphäre [die] → Atmosphäre.

Trotzkij, Lew Dawidowitsch, eigentlich Leib *Bronstein,* *1879, †1940; russischer Revolutionär und Staatsmann. Trotzkij war führend an der *Oktoberrevolution* beteiligt. Der ersten sowjetischen Regierung gehörte er als Außenkommissar (Außenminister) an. Seit 1918 baute er als Verteidigungskommissar die Rote Armee auf. Nach dem Tod Lenins (1924) konnte er sich gegenüber Stalin nicht durchsetzen. Er verlor alle Ämter, wurde verbannt und 1929 des Landes verwiesen. 1940 wurde er in Mexiko von einem Agenten der sowjetischen Geheimpolizei ermordet.

Troubadour [truba'du:r, der], im Mittelalter ein Dichter, der an den Höfen Südfrankreichs seine Dichtungen selbst vortrug. Die Troubadourdichtung gab entscheidende Anstöße für den mittelhochdeutschen Minnesang.

Trüffel [die], ein unter der Erdoberfläche lebender fleischiger Pilz mit Knollenform, der vor allem in der Nähe von Eichen, Weiden, Pappeln, Haselnussbäumen und Buchen wächst, aber bei uns selten vorkommt. In Frankreich wird die kostbare und teure Trüffel mit Hunden oder Schweinen gesucht.

Tropfstein: der große Saal mit Tropfsteinen und Vorhängen in der Mammoth Cave in Kentucky

Leben im Laubdach des Regenwalds: Aras in Costa Rica

Tropenwald

Schatzkammer der Natur

Von Rainer Harf

Es ist heiß und schwül wie in einer Sauna, ein modriger Geruch liegt in der Luft, kaum ein Lichtstrahl dringt durch das dichte Laub bis auf den Boden. Überall Pflanzen! Ein Labyrinth aus riesigen Bäumen und meterlangen Lianen. Hier leuchtet die zitronengelbe Blüte einer Orchidee, dort glänzen scharlachrote Pilze auf einem umgestürzten Baumstamm. Hoch oben im Kronendach springen Brüllaffen halsbrecherisch durchs Geäst. Und plötzlich fliegt ein Schwarm Hellroter Aras vorbei: Das ist der Amazonas-Regenwald in Südamerika, einer der buntesten Lebensräume auf unserem Planeten.

Allein 2500 verschiedene Baumarten wachsen hier. In den Wäldern Europas sind es nur 160. Die Urwaldbäume wiederum sind Wohnstätten für unzählige Tierarten – Marder, Ameisenbären und Faultiere hangeln sich von Ast zu Ast, Hunderte Vogelarten bauen ihre Nester in den Zweigen, Schlangen und Frösche kriechen durchs Laub, Tausende exotische Insektenarten krabbeln umher.

Wie ein grüner Gürtel

Manche, wie die Stabheuschrecken, sind so gut getarnt, dass ihre Feinde sie mit Blättern oder Zweigen verwechseln. Andere leuchten neongelb oder knallrot. Es sind Warnfarben, die signalisieren: Ich bin giftig! So wagt es kein Räuber, die Tiere anzurühren.

Wie ein grüner Gürtel ziehen sich Tropenwälder durch die tropischen Zonen – von Süd- und Mittelamerika, Afrika und Asien bis nach Australien. Kein Regenwald gleicht dabei dem anderen: In den Bergen gedeihen märchenhafte, von Flechten verhangene Nebelwälder, in den Flusstälern breiten sich üppige Tieflandregenwälder aus, an den Küsten treiben die Bäume der Mangrovenwälder ihre Wurzeln tief in den Schlamm.

Der Kreislauf der Natur

Zwar bedecken Regenwälder nur etwa sechs Prozent des Bodens auf der Erde. Aber in ihnen leben über die Hälfte aller Pflanzen- und Tierarten – manche Biologen schätzen sogar, dass 90 Prozent sämtlicher Lebewesen hier zu Hause sind. Wie kommt das?

Ein Grund ist sicherlich das Klima. Das ganze Jahr über herrschen in den Tropen Temperaturen von 20 bis 30 Grad. Und immer wieder schüttet es in Strömen: Auf einem Quadratmeter Regenwald fallen im Jahr vier Meter Wasser oder mehr. Fast fünfmal so viel wie in Deutschland. Das Klima bietet den Pflanzen ideale Bedingungen, um ununterbrochen zu wachsen. So finden die Tiere immer nahrhafte Früchte, Beeren und frische Blätter. Den Regen erzeugt der Dschungel dabei auch selbst. Denn jeder Baum kann Hunderte Liter Wasser aufnehmen. Alle Flüssigkeit, die die Pflanzen nicht speichern, schwitzen sie über Poren in ihren Blättern aus – als Wasserdampf. Vor allem morgens wabern daher Nebelschwaden durch die Baumkronen. Wolken steigen auf und werden vom Wind davongeblasen. Doch schon wenige Kilometer weiter regnen sie sich wieder ab, und der Wasserkreislauf beginnt von Neuem. Ein weiterer Grund für den Artenreichtum ist das hohe Alter der Regenwälder. Manche existieren seit 60 Millionen Jahren. Während der Eiszeiten drangen die Gletscher nicht bis in die Tropen vor und verschonten große Teile der Urwälder. So hatten die Organismen viel Zeit, sich auf vielfältigste Weise zu spezialisieren.

Die Tropenwälder gleichen dabei riesigen Recycling-Fabriken. Alles was in ihnen wächst, gedeiht und schließlich stirbt, wird in einem raffinierten System wiederverwertet. Stürzt bei einem tropischen Sturm etwa ein alter Baum um, nagen sofort Abertausende Termiten daran, Asseln und Tausendfüßler knabbern am Laub, und Bakterien und Pilze zerlegen den Rest. Das passiert auch in europäischen Wäldern, aber im Regenwald läuft dieser Prozess sehr viel schneller ab. Fällt in einem deutschen Buchenwald ein Blatt vom Baum, liegt es ein Jahr oder länger auf dem Boden, bis es vollständig zersetzt ist. Im Regenwald dauert das gerade einmal sechs Wochen. Bei dieser Kompostierung werden energiereiche Stoffe aus dem toten

Mit weiten Sprüngen von Ast zu Ast: Nasenaffe in Borneo

Blatt freigesetzt. Und die werden rasch von den Baumwurzeln aufgesogen. So gelangen die Stoffe auf schnellstem Wege wieder zurück in die Mühle des Lebens.

Als zusätzliche Energiequelle nutzen die Pflanzen das Sonnenlicht. Jedes der Trillionen Blätter im Dschungel gleicht einer natürlichen Solarzelle: Es kann Licht ernten! Mikroskopisch kleine Körperchen in den Blättern sind mit Hilfe des Sonnenlichtes in der Lage, aus Wasser und dem Gas Kohlendioxid lebenswichtigen Zucker herzustellen. Photosynthese nennen das die Biologen. Doch Licht ist im Dschungel rar. Unter den Gewächsen herrscht daher ein ständiger Kampf um einen Platz an der Sonne. Dabei fangen die Baumkronen rund neunzig Prozent der Sonnenstrahlen auf, denn in einer Höhe von 15 bis 45 Metern bilden ihre Blätter eine fast geschlossene Decke. Im Schatten darunter gedeihen nur Pflanzen, denen ein gelegentlicher Sonnenstrahl genügt. Dagegen wachsen manche besonders lichthungrigen Bäume über das restliche Kronendach hinaus. Bis zu achtzig Meter hoch werden diese sogenannten Überständer. In den Baumkronen tummeln sich mehr als die Hälfte aller Tiere des Regenwaldes. Viele von ihnen wie Käfer, Wanzen und andere Insekten haben sich so sehr auf ein Leben in dem schwindelerregenden Dickicht eingerichtet, dass sie nie den Erdboden berühren.

Bunter Farbklecks inmitten des dämmrigen Grüns: der Rotaugenlaubfrosch

Das Leben in den Baumkronen

Auch manche Säuger verlassen ihre Welt in den Wipfeln äußerst selten – die Faultiere etwa. Nur alle acht Tage klettern die behäbigen Pflanzenfresser herab auf den Boden, um ihren Darm zu entleeren. Dann erklimmen sie wieder die Baumstämme. Nur in den Kronen sind sie vor Feinden geschützt, denn Faultiere sind so langsam, dass sie vor Räubern wie Jaguaren nicht weglaufen können. Daher verwenden sie eine ausgeklügelte Strategie: Die Haare ihres zotteligen Pelzes sind mit feinen Rillen durchzogen. In diesen Furchen siedeln sich winzige Algen an, die dem Fell einen grünen Schimmer verleihen. Ein geniales Tarnkleid! Und auch ihre Trägheit steht im Dienste des Selbstschutzes: Wer sich nicht auffällig rasch bewegt, bleibt unbemerkt.

Neben den unzähligen Tieren bewohnen auch Tausende Pflanzenarten die Baumkronen. Orchideen, Bromelien, Begonien und Moosfarne etwa klammern sich mit ihren Wurzeln an die Äste der Bäume. Wie in hängenden Gärten wachsen und blühen diese sogenannten Aufsitzerpflanzen ohne Bodenkontakt. Viele von ihnen bilden aus

Kein Dschungel gleicht dem anderen: geheimnisvoller Nebelwald in Fulton County, Georgia

ihren Blättern Kelche, in denen sich bis zu zehn Liter Regenwasser sammeln können. Wenn Staub und Laub in das Wasser fallen, verrotten sie zu einem nahrhaften Gebräu, das alles enthält, was die Pflanzen zum Leben brauchen. An diesen Wasserquellen hoch über dem Boden legen oft Affen, Mäuse und Echsen eine Pause ein, um ihren Durst zu stillen. Frösche baden in den Pools, Insektenlarven schwimmen darin umher.

Ein Labor des Lebens

Die Vielfalt der Pflanzen im Dschungel bringt also stets eine noch größere Vielfalt von Tieren hervor. Manche Forscher schätzen, dass man für jede einzelne Pflanzenart im Regenwald weitere zwanzig Tierarten findet, die mit dieser zusammenleben. In jenem gigantischen Lebensraum hängen im Grunde genommen alle Arten auf komplexe und faszinierende Weise miteinander zusammen. Viele Zusammenhänge sind dabei noch immer unerforscht.

Doch dieses wunderbare Labor des Lebens ist in Gefahr. Überall auf der Welt werden Urwaldbäume abgeholzt und zu Papier oder Möbeln verarbeitet, große Gebiete stehen in Flammen. So schaffen die Bauern Platz für Ackerland und Plantagen. In jeder Minute wird eine Regenwaldfläche zerstört, die so groß ist wie 30 Fußballfelder. Jedes Jahr verlieren wir tropische Waldgebiete von einer Fläche doppelt so groß wie Österreich! Mit ihnen sterben Tiere aus, die noch nicht einmal der Wissenschaft bekannt sind. Viele Menschen aber haben erkannt, dass den tropischen Wäldern geholfen werden muss, und deshalb Organisationen gegründet wie die Regenwald-Stiftung des World Wide Fund For Nature oder die Rainforest-Foundation. Jeder Einzelne kann dort mit seiner Hilfe ein Stück dazu beitragen, den Dschungel, diese Schatzkammer der Natur, vor dem Untergang zu bewahren.

Ländersteckbrief
Tschad

Fläche:	1 284 000 km^2
Einwohner:	10,0 Millionen = 8 je km^2
Hauptstadt:	N'Djaména
Religion:	Islam, Naturreligionen, Christentum
Amtssprache:	Arabisch, Französisch
Währung:	CFA-Franc

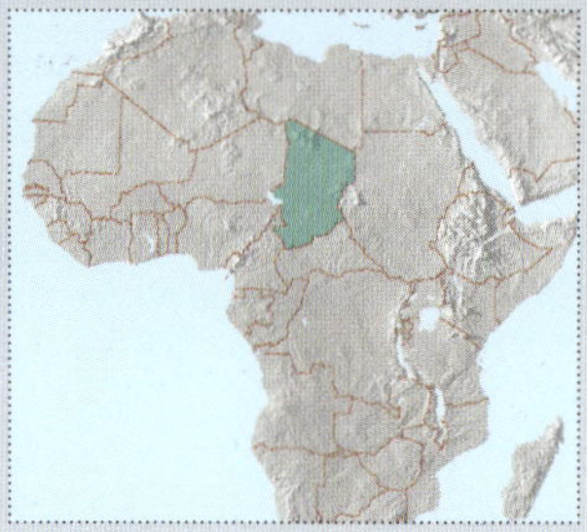

Tschad, Staat in Zentralafrika.

Landesnatur: Über dem Tschad-Becken erhebt sich im Osten das Hochland von Ouadaï und im Norden das altkristalline Tibestigebirge (bis über 3000 m hoch). Das Klima reicht von tropisch-wechselfeucht im Süden bis extrem trocken im Norden.

Bevölkerung: Die Bevölkerung besteht aus zahlreichen ethnischen Gruppen (Sara, Hausa, Tubu), zu 15% aus Arabern; fast die Hälfte sind Muslime, 30% Christen, der Rest Anhänger traditioneller Religionen.

Wirtschaft: Tschad gehört zu den ärmsten Ländern der Welt. Die Landwirtschaft ist der bedeutendste Erwerbszweig des Landes. Wichtigste Anbauprodukte sind Baumwolle und Erdnüsse. Die Viehzucht (Rinder, Schafe, Ziegen) wird v. a. nomadisch und halbnomadisch betrieben. Am austrocknenden *Tschadsee* wird Natron gewonnen.

Tschad: Die bienenkorbförmigen Lehmgebilde dieses Dorfes dienen als Getreidespeicher.

Geschichte: 1910 entstand das Generalgouvernement *Französisch-Äquatorialafrika*, das Tschad einschloss. Am 11. 8. 1960 erhielt Tschad die Unabhängigkeit. Die Gegensätze zwischen den unterschiedlichen Bevölkerungsgruppen bestimmten die innenpolitische Entwicklung. Es kam immer wieder zu bürgerkriegsartigen Auseinandersetzungen, in die auch Frankreich und Libyen eingriffen. Der seit 1982 regierende H.

Tschechische Republik: Eine Vielzahl von Brücken verbindet die Prager Stadtteile diesseits und jenseits der Moldau; die geschichtsträchtige Hauptstadt ist politisches, kulturelles und wirtschaftliches Zentrum des Landes.

Habré wurde 1990 von einer Rebellenbewegung unter I. *Deby* gestürzt. Deby gewann die Präsidentschaftswahlen 1996, 2001 und 2006.

Tschador, besonders im Iran von Frauen getragenes dunkles Tuch, das den ganzen Körper und Teile des Gesichts bedeckt.

Tschaikowskij, Pjotr Iljitsch, * 1840, † 1893; russischer Komponist. In seiner Musik verband er russische Volksmusik mit Elementen der westlichen klassischen Musik. Besonders bekannt sind seine Ballette »Der Nussknacker« und »Schwanensee«.

Ländersteckbrief
Tschechische Republik

Fläche:	78 860 km^2
Einwohner:	10,2 Millionen = 129 je km^2
Hauptstadt:	Prag
Religion:	römisch-katholische Kirche
Amtssprache:	Tschechisch
Währung:	1 Tschechische Krone = 100 Heller

Tschechische Republik, Staat in Mitteleuropa.

Landesnatur: Im Westen liegt das von Elbe und Moldau entwässerte, vom Böhmerwald, Erzgebirge und den Sudeten eingerahmte *Böhmische Becken*. Dieses Kerngebiet wird durch die *Böhmisch-Mährischen Höhen* von der *Mährischen Senke* getrennt.

Bevölkerung: Die Bevölkerung setzt sich v. a. aus den westslawischen Tschechen (94%) und Slowaken (2%) zusammen; außerdem gibt es polnische, deutsche und ukrainische Minderheiten. 27% sind römisch-katholisch, 60% gehören keiner Religionsgemeinschaft an.

Wirtschaft: Die fruchtbaren Ackerflächen liefern besonders Kartoffeln, Getreide, Zuckerrüben, Futterpflanzen, Hopfen, Tabak, Obst und Wein. An Bodenschätzen finden sich Braun- und Steinkohle, Eisen-, Zink-, Kupfer-, Uran- und Bleierze, in geringen Mengen Erdöl und Erdgas. Die Industrie (besonders Hüttenwerke, Metall-, Textil-, Maschinen-, Glas-, chemische und Konsumgüterindustrie) beschäftigt rund 40% aller Erwerbstätigen. Der Tourismus (Heilbäder im Erzgebirge, Prag) hat wachsende Bedeutung. – Die Elbe und der Unterlauf der Moldau sind für die Binnenschifffahrt bedeutend. In Prag gibt es einen internationalen Flughafen.

Geschichte: In das heutige Staatsgebiet wanderten im 6. Jh. slawische Stämme ein, aus denen das Volk der Tschechen hervorging. Herzog *Wenzel I.* von Böhmen erkannte 929 den deutschen König als Lehnsherrn an. 1198 erhielten die Herzöge von Böhmen die erbliche Königswürde. Sie riefen viele deutsche Siedler ins Land. Unter *Karl IV.* (1346–1378) war Prag die Hauptstadt des Heiligen Römischen Reichs. Nationaltschechische Bestrebungen zeigten sich erstmals in den *Hussitenkriegen* 1419–1436). Mit der Thronbesteigung *Ferdinands I.* begann 1526 die fast 400-jährige Herrschaft der katholischen *Habsburger* in den böhmischen Ländern. Der Aufstand des böhmischen Adels gegen Habsburg löste mit dem Prager Fenstersturz (1618) den Dreißigjährigen Krieg aus. Im 19. Jh. erstarkte das tschechische Nationalbewusstsein. Durch den Zerfall der österreichisch-ungarischen Monarchie wurden Böhmen und Mähren 1918 Teil der → Tschechoslowakei. Nach deren Auflösung erlangte die *Tschechische Republik* am 1. 1. 1993 die Unabhängigkeit. Das Land wurde 1999 Mitglied der NATO und 2004 Mitglied der EU. Nachfolger des ersten Staatspräsidenten V. *Havel* wurde 2003 V. *Klaus*. Ministerpräsident ist seit 2006 M. *Topolánek*.

Tschechoslowakei, ehemaliger Staat in Mitteleuropa, umfasste zuletzt (1992) 127 876 km² mit 15,7 Mio. Einwohnern, Hauptstadt war Prag. Die Tschechoslowakei entstand aus dem Zerfall der österreichisch-ungarischen Donaumonarchie im Ersten Weltkrieg. Am 28. 10. 1918 wurde die *Tschechoslowakische Republik* (*ČSR*) ausgerufen. Nach dem *Münchner Abkommen* (1938) musste die Tschechoslowakei die überwiegend von Deutschen bewohnten Gebiete (Sudetenland) an Deutschland abtreten. Böhmen und Mähren wurden von deutschen Truppen besetzt und unter deutsche Schutzherrschaft (Protektorat) gestellt. 1944 rückte die sowjetische Armee in die Tschechoslowakei vor, die nach dem Zweiten Weltkrieg zur kommunistischen → Diktatur wurde. Die von A. *Dubček* eingeleitete Reformpolitik (»Prager Frühling«) führte am 21. 8. 1968 zum militärischen Eingreifen des Warschauer Paktes. 1989 kam es zum demokratischen Umbruch. Die führende Rolle der Kommunistischen Partei strich man aus der Verfassung. Der Bürgerrechtler V. *Havel* wurde Staatspräsident. In der Slowakei verstärkten sich die Forderungen nach einem eigenen Staat. 1992 wurde die Auflösung der Tschechoslowakei in zwei unabhängige Staaten (→ Slowakei, → Tschechische Republik) beschlossen.

Tschingis Chan, *Dschingis-Chan,* eigentlich *Temudschin,* * 1167(?), † 1227; Mongolenherrscher. Er schuf ein straff organisiertes Reiterheer und eroberte mit ihm ein Riesenreich, zu dem Zentral- und Vorderasien, Teile Chinas und des europäischen Russlands gehörten.

Tsetsefliege [die], eine Stechfliege, die im tropischen Afrika vorkommt und die die Erreger der Schlafkrankheit überträgt.

Tsunami [der, japan.], eine durch Seebeben oder Vulkanausbrüche ausgelöste Meereswelle. Sie breitet sich ringförmig mit einer Geschwindigkeit bis zu 800h/km aus, kann in Ufernähe bis zu 35 m Höhe erreichen und zu katastrophalen Überschwemmungen führen. Die bisher schlimmste Tsunami-Katastrophe der Geschichte wurde durch ein Seebeben im Indischen Ozean am 26. Dezember 2004 ausgelöst und forderte mindestens 250 000 Menschenleben.

Tuareg [Pl.], ein Nomadenvolk im Westen der Sahara, das vor allem von Viehzucht lebt.

Tuba [die], tiefstes und größtes Blechblasinstrument.

Tuberkulose [die], Abkürzung Tb oder Tbc, eine weltweit verbreitete, langwierig verlaufende Infektionskrankheit. Sie wird vom Tuberkelbazillus hervorgerufen, den R. *Koch* 1882 entdeckte. Die Übertragung erfolgt durch Einatmen der Bazillen oder durch verseuchte Nahrungsmittel. Die Tuberkelbazillen verursachen eine Art von Gewebsentzündung, bei der körnchengroße Knoten (Tuberkel) entstehen. Es bilden sich ausgedehnte Herde, im fortgeschrittenen Stadium kann es zur Zerstörung großer Gewebsteile kommen. Tuberkulose tritt meist als Lungentuberkulose auf, aber auch Knochen, Nieren und Haut können befallen werden. Zur Vorbeugung gegen die Tuberkulose gibt es eine Schutzimpfung.

Tübingen, eine Stadt in Baden-Württemberg, am Neckar, 83 000 Einwohner. Die Universität der Stadt besteht seit 1477.

Tucholsky, Kurt, * 1890, † 1935; deutscher Schriftsteller. Tucholsky schrieb auch unter den Pseudonymen Theobald Tiger, Ignaz Wrobel, Peter Panter und Kaspar Hauser. Er war Mitarbeiter und kurze Zeit Herausgeber der Zeitschrift »Die Weltbühne«. Tucholsky warnte bereits früh vor dem Nationalsozialismus. Seit 1929 lebte er in Schweden, wo er sich das Leben nahm. Bekannte Werke des Satirikers, Lyrikers und Humoristen Tucholsky sind »Rheinsberg, ein Bilderbuch für Verliebte« und »Schloss Gripsholm«.

Tulpe [die], zu den Liliengewächsen gehörende Zwiebelpflanze, die in Deutschland wildwachsend nur im Süden vorkommt. Sie wird in verschiedenen Sorten gezüchtet.

Tumor [der] → Geschwulst.

Tundra [die], eine karge Landschaft nördlich der Baumgrenze (Kältesteppe), deren Bewuchs hauptsächlich aus genügsamen Moosen und Flechten besteht.

Ländersteckbrief

Tunesien

Fläche:	162 155 km²
Einwohner:	10,2 Millionen = 63 je km²
Hauptstadt:	Tunis
Religion:	Islam
Amtssprache:	Arabisch
Währung:	1 Tunesischer Dinar = 1000 Millimes

Tunesien, Staat in Nordafrika.

Landesnatur: Der Norden wird von den östlichen Ausläufern des *Atlas* durchzogen. Südlich folgt eine steppenhafte Hochebene. Im Süden hat Tunesien Anteil an der Sahara. An der Küste herrscht Mittelmeerklima, das nach Süden in Wüstenklima übergeht

Bevölkerung: Die Bevölkerung besteht v. a. aus Arabern, daneben aus arabisierten Berbern. Der Islam ist Staatsreligion.

Wirtschaft: Die Landwirtschaft baut an der Mittelmeerküste v. a. Getreide und Wein an, auf Bewässerungsland Gemüse und Südfrüchte, im Sahel Ölbäume. In den Steppengebieten überwiegt die traditionelle, z. T. noch nomadisch betriebene Viehwirtschaft. Die wichtigsten Bodenschätze sind Phosphat (fünftgrößter Lieferant der Erde), Eisenerz sowie Erdöl und Erdgas. Die Industrie (Textil-, Nahrungsmittel-, Elektro- u. a. Industrie) konzentriert sich an der Küste. Das traditionelle Handwerk umfasst die Herstellung von Teppichen, Lederwaren und Kunstschmiedearbeiten. Der Tourismus hat sich zum wichtigsten Devisenbringer entwickelt. Internationale Flughäfen gibt es in Tunis, Djerba, Monastir und Tozeur.

Geschichte: Aus phönizischen Kolonien entstand im Altertum in Tunesien das Reich von *Karthago*, das 146 v. Chr. von den Römern zerstört wurde. 439–533 n. Chr. wurde Tunesien von Wandalen, seit 533 von Byzanz beherrscht. Ende des 7. Jh. eroberten die islamischen Araber das Land; es herrschten verschiedene Dynastien. 1574 fiel Tunesien an die Türken. 1871 erkannte die Türkei die Unabhängigkeit Tunesiens an, das 1881 unter französische Schutzherrschaft fiel. Erst 1956 erlangte Tunesien die volle Unabhängigkeit. H. *Bourguiba* wurde als Minister- und Staatspräsident zur beherrschenden politischen Gestalt. 1987 wurde er abgesetzt. Neuer Präsident wurde Z. A. *Ben Ali*. Bei den Wahlen 1994, 1999 und 2004 wurde er in seinem Amt bestätigt.

Tunfische → Thunfische.

Tunis, Hauptstadt und Hafen von Tunesien, 691 000 Einwohner.

Tunnel [der], ein unterirdischer Teil eines Verkehrsweges zur Überwindung von Hindernissen oder zum Schutz vor Lawinen. → Auch »Genauer betrachtet«, Seite 102.

Turbine [die, lat. turbo, »Wirbel«], eine Kraftmaschine mit einem sich drehenden Laufrad. Das mit

Schaufeln versehene Laufrad wird vom Antriebsmittel (Wasser, Dampf, Gas) durchströmt (daher auch: Strömungskraftmaschine). Auf diese Weise wird die in dem Antriebsmittel enthaltene Energie auf das Schaufelrad übertragen und in mechanische Energie umgewandelt. Wasserturbinen werden in Wasserkraftwerken, Dampfturbinen in Wärmekraftwerken eingesetzt. Eine Gasturbine ist z. B. das *Strahltriebwerk* beim Flugzeug.

Turin, eine Industriestadt in Norditalien, am Westende der Poebene, 862 000 Einwohner.

Ländersteckbrief
Türkei

Fläche:	779 452 km²
Einwohner:	74,2 Millionen = 95 je km²
Hauptstadt:	Ankara
Religion:	Islam
Amtssprache:	Türkisch
Währung:	1 Neue Türkische Lira = 100 Kurus

Türkei, Staat in Südosteuropa und Vorderasien.

Landesnatur: Das durchschnittlich 900–1100 m hoch gelegene Hochland von Anatolien ist eine abflusslose, von Steppe bedeckte Schüssel. Es wird im Norden vom *Pontischen Gebirge* (3937 m), im Süden vom *Taurus* (3734 m) gerahmt. Das westarmenische Hochland erreicht im Vulkankegel des Ararat 5137 m Höhe. Den Westen bildet das Küstenland an der Ägäis. Das Klima ist im Norden warmgemäßigt und sehr feucht, an der West- und Südküste mittelmeerisch und im Inneren kontinental.

Bevölkerung: 70% der Bewohner sind Türken. Die Kurden (20%) leben vor allem im Südosten des Landes. 99% der Bevölkerung sind Muslime.

Wirtschaft: Die Landwirtschaft liefert fast 9% der Ausfuhr, v. a. Baumwolle, Tabak, Südfrüchte, Getreide, Wolle, Obst und Gemüse. Auf den Steppen des anatolischen Hochlands überwiegt extensive Viehzucht. Von den umfangreichen Bodenschätzen werden in erster Linie Chrom und Kupfer, daneben auch Eisen, Quecksilber, Antimon, Kohle, Schwefel, Erdöl u. a. exportiert. Die wichtigsten Industriezweige sind Textil- und

Genauer betrachtet …
Tunnel

Name (Art)	Staat	Länge (km)
Seikan (Eisenbahn)	Japan	53,850
Eurotunnel (Eisenbahn)	Frankreich/ Großbritannien	49,940
Lötschberg (Basistunnel, Eisenbahn)	Schweiz	34,600
Iwate-Ichnohe (Eisenbahn)	Japan	25,800
Loerdaltunnel (Straße)	Norwegen	25,000
Dai-Shimizu (Eisenbahn)	Japan	22,230
Simplon (Eisenbahn)	Schweiz/Italien	19,824
Vereina (Eisenbahn)	Schweiz	19,058
Shin-Kanmon (Eisenbahn)	Japan	18,680
Apennin (Eisenbahn)	Italien	18,507
Sankt Gotthard (Straße)	Schweiz	16,320

chemische, daneben Metall-, Papier-, Nahrungsmittel-, Glas-, keramische, Zement- und Tabakindustrie sowie die Eisen- und Stahlerzeugung. Bedeutend sind die Teppichknüpferei und der Tourismus am Marmarameer, an der Ägäisküste und an der Südküste (»Türkische Riviera«). – Nach Istanbul sind die wichtigsten Häfen am Mittelmeer Izmir, Mersin, Iskenderun, am Schwarzen Meer Zonguldak, Samsun und Giresun. Die führenden Flughäfen sind in Istanbul, Ankara, Izmir und Antalya.

Geschichte: *Osman I.* (1259–1326) legte durch seine Eroberungen den Grundstein zum *Osmanischen Reich*, das rasch expandierte. Die Byzantiner wurden aus Kleinasien verdrängt. *Mehmed II.* konnte am 29. 5. 1453 Konstantinopel einnehmen und damit das Ende des Byzantinischen Reichs besiegeln. 1459 wurden Serbien, 1461 Griechenland, 1463 Bosnien und 1479 Albanien osmanische Provinzen. Seit 1460 war der osmanische Sultan zugleich Kalif, d.h. geistliches Oberhaupt des Islam. *Selim I.* eroberte 1516/1517 Syrien, Palästina, Ägypten und Gebiete Nordafrikas. 1521 fiel Bagdad, 1522 wurde Rhodos besetzt, 1533–1536 Mesopotamien erobert. 1526 wurden die Ungarn besiegt. Tripolis, Tunis und Algerien kamen unter osmanische Oberhoheit. Das Osmanische Reich hatte damit die größte Ausdehnung erreicht. Nach 1600 setzte der Niedergang ein. Im 19. Jh. gingen die meisten europäischen Besitzungen verloren, nach der Niederlage im Ersten Weltkrieg auch die außereuropäischen. *Mustafa Kemal*, der spätere *Atatürk*, sicherte den Bestand des türkischen Kernlandes und erklärte die Türkei 1923 zur Republik. Als autoritär regierender Präsident nahm er grundlegende Reformen zur Modernisierung im westlichen Sinne in Angriff *(Kemalismus)*.

Im Zweiten Weltkrieg blieb die Türkei neutral (bis Februar 1945). Danach schloss sie sich dem westlichen Bündnissystem an (1952 NATO). 1960 stürzte das Militär die autoritäre Regierung von A. *Menderes*. 1961 ging die Regierung wieder in zivile Hände über. Seit 1965 regierte Ministerpräsident S. *Demirel*. Dieser wurde wegen Verschleppung von Reformen und zunehmender sozialer Unruhe im Land 1971 vom Militär zum Rücktritt gezwungen. 1974 besetzten türkische Truppen den Nordteil Zyperns. Angesichts der zunehmenden innenpolitischen Labilität ergriff die Militärführung 1980 erneut die Macht. Sie stellte die innere Ruhe mit drakonischen Mitteln wieder her. 1982 wurde eine neue Verfassung (parlamentarische Republik) verabschiedet. 1984 begann die illegale Kurdische Arbeiterpartei *(PKK)* einen Guerillakrieg gegen die türkische Armee mit dem Ziel, einen souveränen Kurdenstaat zu schaffen. 1999 konnte PKK-Führer A. *Öcalan* verhaftet werden.

Der vom Kemalismus zurückgedrängte Islam konnte in jüngster Zeit wieder an Boden gewinnen. Die vorgezogenen Parlamentswahlen 2002 gewann die gemäßigt islamische Partei für Gerechtigkeit und Entwicklung (AKP). R. T. *Erdogan* (AKP) übernahm das Amt des Ministerpräsidenten. Er blieb auch nach den vorgezogenen Wahlen 2007 Regierungschef. Im Hinblick auf die angestrebte EU-Mitgliedschaft wurden tiefgreifende Verfassungs- und Gesetzesänderungen durchgeführt. 2005 begannen Beitrittsverhandlungen mit der EU. Das damit verknüpfte Zypernproblem sowie die Lage im Irak bildeten weitere Schwerpunkte der türkischen Außenpolitik.

Türkei: Die Fischerei spielt in der Türkei in kleinen Dörfern an der Küste eine wichtige Rolle.

Ländersteckbrief
Turkmenistan

Fläche:	488 100 km²
Einwohner:	4,9 Millionen = 10 je km²
Hauptstadt:	Aschchabad
Religion:	Islam
Amtssprache:	Turkmenisch
Währung:	1 Turkmenistan-Manat = 100 Tenge

Turkmenistan, Staat in Mittelasien.

Landesnatur: Das Land ist eben, nur im Süden erhebt sich das Faltengebirge des Koppeh Dagh. Über 90% der Fläche sind Wüste (Karakum) oder Trockensteppe. Das Klima ist stark kontinental, heiß und trocken.

Bevölkerung: 73% der Bewohner gehören zu dem Turkvolk der Turkmenen, die sich zum Islam bekennen. Daneben gibt es Russen und Usbeken.

Wirtschaft: Die Landwirtschaft betreibt Bewässerungsfeldbau in Oasen und an Flüssen (v. a. Baumwolle), Fleisch- und Wollviehwirtschaft. Bedeutend ist die Erdgas- und Erdölgewinnung. Die wichtigsten Industriezweige sind Textil- und chemische Industrie. Der internationale Flughafen liegt bei Aschchabad, größter Hafen ist Turkmenbaschi am Kaspischen Meer.

Geschichte: Im 10. Jh. islamisiert, kamen die Turkmenen später unter die Herrschaft der mongolischen Goldenen Horde und dann unter die Herrschaften des Emirates Buchara und des Khanates Chiwa. Diese Gebiete fielen im 19. Jh. an Russland. 1924 wurde Turkmenistan sowjetische Unionsrepublik. 1991 erlangte es die Unabhängigkeit. S. *Nijasow* errichtete ein autoritäres Regime und unterdrückte bis zu seinem Tod 2006 jegliche Opposition. 2007 wurde G. *Berdymuchammedow* zu seinem Nachfolger gewählt.

Turkvölker [Pl.], ein Gruppe von Völkern, die der gemeinsamen Sprachgruppe der *Turksprachen* (türkische Sprachen im weiteren Sinne) angehören. Zu ihnen gehören u. a. Türken, Tataren, Aserbaidschaner, Kirgisen und Usbeken. Ihre ursprüngliche Heimat ist das Altaigebirge in Zentralasien.

Turmalin [der], farbiger oder farbloser, teilweise durchsichtiger, glänzender Edelstein.

Turnen [das], eine von F. L. *Jahn,* dem »Turnvater«, um 1810 geprägte zusammenfassende Bezeichnung für alle Leibesübungen. Heute steht im Mittelpunkt des Turnens das *Geräteturnen,* dessen schwierigste Ausprägung der Hochleistungssport *Kunstturnen* ist.

Turner ['tə:nə], Joseph Mallord William, * 1775, † 1851; englischer Maler. Er war einer der Hauptmeister der englischen Landschaftsmalerei und schuf Bilder mit stimmungsvollen Landschaften, deren Form er auflöste und in ein fließendes Licht stellte. Er wurde zum Vorbild der Maler des *Impressionismus.*

Turkmenistan: Das Unabhängigkeitsdenkmal ist das Wahrzeichen der Hauptstadt Aschchabad.

Turnier [das], **1.** Ritterkampfspiel im Mittelalter (11.–16. Jh.) mit scharfen oder stumpfen Waffen; es wurde besonders zu Pferde ausgeübt. **2.** ein- oder mehrtägige sportliche Veranstaltung, bei der aus der Vielzahl der Teilnehmer in Vor-, Zwischen- und Endspielen der Sieger ermittelt wird (z. B. im Fußball, Tennis, Eishockey).

Tusche [die], eine schwarze oder auch farbige Schreib- und Zeichenflüssigkeit. Sie besteht meist aus sehr feinen Farbkörpern (z. B. Ruß) und Bindemitteln (Leim).

Tutanchamun, *Tut-ench-Amun,* ägyptischer König der 18. Dynastie. Er lebte um 1346–1337 v. Chr. Sein unversehrtes Grab wurde 1922 von dem englischen Gelehrten H. *Carter* im *Tal der Könige* bei Luxor entdeckt. Es enthielt unermessliche Schätze.

Ländersteckbrief
Tuvalu

Fläche:	27 km²
Einwohner:	10 000 = 370 je km²
Hauptstadt:	Vaiaku
Religion:	protestantische Kirche
Amtssprache:	Tuvalu, Englisch
Währung:	1 Australischer Dollar = 100 Cents

Tuvalu, Staat in Ozeanien.

Der Inselstaat nördlich von Fidschi besteht aus neun Koralleninseln; das Klima ist tropisch. Die vorwiegend protestantischen Bewohner sind Polynesier, ferner Melanesier und Mischlinge. Hauptausfuhrgüter sind Kopra und Fisch.

Tuvalu: Aufgrund der abseitigen Lage der Inseln gibt es noch keinen nennenswerten Tourismus.

Geschichte: 1877–1975 waren die Inseln unter dem Namen »Elliceinseln« Teil der britischen Kolonie »Gilbert and Ellice Islands«. 1976 trennten sich die Elliceinseln von den Gilbertinseln und nahmen den Namen Tuvalu an. Seit 1978 ist Tuvalu unabhängig im Rahmen des Commonwealth. 2000 wurde Tuvalu Mitglied der UNO.

Twain, Mark → Mark Twain.

Typhus [der], eine gefährliche Infektionskrankheit, die in Ländern mit mangelnder Hygiene oft als Epidemie auftritt. Sie wird durch Bakterien, z. B. im Trinkwasser oder in Nahrungsmitteln, übertragen. Typhus führt anfangs zu Fieber, Durchfall und Hautausschlag, später zu Darmgeschwüren und Darmblutungen und kann ohne Behandlung tödlich verlaufen.

Tyrann [der], allgemein ein herrschsüchtiger Mensch, im alten Griechenland ein gesetzwidrig an die Macht gekommener Herrscher, der oft grausam und willkürlich regierte.

U

U, **1.** 21. Buchstabe des Alphabets (Vokal). **2.** chemisches Zeichen für das Element → Uran.

UdSSR, Abkürzung für **U**nion **d**er **S**ozialistischen **S**owjet**r**epubliken, bis 1991 Name der Sowjetunion.

UEFA, Abkürzung für französisch **U**nion **E**uropéenne de **F**ootball **A**ssociation, Europäische Fußball-Union, gegründet 1954 mit Sitz in der Schweiz. Die UEFA veranstaltet die Europameisterschaften für Ländermannschaften (alle 4 Jahre) und die Europapokalwettbewerbe für Vereinsmannschaften.

UFO, Abkürzung für englisch **U**nidentified **F**lying **O**bject, unbekanntes Flugobjekt; auch als »fliegende Untertasse« bezeichnet, da derartige Objekte häufig scheibenförmig aussehen. Vermutungen, dass es Raumfahrzeuge aus fremden Planetensystemen seien, konnten bisher nicht bestätigt werden. Wahrscheinlich handelt es sich dabei um optische Täuschungen, Luftspiegelungen, Sternschnuppen oder Ähnliches.

Ländersteckbrief
Uganda

Fläche:	242 554 km²
Einwohner:	29,9 Millionen = 123 je km²
Hauptstadt:	Kampala
Religion:	Christentum, Naturreligionen
Amtssprache:	Kisuaheli, Englisch
Währung:	Uganda-Shilling

Uganda: Bananenplantage in den Bergen

Uganda, Staat in Ostafrika.

Landesnatur: Uganda nimmt den Norden des Hochbeckens zwischen dem Ost- und dem Zentralafrikanischen Graben ein. Im Osten erhebt sich der Vulkan *Mount Elgon* (4321 m), im Westen das Hochgebirge des Ruwenzori (5110 m). Aus dem *Victoriasee* im Süden durchfließt der *Victorianil* das Land. Das tropische Höhenklima ist gemäßigt warm.

Bevölkerung: Etwa 50% der Bevölkerung bilden 20 Bantustämme; im Norden und Nordosten leben nilotische Hirtenstämme. Rund 66% sind Christen, 5% Muslime, der Rest Anhänger traditioneller Religionen.

Wirtschaft: Die Landwirtschaft liefert für den Export Kaffee (63% der Gesamtausfuhr), Baumwolle, Tee, Sesam und Tabak. Die Binnenfischerei ist sehr ertragreich. An Bodenschätzen finden sich Gold, Kupfer, Wolfram u. a. Die Industrie verarbeitet Agrarprodukte. Internationaler Flughafen des Landes ist Entebbe.

Geschichte: Ende des 19. Jh. errichtete Großbritannien sein Protektorat über die Königreiche *Buganda*, *Bunyoro*, *Ankole* und *Toro* und verband sie zu der neuen Gebietseinheit Uganda. 1962 erhielt Uganda die Unabhängigkeit. 1966 wurde M. *Obote* Staatsoberhaupt, der einen sozialistischen Kurs verfocht. General I. *Amin* stürzte

Genauer betrachtet … Uhren

Armbanduhren entstanden um 1800 und wurden nur von Frauen getragen. Die ersten Armbanduhren für Männer gab die deutsche Admiralität im Jahr 1880 bei der Schweizer Firma Girard-Perregaux in Auftrag. Sie waren nicht als Schmuckstücke gedacht, sondern sollten dem täglichen Gebrauch dienen. Girard-Perregaux versuchte nun, Armbanduhren für Männer auch im Handel zu vertreiben. Die Firma scheiterte jedoch an der Weigerung der Händler, diese in ihr Sortiment aufzunehmen. Armbanduhren für Männer galten noch bis zum Ersten Weltkrieg als »weibisch«. Dieses Vorurteil wurde erst beseitigt, als die Männer während ihres Militärdienstes die Erfahrung machten, dass Armbanduhren wesentlich praktischer und komfortabler sind als Taschenuhren.

Obote 1971 und errichtete eine Terrorherrschaft. 1979 wurde Amin mit tansanischer Hilfe gestürzt. Obote wurde 1980 erneut Staatspräsident. Nach inneren Wirren und einem blutigen Guerillakrieg übernahm 1986 Y. *Museveni* das Präsidentenamt. Ihm gelang eine wirtschaftliche und politische Stabilisierung. Museveni, der 2005 politische Parteien zugelassen hatte, wurde zuletzt 2006 im Amt bestätigt.

Uhren [Pl.], Geräte zur Messung der Zeit. In der Antike gab es Sonnenuhren, Sanduhren und Wasseruhren, mit denen man die Zeit jedoch nicht genau messen konnte. Um 1300 konstruierte man erste mechanische Uhren. Sie wurden mit Gewichten betrieben, die an einem Seil befestigt waren, welches auf einer Rolle aufgewickelt war. Diese Uhren wurden als Turmuhren verwendet. 1510 entwickelte Peter *Henlein* die erste tragbare Uhr, das sogenannte *Nürnberger Ei,* etwa 150 Jahre später wurde die erste Pendeluhr entwickelt. Die Pendeluhr war ein Vorläufer der ersten Armbanduhren. Mechanische Uhren werden von Gewichten (z. B. Kuckucksuhr) oder Federn angetrieben. Die Gangregelung erfolgt durch ein Pendel oder eine Unruh, die Hemmung kann beispielsweise durch einen Anker oder Zylinder erfolgen. In elektrischen Uhren verwendet man z. B. als Schwingungssystem Schwingungen des Quarzes, Atom- oder Molekülschwingungen. Die erste Atomuhr wurde 1948 gebaut. Auch → »Genauer betrachtet«.

Uhu [der] → Eulen (1.).

Ländersteckbrief Ukraine

Fläche:	603 700 km²
Einwohner:	46,0 Millionen = 76 je km²
Hauptstadt:	Kiew
Religion:	ukrainisch-orthodoxe Kirche, russisch-orthodoxe Kirche
Amtssprache:	Ukrainisch
Währung:	1 Griwna = 100 Kopeken

Ukraine, Staat in Osteuropa.

Landesnatur: Die Ukraine ist abgesehen von Russland der flächenmäßig größte Staat Europas. Sie ist ein überwiegend ebenes Land und nur in den Waldkarpaten und im Süden der Krim wirklich gebirgig. Auf das von ausgedehnten Mischwäldern bestandene Sumpfgebiet Polesje im Nordwesten folgen Wald- und trockenere Grassteppe mit fruchtbaren Böden. Das Klima ist gemäßigt kontinental, an der Südküste der Krim subtropisch.

Bevölkerung: Die Bewohner sind zu 78% Ukrainer, daneben gibt es Russen (17%), Weißrussen, Polen u.a. Vorherrschende Glaubensrichtung ist das orthodoxe Christentum.

Wirtschaft: Wichtig ist die intensiv betriebene Landwirtschaft mit Anbau von Getreide, Kartoffeln, Obst, Wein und Tabak; Fleisch- und Milchviehzucht. Die Ukraine besitzt umfangreiche Bodenschätze (Kohle, Eisenerz und Mangan). Die Industrie (Schwer-, chemische, Textil-, Nahrungsmittelindustrie) liefert 38% des Bruttoinlandsprodukts. 45% der Stromerzeugung beruhen auf der Kernenergie. – Dnjepr, Dnjestr und Donez sind wichtige Binnenschifffahrtswege; Hauptseehäfen sind Odessa, Cherson und Sewastopol; ein internationaler Flughafen ist in Kiew.

Geschichte: Die Nord- und Westukraine war vom 9. bis 12. Jh. Kern des *Kiewer Reichs*. Nach dessen Verfall bildete die Westukraine ein selbstständiges Fürstentum *Wolynien-Halitsch*, das nach 1340 überwiegend an Polen fiel. 1386 war die gesamte Ukraine außer dem Steppengebiet Teil des polnisch-litauischen Staats. 1654 kam die Ukraine an Russland. Im 19. Jh. entwickelte sich ein ukrainisches Nationalbewusstsein. 1918 war die Ukraine kurze Zeit selbstständig, dann wurde die Sowjetherrschaft errichtet.

1991 wurde die Ukraine unabhängig und Mitglied der GUS. Die Beziehungen zu Russland blieben bis 1997 wegen unterschiedlicher Auffassungen über den Status der Krim und der Schwarzmeerflotte belastet, dann wurden die Beziehungen der beiden Länder durch einen Grundlagenvertrag geregelt. Als Staatspräsident regierte seit 1994 L. *Kutschma*, der ein autoritäres Regime errichtete. Der von ihm unterstützte W. *Janukowitsch* wurde nach den Präsidentschaftswahlen 2004 zum Sieger erklärt. W. *Juschtschenko*, der Kandidat der Opposition, erhob Manipulations- und Betrugsvorwürfe. Hunderttausende seiner Anhänger protestierten in Kiew (»orangene Revolution«). Das Oberste Gericht erklärte schließlich das Wahlergebnis für ungültig. Die Wiederholung der Wahl konnte W. Juschtschenko zu seinen Gunsten entscheiden. Janukowitsch wurde 2006 Ministerpräsident.

Ukraine: Die Bucht der Halbinsel Krim ist durch die 8 km breite Landenge von Perekop mit dem Festland verbunden.

UKW → Ultrakurzwellen.

Ulan Bator, Hauptstadt der Mongolei, am Toola, 760 000 Einwohner.

Ulbricht, Walter, *1893, †1973; deutscher Politiker. Er war 1946 führend beteiligt an der Gründung der SED, seit 1950 Parteichef und 1960–1973 auch Vorsitzender des Staatsrats der ehemaligen DDR. Als Parteichef wurde er 1971 von Erich *Honecker* mit sowjetischer Hilfe gestürzt.

Ulmen [Pl.], *Rüster,* Bäume und Sträucher, bei denen nicht nur die Blüten, sondern sogar die Früchte vor dem Laubaustrieb erscheinen. Ulmen haben ungleichhälftige Blätter.

Ultimatum [das], die letzte Aufforderung, bis zu einer festgelegten Frist bestimmte Bedingungen zu erfüllen. Ein Ultimatum war früher meist mit einer Kriegsandrohung verbunden.

Ultrakurzwellen [Pl.], Abkürzung UKW, elektromagnetische Wellen mit einer Wellenlänge unter 10 m. Ultrakurzwellen werden u.a. zur Übertragung von Rundfunk- und Fernsehsendungen sowie für Radargeräte verwendet.

Ultraschall [der], Luftschwingungen oberhalb der Hörgrenze des menschlichen Ohres (über 20000 Hertz). Einige Tiere können Ultraschall auch hören. Fledermäuse können z.B. selbst Ultraschall erzeugen und orientieren sich mit Hilfe des Echos, das von Gegenständen reflektiert wird. Ultraschall wird zur Prüfung von Werkstücken, zum Durchmischen von Lösungen und immer häufiger in verschiedenen Bereichen der Medizin als Untersuchungsmethode eingesetzt, etwa zur Untersuchung des Bauchraums oder zur Überwachung des heranwachsenden Kindes in der Schwangerschaft. Auch hier erzeugen Ultraschallwellen je nach der Struktur des untersuchten Organs ein Echo, das auf einem Bildschirm sichtbar gemacht wird. Die Methode ist einfach und ohne Nebenwirkungen durchzuführen.

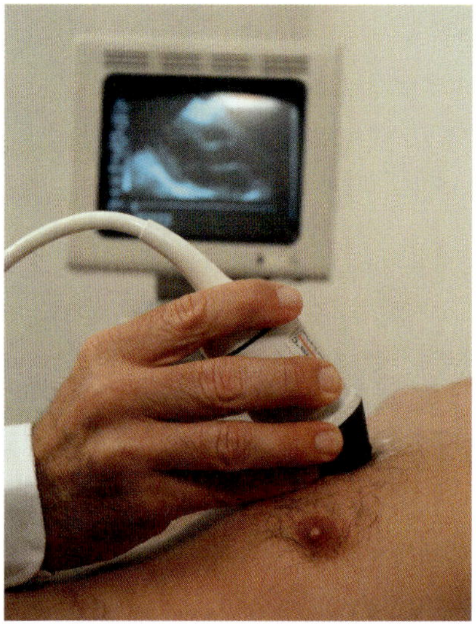

Ultraschall: Ein Patient wird am Herzen untersucht.

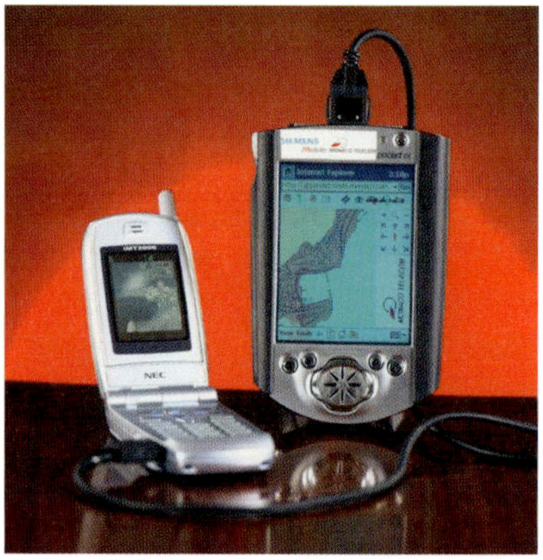

UMTS ermöglicht, mit Mobilfunkgeräten multimediale Dienste wie z. B. Routenplaner zu nutzen.

Ultraviolett [das], Abkürzung UV, elektromagnetische Wellen mit Wellenlängen zwischen rund 10 und 400 nm (Nanometer = milliardstel Meter). Es sind unsichtbare, dem kurzwelligen violetten Licht des sichtbaren Spektrums benachbarte Strahlen, die sich bis zu den Röntgenstrahlen erstrecken. Ultraviolettes Licht wird meist mit der Quarzlampe erzeugt. Es fördert die Pigmentbildung in der Haut. Die übermäßige Einwirkung von UV-Strahlen auf die Haut durch intensives Sonnenbaden kann zum Sonnenbrand und als Spätfolge auch zu Hautkrebs führen.

Umlaut [der], in der deutschen Sprache die Wandlung der Vokale a zu ä, o zu ö und u zu ü, Beispiele: Arzt–Ärztin, Hof–Höfe, Nutzen–nützlich.

Umsatz [der], bei Unternehmen der Gesamtwert der verkauften Waren innerhalb eines bestimmten Zeitraums.

UMTS [juː em tiː es, das], Abkürzung für **U**niversal **M**obile **T**elecommunications **S**ystem, eine neue Technologie im Mobilfunk, die auch Multimedia-Dienste und einen schnellen Internet-Zugang ermöglichen soll. UMTS soll Datenübertragungsraten von bis zu 2 Megabit pro Sekunde ermöglichen, das ist rund 30-mal schneller als die ISDN-Technik mit ihren 64 Kilobit pro Sekunde. Diese neue Technologie wird heute weltweit von jedem UMTS-Mobilfunkgerät genutzt werden können. Die Markteinführung in Deutschland begann im Jahr 2004.

Umstandswort [das] → Adverb.

Was ist …
Umweltschutz

Unter Umweltschutz werden alle Bemühungen verstanden, die der Bewahrung unserer Lebensgrundlagen dienen. Dazu gehört v.a. der Schutz von Wasser, Boden und Luft vor Umweltgiften und Ausbeutung sowie der Schutz der Pflanzen- und Tierwelt vor Zerstörung. Denn wir leben in einer Umwelt, von der wir in hohem Maße abhängig sind. Wir brauchen saubere Luft zum Atmen, reines Wasser zum Trinken und unbelastete Nahrungsmittel zum Essen. Neben diesen Grundbedürfnissen sind wir heutzutage auch auf ausreichend vorhandene Rohstoffe angewiesen.

Mensch und Umwelt in Gefahr: Der hohe Lebensstandard macht unser Leben leicht und angenehm. Die Industrialisierung, der zunehmende Verkehr und das Wachstum der Bevölkerung in vielen Teilen der Erde haben aber zu einer sehr großen Belastung der Umwelt durch Schadstoffe geführt. Autos, Fabriken, Heizungen und Kraftwerke blasen sehr viel klimaschädliches Kohlendioxid und andere schädliche Stoffe, die bei der Verbrennung von Öl, Kohle oder Gas und der Fabrikation von Kunststoffen, Metallen oder Chemikalien frei werden, in die Luft. Kohlendioxid wirkt dabei als Treibhausgas, das zu einer langfristigen Erwärmung der Erde beiträgt mit bisher noch unabsehbaren Folgen. Treibgase bzw. Kältemittel (Fluorchlorkohlenwasserstoffe oder FCKW), die jahrzehntelang in Spraydosen und Kühlgeräten verwendet wurden, haben zu einem Abbau der Ozonschicht geführt, die die krebsauslösende Ultraviolettstrahlung der Sonne filtert. Zwar ist die Herstellung dieser Substanzen inzwischen nahezu weltweit verboten, aber sie sind so langlebig, dass es wohl noch Jahrzehnte dauern wird, bis sich die Ozonschicht wieder erholt haben wird.

Abwässer aus den Haushalten und der Industrie verdrecken die Bäche und Flüsse und schließlich auch die Meere. Die Folge sind z.B. Fischsterben und die Gefährdung des Trinkwassers. Der Boden wird durch *sauren Regen*, Öl und Gifte belastet. Hierunter leiden zuerst die Pflanzen; so ist die Bodenversauerung ein Grund für das Waldsterben. Da auch häufig Äcker mit Schadstoffen belastet sind, trifft es den Menschen unmittelbar, wenn die Feldfrüchte ebenfalls diese Substanzen enthalten.

Auch der Lärm von Autos, Flugzeugen und Fabriken zählt zu den Umweltschädigungen. Gerade in den Städten ist der Geräuschpegel so hoch geworden, dass viele Menschen nicht mehr richtig schlafen können. Müdigkeit, Nervosität, Gereiztheit und Krankheit sind die Folge. Ebenfalls sehr problematisch ist die Ausbeutung der Rohstoffe. Ihre natürlichen Vorkommen werden immer geringer,

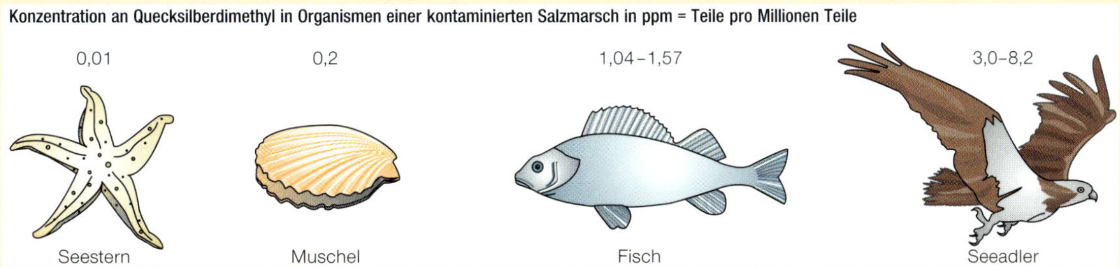

Schadstoffe, die in die Umwelt gelangen, können sich in Lebewesen anreichern und sie schädigen. In welchem Umfang dies geschieht, ist von Faktoren wie Stabilität und Löslichkeit des Schadstoffs sowie von der Stellung des Lebewesens in der Nahrungskette abhängig; die höchsten Konzentrationen finden sich im Endverbraucher wie hier dem Seeadler.

während auf der anderen Seite die Müllberge wachsen, weil nach dem Gebrauch einfach alles weggeworfen wird.

Die Natur wird nicht nur durch Schadstoffe belastet; durch die Zerstörung von Lebensräumen und die Zerschneidung von Wäldern und anderen Landschaften durch Straßen, Siedlungen und Fabriken werden Naturgefüge gestört und Arten ausgerottet. Der Mensch bekommt dies zu spüren, wenn in einem Ökosystem die Selbstregulation verloren geht. So werden Schädlinge nicht mehr durch ihre eigenen natürlichen Feinde in Schach gehalten und können gefährlich überhandnehmen.

Umweltschutzmaßnahmen: Die beschriebenen Gefahren für die Umwelt machen Maßnahmen zu ihrem Schutz notwendig. So engagieren sich viele Menschen in der Freizeit für den Umweltschutz. Mittlerweile haben auch alle politischen Parteien bei uns die Bedeutung des Umweltschutzes erkannt und Umweltschutz ist ein Teil der Regierungsarbeit. Zahlreiche Gesetze wurden erlassen, um die Schadstoffe in der Luft zu verringern, die Flüsse nicht mehr so stark zu belasten, Lärm zu mindern und den Boden zu schützen. Fabriken müssen bei uns ihre Schornsteine mit Filteranlagen ausrüsten; Autos haben Abgaskatalysatoren, die einen Teil der ausgestoßenen Schadstoffe zerstören; in Waschmitteln sind nicht mehr so viele wassergefährdende Substanzen wie früher; Kläranlagen entlasten die Flüsse; ein Teil des Mülls wird wieder verwertet, so dass weniger Rohstoffe verbraucht werden müssen. Zum Schutz von Tieren und Pflanzen sorgen Naturschützer mit Hilfe von staatlichen Maßnahmen für den Erhalt von Lebensräumen und Arten.

So viel auch schon getan worden ist, sind doch immer noch viele Probleme ungelöst. Noch immer werden große Mengen Schadstoffe in die Luft geblasen, wird zu viel Müll produziert, zu viel Natur zerstört. Auch der Lärm in den Städten ist nicht geringer geworden. In der Zukunft müssen die Anstrengungen noch weiter gehen als bisher.

Jeder kann etwas tun: Umweltschutz kann nicht allein dem Staat oder den Umweltschützern überlassen werden; jeder Einzelne kann seinen Beitrag leisten. Es beginnt damit, dass man keine aufwändig verpackten Sachen kauft, sondern z. B. Pfandflaschen statt Getränkedosen. Auch der Weg zum Biobauern, der auf Kunstdünger und Pestizide verzichtet, ist ein Beitrag zum Umweltschutz. In der freien Natur kann man sich umweltbewusst verhalten, indem man nicht überall hingeht, sondern gerade einsame und geschützte Lebensräume mit ihren Tieren und Pflanzen in Ruhe lässt. Spaß machen kann Umweltschutz durch Mitarbeit in einer Umweltschutzgruppe für Kinder oder Jugendliche, die es in vielen Orten gibt. Z. B. gibt es Gruppen von Greenpeace, BUNDjugend oder Naturschutzjugend in fast jeder größeren Stadt.

Aus Umweltschutzgründen muss Elektroschrott gesondert entsorgt werden.

Unbewusstes, die Gesamtheit der Erfahrungen, Bedürfnisse, Vorgänge usw., die dem Menschen nicht bewusst sind. Dazu gehören auch frühere, oft unangenehme Erlebnisse, die dem Bewusstsein ferngehalten werden *(Verdrängung)*. Diese sind aber nicht gelöscht und damit wirkungslos, sondern können weiterhin das Verhalten des Menschen beeinflussen. Um sie wieder »bewusst« zu machen, werden Techniken der Psychoanalyse angewandt. Der Begriff des Unbewussten in dieser Bedeutung wurde maßgeblich von Sigmund *Freud* geprägt.

unendlich, Zeichen ∞, Bezeichnung für Mengen mit unbegrenzter Anzahl von Elementen, z. B. die Menge aller Primzahlen.

UNESCO, Abkürzung für englisch **U**nited **N**ations **E**ducational, **S**cientific and **C**ultural **O**rganization, eine Sonderorganisation der *Vereinten Nationen* zur Förderung der internationalen Zusammenarbeit auf den Gebieten der Erziehung, Wissenschaft und Kultur mit Sitz in Paris.

Unfruchtbarkeit [die], bei der Frau Unvermögen zu empfangen, beim Mann Zeugungsunfähigkeit.

Ungarn: In den Weinbergen um die Stadt Tokaj werden die Reben für den Tokajer, den berühmten Süßwein, angebaut.

Ländersteckbrief
Ungarn

Fläche:	93 029 km²
Einwohner:	10,1 Millionen = 108 je km²
Hauptstadt:	Budapest
Religion:	römisch-katholische Kirche, protestantische Kirchen
Amtssprache:	Ungarisch
Währung:	1 Forint = 100 Filler

Ungarn, Staat in Mitteleuropa.

Landesnatur: Ungarn liegt im Bereich des allseitig von Gebirgen (Alpen, Dinariden, Karpaten) umgebenen großen *Pannonischen Beckens*. Die Donau gliedert es in *Transdanubien* im Westen und das *Alföld* im Osten. Das Klima ist gemäßigt kontinental mit sehr warmen Sommern und kalten Wintern. Die Niederschläge nehmen nach Osten ab. Auf den Lößböden des Alfölds dehnt sich die baumlose Steppe der Puszta aus. Der Waldanteil beträgt 19% der Gesamtfläche.

Bevölkerung: Die zum größten Teil katholische Bevölkerung besteht hauptsächlich aus Magyaren (97%); daneben gibt es Roma, Deutsche, Kroaten u. a. 35% der Einwohner leben auf dem Land, rund 20% in Budapest.

Wirtschaft: Grundlage der Landwirtschaft ist der Anbau von Weizen, Kartoffeln, Roggen, Mais, Hafer,

Zuckerrüben, Tabak, Gemüse, Ölpflanzen, Obst und Wein sowie die Viehzucht. An Bodenschätzen finden sich Kohle, Kupfer, Eisen, Mangan, Bauxit, Erdöl und Erdgas. In der Industrie, die rund 34% der Erwerbstätigen beschäftigt, herrschen der Maschinen- und Fahrzeugbau, die Nahrungsmittel-, Hütten-, Zement- und chemische Industrie vor. Der Tourismus ist von wachsender Bedeutung. Das Verkehrsnetz ist auf Budapest konzentriert. Budapest verfügt über einen internationalen Flughafen.

Geschichte: Die ursprünglich aus dem Ural stammenden Ungarn wanderten unter ihrem Stammesfürsten *Arpád* 895/896 in das Land ein. *Stephan (István) I.*, der *Heilige*, erhielt 1000 vom Papst die Königskrone. 1241 verheerten die Mongolen das Land. In der Folgezeit wechselten die herrschenden Dynastien. In der für Ungarn vernichtenden Türkenschlacht bei *Mohács* (1526) fiel König *Ludwig II.* Ungarn verlor seine Unabhängigkeit: ein Teil fiel an die Türken, ein anderer Teil an die Habsburger. Nach der Befreiung von der Türkenherrschaft 1683–1699 wurde ganz Ungarn habsburgisches Kronland. 1848 erklärte es sich unter L. *Kossuth* für unabhängig, doch wurde die Erhebung mit russischer Hilfe von Kaiser *Franz Joseph* niedergeschlagen. Ungarn bekam als Teil der Doppelmonarchie *Österreich-Ungarn* 1867 eine Verfassung mit weitgehender Autonomie. Nach dem Ersten Weltkrieg wurde Ungarn unabhängig, verlor jedoch zwei Drittel seines Gebietes. Nach der Niederwerfung einer kurzlebigen Räterepublik regierte 1920 bis 1944 M. *Horthy* autoritär als Reichsverweser. Im Zweiten Weltkrieg war Ungarn mit Deutschland verbündet. Nach dem Krieg wurde es kommunistische Volksrepublik. 1956 brach in Budapest ein Aufstand aus, der zum Sturz des kommunistischen Regimes führte. Sowjetische Truppen schlugen die Erhebung nieder. Ministerpräsident I. *Nagy* wurde hingerichtet. J. *Kádár* führte Ungarn ins sowjetische Lager zurück. 1987 setzte ein stürmischer Reformprozess ein. 1989 baute Ungarn die Grenzanlagen zu Österreich ab und ließ DDR-Bürger ausreisen. Im selben Jahr wurde die demokratische »Ungarische Republik« proklamiert. 1999 trat Ungarn der NATO und 2004 der EU bei. Ministerpräsident ist seit 2004 F. *Gyurcsány*. 2005 wurde L. *Sólyom* zum Staatspräsidenten gewählt.

Ungleichung, Aussageform, die zwei (oder mehrere) Größen über die *»ist kleiner als«*- bzw. *»ist größer als«*-Beziehung verbindet: z. B. $3 < 7$ bzw. $4 > 3$.

UNICEF, Abkürzung für englisch **U**nited **N**ations **I**nternational **C**hildren's **E**mergency **F**und, Weltkinderhilfswerk der *Vereinten Nationen,* Hilfsorganisation für Kinder aller Nationen.

Union [die], Vereinigung, Staatenbund.

Universität [die, lat. universitas, »Gesamtheit« (der Lehrenden und Lernenden)], eine Hochschule mit der Aufgabe, die Gesamtheit der Wissenschaften in Lehre und Forschung zu pflegen. Bereits im Altertum gab es Vorläufer der Universität, vor allem in Griechenland. Die Universitäten, die im 13./14. Jh. in Italien (Bologna), Frankreich (Sorbonne in Paris) und im Deutschen Reich (Prag, Wien, Heidelberg) entstanden, dienten zunächst nur der Ausbildung von Geistlichen, Rechtsgelehrten und Ärzten. Im 18. Jh. konnten sich die philosophischen und noch später die naturwissen-

Universität: In Hörsälen wie diesem werden Vorträge und Seminare abgehalten.

Unken: Die Gelbbauchunke zeigt bei Gefahr ihre auffällige Bauchseite. Das grelle Farbmuster signalisiert Feinden die giftigen Ausscheidungen ihrer Hautdrüsen und schreckt sie ab.

schaftlichen Fakultäten durchsetzen. Seit Wilhelm von *Humboldt* versteht sich die Universität als Stätte, an der die Freiheit von Forschung und Lehre verwirklicht wird. Die Universität ist in Fachbereiche (Fakultäten) gegliedert. Die Ausbildung der Studierenden besteht vor allem aus Vorträgen (Vorlesungen) und Übungen (Seminaren).

Universum [das], das → Weltall.

Unken [Pl.], eine Gattung der Froschlurche, deren Arten in weiten Teilen Europas *(Gelbbauchunke)* und bis zum Ural vertreten sind *(Rotbauchunke)*. Diese Tiere bevorzugen kleine stehende, saubere sowie gut durchgewärmte Gewässer. Da diese jedoch überall immer seltener werden, steht die Rotbauchunke bei uns heute auf der roten Liste der vom Aussterben bedrohten Tiere, und auch die Gelbbauchunke gehört zu den gefährdeten Tieren.

UNO → Vereinte Nationen.

Unpaarhufer [Pl.], eine Ordnung der Huftiere, die die Familien mit ungerader Zehenzahl umfasst. Die Unpaarigkeit der Zehen ist im Laufe der stammesgeschichtlichen Entwicklung dadurch entstanden, dass sich die äußeren Zehen zurückgebildet haben. So ist z. B. beim Pferd nur noch die mittlere Zehe funktionstüchtig (Einhufer), während es beim Nashorn noch die mittleren drei sind. Zu den Unpaarhufern gehören *Nashörner, Tapire* und *Pferde*.

Unplugged ['ʌnplʌgd, englisch, »den Stecker herausgezogen«], eine musikalische Spielweise mit akustischen Instrumenten und minimaler technischer Ausrüstung.

Unterernährung [die], ein Zustand, der durch Nahrungsmangel und damit auch Mangel an vielen Nährstoffen über einen längeren Zeitraum hervorgerufen wird. Das kann besonders während der körperlichen Entwicklung zu dauerhaften Schäden führen. Unterernährung ist für die Ernährungslage eines großen Teils der Erdbevölkerung kennzeichnend.

Untergrundbahn [die], Kurzwort U-Bahn; in Großstädten ein Verkehrsmittel mit elektrischem Antrieb, meist unterirdisch in Tunnelbauten geführt, in Außenbezirken auch als Hochbahn oder zu ebener Erde weitergeführt. → Auch »Genauer betrachtet«.

Unterhaltspflicht [die], die Verpflichtung, einer anderen Person Unterhalt zu gewähren, wenn diese

Genauer betrachtet … Untergrundbahn

Am 10. Januar 1863 nahm die North Metropolitain Railway Co. in London die erste Untergrundbahn-Anlage der Welt in Betrieb. Die 6 km lange Strecke verlief zwischen Paddington und der Farrington Street. Sie hatte 7 Haltestellen und konnte in 33 Minuten bewältigt werden. Am Eröffnungstag wurden rund 30 000 Passagiere befördert. 6 Züge mit je 4 Waggons fuhren in Abständen von 15 Minuten und legten die Strecke 120-mal in beiden Richtungen zurück. In Deutschland begann der U-Bahn-Betrieb 1902 in Berlin und 1912 in Hamburg.

nicht für sich selber sorgen kann (z. B. Kinder). Die Unterhaltspflicht besteht in Deutschland nur zwischen Verwandten in gerader Linie und Ehegatten.

Unterhaus [das], im britischen Parlament die zweite Kammer (House of Commons), die eigentliche Volksvertretung. Sie ist mit dem Deutschen Bundestag vergleichbar. Präsident des Unterhauses ist der *Speaker.*

Unterschlagung [die], die rechtswidrige Aneignung fremder Gelder oder Sachen, die der Täter bereits in Gewahrsam hat (im Gegensatz zum Diebstahl), z. B. Geld, das jemand verwaltet.

Unterseeboot [das], Kurzwort U-Boot, ein für Über- und Unterwasserfahrt geeignetes Tauchboot. Es ist in erster Linie für den militärischen Einsatz bestimmt. Das U-Boot wird durch Diesel- oder Elektromotoren angetrieben, seit 1955 auch durch Atomkraft. Seine Hauptwaffen sind Torpedos und Raketen. Siehe auch → ZEIT-Beitrag »U-Boote: Unterwegs unter dem Meer«, Seite 118–121.

Unterwalden, ein Kanton in der Schweiz, der sich in *Obwalden* mit der Hauptstadt Sarnen und *Nidwalden* mit der Hauptstadt Stans gliedert. Unterwalden gehört zu den drei Urkantonen und ist überwiegend deutschsprachig.

Unterwelt [die], in der griechischen Sagenwelt die von *Hades (Pluto)* beherrschte Welt der Verstorbenen, die von dem Höllenhund *Zerberus* bewacht wird. Die

Ural: An der geographischen Grenze zwischen Europa und Asien fließt der Ural durch die gleichnamige Gebirgslandschaft.

Uranus mit fünf seiner großen Monde; Fotomontage nach Aufnahmen der Raumsonde Voyager 2

Unterwelt war geteilt in *Elysium,* den Ort der Seligen, und *Tartarus,* den Strafort der Verdammten.

UN, *UNO,* Abkürzung für **U**nited **N**ations (**O**rganization), → Vereinte Nationen.

Update ['ʌpdɛit], neue, überarbeitete Version oder Ausgabe eines EDV-Programms oder eines Produkts.

Updike ['ʌpdaik], John (Hoyer), * 1932; US-amerikanischer Schriftsteller. Er schreibt satirisch-gesellschaftskritische Romane mit differenzierten Charakterdarstellungen. Großen Erfolg hatte er mit seinen »Rabbit«-Romanen und mit dem Roman »Die Hexen von Eastwick«, der auch verfilmt wurde.

Upgrade ['ʌpgrɛid, das, engl., »Steigerung«], die verbesserte, leistungsfähigere Version eines Produkts, besonders eines Computerprogramms.

Ur [der] → Auerochse.

Ural [der], ein Gebirge in Russland, das Europa von Asien trennt und sich in einer Länge von über 2000 km am 60. Längengrad entlangzieht. Die höchste Erhebung ist der *Gora Narodnaja* mit 1894 m. Im südlichen Ural entspringt ein Fluss mit dem Namen Ural. Er ist 2428 km lang und mündet ins Kaspische Meer.

Uran [das], ein chemisches Element mit dem Zeichen U. Uran ist ein silberweißes, radioaktives Schwermetall. Es wird in großen Mengen zur Gewinnung von

Brennstoffen für Kernreaktoren und zur Herstellung von Atomwaffen benutzt.

Uranus [der], Planet unseres → Sonnensystems. Er wird von mindestens 27 Monden umkreist. Im Fernrohr ist er nur als grünes Scheibchen zu erkennen.

Urban II., eigentlich *Odo von Châtillon* oder *Lagery*, *um 1035, † 1099. Er war Papst von 1088 bis 1099. Die Kreuzzugsbewegung wurde von ihm eingeleitet.

Urbanisation [die, lat. urbs, »Stadt«], die Zunahme städtischer Siedlungen sowie die Ausbreitung der städtischen Besiedlung in ländliche Gegenden.

Urheberrecht [das; engl. Copyright, »Vervielfältigungsrecht«], der gesetzlich geregelte Schutz geistiger Werke, der den Urhebern die ausschließlichen Verwertungsrechte gibt. Sie allein haben das Recht, ihr Werk zu verbreiten, zu vervielfältigen, aufzuführen oder zu senden. Sie können aber anderen die Rechte zur Vervielfältigung und Verbreitung übertragen, z. B. Verlegern. Durch das Urheberrecht geschützt sind Werke der Literatur, Wissenschaft und Kunst. Es ist vererbbar und erlischt erst 70 Jahre nach dem Tod der Urheber.

Uri, ein Kanton in der Schweiz, der Hauptort ist *Altdorf*.

Urin [der] → Harn.

Uruguay: Stadtzentrum von Montevideo

URL, Abkürzung für engl. **u**niform **r**esource **l**ocator. Adresse, durch die ein Dokument im → Internet eindeutig gekennzeichnet ist.

Urne [die], **1.** ein bauchiges Gefäß zur Aufnahme der Asche nach der Leichenverbrennung. Urnen sind in Europa seit dem 4. Jahrtausend v. Chr. in Gebrauch. **2.** Behälter für Stimmzettel bei Wahlen.

Urtiere [Pl.], *Einzeller,* mikroskopisch kleine Tiere, die aus dem Zellkörper (Protoplasma) und einem oder mehreren Kernen bestehen. Sie leben meist im Wasser. Ein Urtier ist z. B. das Wimpertierchen.

Ländersteckbrief
Uruguay

Fläche:	176 215 km^2
Einwohner:	3,5 Millionen = 20 je km^2
Hauptstadt:	Montevideo
Religion:	römisch-katholische Kirche
Amtssprache:	Spanisch
Währung:	1 Uruguayischer Peso = 100 Centésimos

Uruguay, Staat in Südamerika.

Landesnatur: Grassteppen bedecken den völlig ebenen Süden und den größten Teil des Hügellandes im Norden. Alle Flüsse münden in den Río Uruguay, den Grenzfluss zu Argentinien. Das Klima ist subtropisch

Fortsetzung → Seite 122

Wie ein Wal taucht dieses japanische U-Boot bei einer Flottenparade aus dem Wasser auf

U-Boote

Unterwegs unter dem Meer

Von Frank Behling

Lautlos und unentdeckt unter Wasser dahinzugleiten, das war schon immer ein Menschheitstraum. Der Bau von U-Booten beschäftigt Ingenieure und Schriftsteller seit mehr als zweihundert Jahren. Auch Jules Verne faszinierte diese Idee, als er 1869 seinen Roman *20 000 Meilen unter dem Meer* schrieb. Damals waren gerade die ersten U-Boote aus Holz entstanden. In Kiel hatte der bayerische Unteroffizier Wilhelm Bauer 1850 den »Brandtaucher« als erstes deutsches Unterseeboot gebaut. In den USA war sogar schon 1801 ein erstes U-Boot auf Tauchfahrt gegangen: die *Nautilus*, entwickelt von dem amerikanischen Ingenieur Robert Fulton. *Nautilus* taufte auch Jules Verne das U-Boot in seinem Roman. Durch große Fenster ließ der Autor seine U-Boot-Fahrer Seeungeheuern direkt ins Auge blicken. Die Ideen und Träume von Jules Verne sind heute Wirklichkeit.

Ein Leben unter Druck

Mit einer Ausnahme: Von einem Fenster müssen U-Boot-Fahrer heute immer noch träumen – es sei denn, sie steuern ein Forschungs-U-Boot, wie es Meeresbiologen benutzen. Marine-U-Boote dagegen bieten keine Aussicht auf die Unterwasserwelt. Denn jedes Fenster wäre eine Schwachstelle im U-Boot-Rumpf – dem sogenannten Druckkörper. Dieser muss sehr stabil sein und hat nur wenige

Öffnungen für Propeller, Tiefenruder, Turmluk und das Sehrohr. Letzteres ist für U-Boot-Fahrer die Sichtverbindung zur Außenwelt. Das Sehrohr ist etwa 16 bis 20 Meter lang und oben und unten mit speziell geschliffenen Gläsern und Prismen ausgestattet. Über sie wird der Blick des menschlichen Auges so gelenkt und gespiegelt, dass der Kommandant von der Tauchstation einen Blick über die Wasseroberfläche werfen kann.

Augen und Ohren des U-Bootes

Wenn U-Boote hingegen durch die Tiefen der Ozeane fahren, verlassen sie sich nur auf ihr »Gehör« und ihre »Augen« – Sonargeräte. Diese senden Schallsignale, die von Hindernissen unter Wasser zurückgeworfen werden. Computer nutzen die von Felsen, Schiffen oder anderen U-Booten zurückgeworfenen Echos für die Berechnung der Position. So kann der Kommandant auch unter Wasser auf der Seekarte sofort die Position genau bestimmen. Die »Ohren« des U-Boots sind sogenannte Hydrophone, Unterwassermikrofone. Mit ihnen lassen sich Geräusche auch auf große Entfernung orten.

Auf See sind U-Boote meist völlig allein unterwegs. Früher, im Krieg, hatten sie die Aufgabe, Schiffe zu versenken. Heute ist das nicht mehr so. Die meisten U-Boote überwachen Seewege und beobachten Schiffe, Torpedos kommen dabei kaum noch zum Einsatz. Der Abschuss eines Torpedos würde ja auch die Existenz des U-Bootes verraten. Bei ihren Einsätzen bewegen sich U-Boote meist in einer Tiefe zwischen 30 und 300 Metern. In dieser Tiefe fühlen sich U-Boot-Fahrer besonders wohl, weil die Boote hier schwer zu orten sind. Schutz vor Entdeckung bieten unter anderem die unterschiedlichen Temperaturen und Salzgehalte in den verschiedenen Wasserschichten des Ozeans: Durch diese Schichtung können die Schallwellen, die Schiffe auf der Jagd nach U-Booten aussenden, abgelenkt werden.

Der Rumpf eines U-Bootes besteht aus bis zu 20 Millimeter dickem Stahl und widersteht dem Wasserdruck, der in der Tiefe sehr groß ist. Am Rumpf sind Tanks angeschweißt. Sie heißen Tauchzellen und können mit Wasser oder mit Luft gefüllt werden. Füllt man Wasser hinein, wird das Boot schwerer und sinkt. Drückt man mit Pressluft das Wasser wieder aus den Zellen hinaus, steigt das U-Boot. Oft machen nur wenige Liter Wasser den Unterschied zwischen Auftrieb und Sinken aus. Beschleunigt wird das Auf- und Abtauchen durch Tiefenruder, die wie Flossen am Rumpf befestigt sind und sich verstellen lassen – die U-Boot-Bauer

Obermaat René Maaz bereitet in seiner Mini-Kombüse fünf Mahlzeiten am Tag für die U-Boot-Fahrer zu

haben die Idee für diese Flossen Delfinen und Flugzeugen abgeschaut.

Die ersten U-Boote konnten nur wenige Stunden unter Wasser bleiben. Die Dauer der Tauchfahrt wurde von der Größe des Innenraums eines U-Bootes bestimmt. War der Sauerstoff an Bord verbraucht, musste man wieder auftauchen.

Wochenlang unter Wasser

In den vierziger und fünfziger Jahren des vorigen Jahrhunderts wurden dann Boote gebaut, die nur noch einmal am Tag an die Wasseroberfläche zu kommen brauchten. Heute können U-Boote sogar wochenlang unter Wasser fahren. Der Sauerstoff für die Besatzung wird dabei von speziellen Maschinen aufbereitet.

Angetrieben werden U-Boote seit rund 100 Jahren ausschließlich durch Elektromotoren. Sie brauchen keinen Sauerstoff für die Verbrennung von Kraftstoff und produzieren deshalb auch keine Abgase. Wenn ein U-Boot unter Wasser nämlich etwas nicht brauchen kann, dann sind es Abgase. Woher aber kommt der Strom für die Elektromotoren? Die meisten U-Boote produzieren ihn, wenn sie auftauchen: Dann werfen sie ihre Dieselmotoren an, die über große Dynamos Strom erzeugen und Batterien aufladen. Diese Battieren speichern die elektrische Energie, die für den Antrieb des Fahrmotors gebraucht wird.

Die große Mehrheit der 400 U-Boote auf der Welt wird mit einer solchen Kombination aus Diesel- und Elektromotoren angetrieben. Länder wie China, Großbritannien, Frankreich, Russland und die USA lassen ihre U-Boote stattdessen von Atomreaktoren mit Strom versorgen. Ein teures und gefährliches Verfahren! Zahlreiche Länder setzen daher mittlerweile auf einen neu entwickelten Brennstoffzellen-Antrieb. Dieser in Deutschland erfundene U-Boot-Antrieb nutzt Wasserstoff und Sauerstoff zur Stromerzeugung. Und wie ein Atomreaktor ermöglicht er es einem U-Boot, zur Not auch wochenlang unter Wasser zu bleiben. Die zehn deutschen U-Boote sind alle in Eckernförde (Schleswig-Holstein) beheimatet. Vier von ihnen benutzen heute schon die moderne Brennstoffzellen-Technik.

Doch bei aller Modernisierung ist ein Problem geblieben: Der Platz ist auf einem 60 bis 110 Me-

Der Dienst auf U-Booten ist hart, der Platz begrenzt: Manche Seeleute müssen sogar ihre Kojen abwechselnd zum Schlafen benutzen

Kiel ist eine Hochburg des U-Boot-Baus in Deutschland

ter langen U-Boot knapp. Den Proviant muss die Crew im ganzen Boot verteilen, genauso Ersatzteile und die Ausrüstung der Besatzung. Persönliche Dinge dürfen nur selten mitgenommen werden.

Schnitzel, Suppen, Rollbraten

Einige Besatzungsmitglieder teilen sich sogar Kojen, wie die Betten an Bord genannt werden. Während ein Seemann Dienst hat, schläft der andere. Jedes Besatzungsmitglied hat an Bord eine spezielle Aufgabe. Es gibt bei der Deutschen Marine zurzeit noch U-Boote, in denen nur der Kommandant und einige Offiziere eine eigene Koje zum Schlafen haben. Die kleinen U-Boote haben heute 25 bis 50 Besatzungsmitglieder. Die großen Atom-U-Boote der USA und Russlands haben sogar bis zu 160 Seeleute an Bord.

Früher mussten U-Boot-Fahrer dabei oft mit karger Kost auskommen. Rohkost oder gesalzenes Pökelfleisch fanden sich im mageren Angebot. Heute sieht das ganz anders aus. »Ich kann hier fast alles kochen«, sagt René Maaz. Der Obermaat aus Bayern ist auf *U 31,* dem modernsten U-Boot der deutschen Marine, für den Speisezettel zuständig. Schnitzel, Suppen oder Rollbraten kann er in seiner Kombüse zubereiten. Zwei Quadratmeter Arbeitsfläche sind umgeben von Kühlschrank, Elektroherd, Backofen, Spüle und Arbeitsplatte.

Vier bis fünf Mahlzeiten serviert der 26 Jahre alte René Maaz an Bord. Dabei verbraucht die 30-köpfige Crew von *U 31* bis zu 60 Kilogramm Fleisch in der Woche. Die Abfälle werden an Bord gesammelt und im Hafen entsorgt. Damit es beim Braten nicht im ganzen U-Boot stinkt, hat René Maaz auch eine Dunstabzugshaube. Im Laufe der vergangenen Jahre haben sich die U-Boote so immer mehr zu kompletten Unterwasserschiffen entwickelt. Fast wie in Jules Vernes Roman.

und mäßig feucht. Die Durchschnittstemperaturen liegen zwischen 10,5° C im Juli und 22,5° C im Januar.

Bevölkerung: Abgesehen von 8% Mestizen und Mulatten ist die meist katholische Bevölkerung europäischer (vorwiegend spanischer und italienischer) Herkunft.

Wirtschaft: Die Viehzucht (v.a. Schafe und Rinder) liefert Wolle, Häute, Felle, Leder und Fleisch für den Export. Der Ackerbau erbringt besonders bei Reis und Ölfrüchten Exportüberschüsse. Die Fischerei ist bedeutend. In der Industrie überwiegen Nahrungsmittel-, Leder- und Textilindustrie; eingeführte Halbfertigwaren verarbeitet die Metallwaren- und Elektroindustrie. 95% des Außenhandels werden über den Seehafen Montevideo abgewickelt.

Geschichte: Uruguay wurde 1516 von Spanien in Besitz genommen. 1776 wurde es dem Vizekönigreich *Río de la Plata* angegliedert. 1810 begann der Unabhängigkeitskampf unter der Führung von J. G. *Artigas*. 1817 besetzte Brasilien das Land, 1828 wurde es endgültig unabhängig. Im 19. Jh. verursachten ständige Kämpfe zwischen den politischen Gruppen (*Colorados* und *Blancos*) Bürgerkriege und Anarchie. Erst zur Jahrhundertwende stabilisierte sich Uruguay. Die Verfassung auf der Grundlage eines Kollegialsystems (ohne Präsidentenamt) sorgte in den 1950er Jahren für innere Ruhe, die vom wirtschaftlichen Wachstum begleitet wurde. 1966 wurde durch Volksabstimmung eine Präsidialverfassung eingeführt. Wirtschaftliche Krisen begünstigten gegen Ende der 1960er Jahre das Erstarken des Terrorismus. 1973 kam es zum Staatsstreich, das Parlament wurde ausgeschaltet. 1976 übernahmen endgültig die Militärs die Regierungsgewalt. Erst 1984 fanden wieder allgemeine Parlaments- und Präsidentschaftswahlen statt. Damit war die Rückkehr zu demokratischen Verhältnissen gegeben. 2004 vollzog sich ein historischer Machtwechsel. Mit T. *Vázquez Rosas* gewann erstmals seit der Unabhängigkeit ein linksgerichteter Politiker die Präsidentschaftswahlen.

Urwald [der], ein natürlicher, nicht durch menschliche Eingriffe veränderter Wald. In reinster und üppigster Form nimmt der Urwald weite Gebiete in den Tropen ein (z. B. Kongo- und Amazonasgebiet). Größere Urwaldgebiete haben sich auch in Nordamerika (Alaska, Kanada) und Asien (Taiga in Sibirien) erhalten.

USA → Vereinigte Staaten von Amerika.

USB, Abk. für engl. **u**niversal **s**erial **b**us, in der Datenverarbeitung Bezeichnung für eine standardisierte multifunktionale Schnittstelle zum Anschluss von Maus, Tastatur, Drucker, Scanner und Wechseldatenträgern wie dem *USB-Stick* u. a. Peripheriegeräten.

Ländersteckbrief
Usbekistan

Fläche:	447 400 km²
Einwohner:	27 Millionen = 60 je km²
Hauptstadt:	Taschkent
Religion:	Islam
Amtssprache:	Usbekisch
Währung:	1 Usbekistan-Sum = 100 Tijin

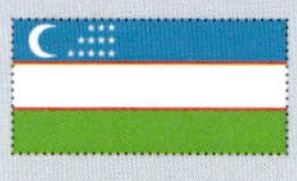

Usbekistan, Staat in Mittelasien.

Landesnatur: Usbekistan erstreckt sich vom Ustjurt-Plateau im Westen über den Aralsee bis zum Ferganatal im Osten. Das Land wird größtenteils von Tiefland und ebenem Gebirgsvorland mit ausgedehnten Oasen eingenommen. Fast die Hälfte entfällt auf die Wüste *Kysylkum*. Es herrscht trockenes Kontinentalklima.

Bevölkerung: Die Bevölkerung besteht aus 73,7% Usbeken, ferner Russen, Tadschiken und Kasachen. 90% sind Muslime.

Wirtschaft: Die Wirtschaft basiert auf der Erdgasförderung und dem Baumwollanbau. Wichtigste Industriezweige sind Petrochemie und Textilindustrie. Von Bedeutung ist auch die Karakulschaf- und Seidenraupenzucht. An Bodenschätzen gibt es außer Erdgas noch Erdöl, Kohle, Buntmetalle und Gold.

Geschichte: Die Usbeken leiten ihren Namen von *Usbek* (Ösbek) her, dem im 14. Jh. herrschenden Khan der Goldenen Horde, der sie zu einem Stammesverband zusammenschloss. Seit Ende des 16. Jh. kam es zu usbekischen Staatsgründungen (Khanate Buchara, Chiwa und Kokand). Im 19. Jh. geriet das Gebiet unter die Kontrolle des russischen Zarenreiches. 1924 wurde Usbekistan sowjetische Unionsrepublik. Nationale Bestrebungen wurden brutal unterdrückt. 1991 erklärte Usbekistan seine Unabhängigkeit und wurde Mitglied der GUS. Staatspräsident I. *Karimow* errichtete ein autoritäres Regime. Blutige Unruhen 2005 forderten zahlreiche Todesopfer.

Usbekistan: Der Ark, die Zitadelle in Buchara, ist der einstige Regierungssitz der Herrscher von Buchara.

Usedom, eine Ostseeinsel, die dem Stettiner Haff vorgelagert ist; der Hauptort heißt ebenfalls *Usedom.*

User [ju:zə], englische Bezeichnung für Benutzer oder Anwender eines Rechnersystems.

Sir Peter Ustinov im Historiendrama »Luther«

Ustinov [-nɔf], Sir Peter Alexander, * 1921, † 2004; britischer Schauspieler, Regisseur und Schriftsteller. Er war ein Multitalent, das für Theater- und Opernbühnen, Film und Fernsehen arbeitete, außerdem als Schriftsteller und Synchronsprecher. Seine Stücke haben zeitgeschichtlichen Hintergrund und beinhalten oft exzentrisch-groteske Elemente. Zu seinen bekanntesten Filmen gehören »Quo Vadis« und »Tod auf dem Nil«.

Uterus [der], *Gebärmutter,* ein Teil der weiblichen → Geschlechtsorgane.

Utopie [die], unerfüllter Wunschtraum, nicht zu verwirklichender Plan. Benannt nach dem Staatsroman »Utopia« des englischen Politikers Thomas *Morus* (*1477, †1535), in dem dieser einen nicht erreichbaren Idealstaat beschreibt.

UV, Abkürzung für → Ultraviolett.

V

V, **1.** 22. Buchstabe des Alphabets (Konsonant). **2.** römisches Zahlzeichen, V = 5. **3.** Kurzzeichen für → Volt.

Vaduz, Hauptort des Fürstentums Liechtenstein auf dem rechten Ufer des Rheins, 40 km vor dessen Eintritt in den Bodensee, 5000 Einwohner.

Vagina [die], *Scheide,* ein Teil der weiblichen → Geschlechtsorgane.

Vakuum [das], ein annähernd luftleerer Raum, der durch Auspumpen der Luft hergestellt wird.

Valentinstag, Fest des römischen Märtyrers *Valentin* (14. 2.), gilt heute in vielen Ländern als Tag der Jugend und der Liebenden, die sich Grüße senden und z. B. mit Blumen beschenken.

Valletta, früher *La Valletta,* Hauptstadt des Inselstaates Malta im Mittelmeer, 7200 Einwohner. 1980 von der UNESCO zum Weltkulturerbe erklärt.

Vampire [Pl.], **1.** eine Familie der Fledermäuse, die als Blutsauger in den warmen Zonen Amerikas lebt. **2.** in der slawischen Volkssage Verstorbene, die nachts aus ihrem Grab steigen und Menschen das Blut aussaugen.

Vänern [der], der größte See Schwedens mit einer Größe von 5584 km^2.

Vanille [va'niljə, die], in den Tropen verbreitete Gattung der Orchideen mit rund 100 Arten. Die Pflanzen klettern mit ihren Haftwurzeln an anderen Pflanzen hoch. Aus der 12–15 cm langen, schotenähnlichen Frucht der *Echten Vanille* wird das Vanillegewürz gewonnen. Sein Hauptbestandteil, das *Vanillin,* wird heute überwiegend künstlich hergestellt.

Vanuatu: Einheimischer mit typischem Auslegerboot

Ländersteckbrief
Vanuatu

Fläche:	12 109 km^2
Einwohner:	215 000 = 18 je km^2
Hauptstadt:	Port Vila
Religion:	Christentum
Amtssprache:	Englisch, Französisch, Bislama
Währung:	1 Vatu = 100 Centimes

Vanuatu, Staat in Ozeanien.

Der Inselstaat im Pazifik besteht aus rund 80 gebirgigen Vulkaninseln. Hauptexportprodukt ist Kopra. Holzwirtschaft, Rinderzucht und Tourismus haben wachsende wirtschaftliche Bedeutung.

Geschichte: Die Inselgruppe wurde 1606 von Spaniern entdeckt. Die Ansiedlung von Weißen auf den Inseln, die von J. *Cook Neue Hebriden* genannt wurden, begann im 19. Jh. Seit 1906 bestand ein britisch-französisches Kondominium (gemeinsame Hoheitsausübung). 1980 erhielt die Inselgruppe als Republik Vanuatu die Unabhängigkeit.

Variable [die], *Veränderliche*, mathematische Bezeichnung für einen in einer Aussageform auftretenden Platzhalter für Elemente aus einer Grundmenge.

Variante [die], Abwandlung, Abweichung.

Vasco da Gama → Gama.

Vaseline [die], ein weißes Fett, das aus Erdöl gewonnen wird. Vaseline dient als Schmiermittel und in gereinigter Form zur Salbenherstellung.

Vatikan [der], die Residenz des *Papstes* auf dem Hügel *Monte Vaticano* im Westen Roms. Hier befand sich der Zirkus des Kaisers *Nero,* in dem vermutlich der Apostel *Petrus* den Märtyrertod erlitten hat, und hier wurde durch Konstantin den Großen die erste Peterskirche errichtet. Auch die päpstliche Regierung wird Vatikan genannt.

Ländersteckbrief
Vatikanstadt

Fläche:	0,44 km^2
Einwohner:	800 = 1818 je km^2
Religion:	römisch-katholische Kirche
Amtssprache:	Latein, Italienisch
Währung:	1 Euro = 100 Cent

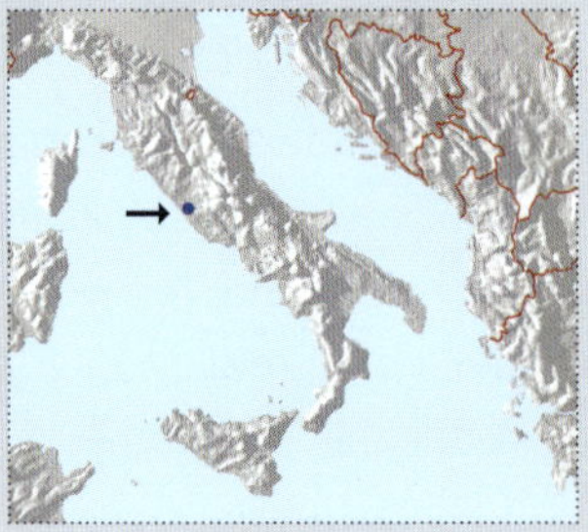

Vatikanstadt, Staat in Südeuropa.

Der Stadtstaat im westlichen Rom ist der kleinste Staat der Erde. Er umfasst einen mächtigen Gebäu-

Vatikanstadt: Die Peterskirche wurde über dem Grab des Apostels Petrus errichtet.

dekomplex mit der Peterskirche, dem Vatikanpalast, Bibliothek, Museen u.a., die Vatikanischen Gärten sowie einige exterritoriale Gebiete in Rom.

Geschichte: Der Vatikan ist seit dem 15. Jh. die ständige Residenz der Päpste. Die Vatikanstadt erhielt ihren Status als souveräner, völkerrechtsfähiger Staat durch die 1929 zwischen dem Papst und dem Königreich Italien abgeschlossenen Lateranverträge. Sie trat damit an die Stelle des 1870 untergegangenen Kirchenstaates. Staatsrechtlich ist die Vatikanstadt eine absolute Wahlmonarchie. Die oberste gesetzgebende, vollziehende und richterliche Gewalt liegt in den Händen des Papstes (seit 2005 *Benedikt XVI.*).

v. Chr., Abkürzung für vor Christus (vor Christi Geburt).

Vegetarier [Pl.], Menschen, die sich ausschließlich von pflanzlicher Kost ernähren. Weniger strenge Vegetarier nehmen auch Milch, Milchprodukte und Eier zu sich.

Vegetation [die], die Gesamtheit der in einem bestimmten Gebiet vorkommenden Pflanzengesellschaften.

Veilchen [Pl.], eine weltweit verbreitete Gattung der Veilchengewächse. Bei uns besonders verbreitet sind *Märzveilchen, Raues Veilchen, Waldveilchen* und *Hundsveilchen.*

Velázquez [vɛ'laθkɛθ], Diego Rodríguez de Silva y, * 1599, † 1660; spanischer Maler. Velázquez schuf als Hofmaler der spanischen Könige viele Porträts von Mitgliedern der königlichen Familie, malte aber auch Szenen aus dem Leben des Volkes. Bedeutende Werke sind u. a. »Philipp IV. von Spanien«, »Las Meninas«, »Die Übergabe von Breda«, »Teppichwirkerinnen«.

Venedig, eine Stadt in Italien, an der Adriaküste, 270 000 Einwohner. Venedig liegt auf 118 Inseln, die durch circa 400 Brücken verbunden sind. Die Altstadt ist von zahlreichen Kanälen durchzogen, auf denen Gondeln und Motorboote verkehren. Mittelpunkt der auf Pfählen erbauten Stadt ist der Markusplatz mit dem Markusdom aus dem 9. Jh., dem Dogenpalast und dem 99 m hohen Campanile. Venedig besitzt zahlreiche Kunstdenkmäler. Durch Luft- und Wasserverschmutzungen sowie durch Überflutungen ist die Altstadt stark gefährdet.

Venen [Pl.], Blutadern, die zum Herz hinführen. Sie stehen unter geringerem Druck als die →Arterien und pulsieren auch nicht. Venen transportieren im Allgemeinen verbrauchtes, mit Kohlendioxid beladenes Blut. Nur die Lungenvenen führen arterielles, sauerstoffreiches Blut.

Venedig: Seit 1591 überspannt die Rialtobrücke den Canal Grande.

Ländersteckbrief Venezuela

Fläche:	912 050 km²
Einwohner:	27,2 Millionen = 30 je km²
Hauptstadt:	Caracas
Religion:	römisch-katholische Kirche
Amtssprache:	Spanisch
Währung:	1 Bolívar = 100 Céntimos

Venezuela, Staat in Südamerika.

Landesnatur: Den Norden und Nordwesten des Landes nehmen die Ausläufer der Anden ein, die das Maracaibobecken umschließen. Südöstlich schließt sich ein weites Tiefland *(Llanos del Orinoco)* an. Im Süden liegt das Bergland von Guyana (Roraima 2810 m). – Das Klima ist tropisch-warm und meist wenig bis mäßig feucht. Wald (34% der Staatsfläche) findet sich an den Andenhängen, im Orinocodelta und im Bergland von Guyana. Im Norden der Llanos herrscht Trockenwald, im Süden Grassavanne.

Bevölkerung: Die Bevölkerung besteht zu etwa 20% aus Weißen, 2% Indianern und 9% Schwarzen, sonst aus Mestizen und Mulatten. 90% gehören der römisch-katholischen Kirche an.

Wirtschaft: Venezuela ist einer der größten Erdölexporteure der Erde. Außerdem nutzt Venezuela die reichen Erdgas- und Eisenerzlager sowie Vorkommen

Venezuela: Caracas wurde 1567 gegründet und 1812 durch ein Erdbeben zerstört. Heute hat die Hauptstadt 1,82 Mio. Einwohner.

von Steinkohle, Kupfer und Bauxit, ferner auch Gold und Diamanten. Die Landwirtschaft (Anbau von Mais, Kaffee, Reis, Zuckerrohr, Gemüse; Viehzucht) deckt rund 70% des Inlandsbedarfs. Wichtigste Häfen sind La Guaira, Puerto Cabello, Maracaibo und Puerto Ordaz; internationaler Flughafen bei Caracas.

Geschichte: 1498 und 1499 wurden Teile der Küste von *Kolumbus* und A. de *Hojeda* entdeckt. 1528 übertrug *Karl V.* dem Handelshaus der *Welser* die Kolonisation. 1546 fiel das Gebiet wieder an die spanische Krone. Nach mehreren Befreiungsversuchen wurde das Land 1821 unabhängig. Bis 1829 bildete es mit Kolumbien und Ecuador die Republik Großkolumbien. Danach folgte eine Zeit der inneren Wirren. Unter der Diktatur von General J. V. *Gómez* (1908 bis 1935) begann die Förderung der Erdölvorkommen, die Venezuela in der Folgezeit beträchtliche Einnahmen brachten. Nach 1945 kam es wieder zu Putschen und Unruhen. Erst seit 1964 fanden reguläre Präsidentenwechsel statt. Trotzdem verschärften sich seit den 1970er Jahren die sozialen Gegensätze. 1999 wurde H. *Chávez* Präsident. Er errichtete ein linkspopulistisches Regime. Dabei blieb seine autoritäre Amtsführung umstritten. Außenpolitisch stellte er sich gegen die USA und arbeitete eng mit Bolivien und Kuba zusammen. 2006 wurde Chávez im Amt bestätigt.

Ventil [das], eine Sperrvorrichtung für den Flüssigkeits- oder Gasstrom in einer Leitung. Bekanntestes Ventil ist der »Wasserhahn«. Überdruckventile öffnen sich selbsttätig, wenn der Druck auf sie zu groß wird, z. B. an Druckkesseln.

Ventilator [der], ein Winderzeuger aus einem Antriebsmotor mit Propeller. Er wird in der Lüftungs- und Klimatechnik oder zur Kühlung von Verbrennungs- und Elektromotoren verwendet.

Venus, **1.** Göttin der Liebe in der römischen Sagenwelt. **2.** Planet unseres → Sonnensystems. Die am Morgenhimmel stehende Venus wird *Morgenstern,* die am Abendhimmel leuchtende *Abendstern* genannt, da sie alle anderen Planeten und die Fixsterne an Helligkeit übertrifft.

Verb [das], *Zeitwort,* es bezeichnet Tätigkeiten oder Verhaltensweisen.

Verbrennung [die], **1.** ein chemischer Vorgang, bei dem Sauerstoff mit chemischen Elementen oder

Venus (2): Globus des Planeten Venus nach Daten der Magellan-Raumsonde

Verbindungen reagiert und bei dem Wärme frei wird; im engeren Sinn die Verbrennungen mit Feuererscheinung, im weiteren Sinn auch die langsam verlaufenden Oxidationsvorgänge. **2.** Schädigung von Körpergewebe durch Hitze, heiße Flüssigkeit oder elektrischen Strom. Sie wird unterschieden nach vier Graden: 1. Grad: Rötung, 2. Grad: Bläschenbildung (Brandblase), 3. Grad: tiefer reichende Gewebsschäden, 4. Grad: Verkohlung.

Verbrennungsmotor [der], eine Kraftmaschine, bei der durch die Verbrennung eines Brennstoff-Luft-Gemisches mechanische Arbeit geleistet wird. Das Gemisch wird so stark zusammengedrückt (verdichtet), dass es explodiert und dabei sein Volumen vergrößert, was zur Krafterzeugung genutzt wird. Als Brennstoff werden Erdölprodukte (Benzin, Kerosin, Leicht- und Schweröl) verwendet. Die flüssigen Kraftstoffe werden entweder in einem *Vergaser* in einen gasförmigen Zustand überführt oder direkt in den Verbrennungsraum eingespritzt. Beim Ottomotor und beim Kreiskolbenmotor wird das Gemisch durch einen Funken (Zündkerze) gezündet. Beim Dieselmotor wird reine Luft angesaugt, hoch verdichtet und bis auf 900 °C erhitzt. Der eingespritzte Kraftstoff mischt sich mit der Luft und entzündet sich an der hohen Temperatur.

Verdauung [die], die Zerlegung der Nahrung in ihre Bestandteile in Mund, Magen und Darm, damit die Nährstoffe aufgenommen werden können. Im Mund wird die Nahrung zerkleinert, und durch den Speichel wird Stärke aufgeschlossen. Im Magen wird die Nahrung vermischt, und die Eiweiße werden in kleinere Bruchstücke zerlegt. Im Zwölffingerdarm kommen zum Speisebrei Galle und der Saft der Bauchspeicheldrüse hinzu, die zur weiteren Verdauung und besonders zur Verdauung der Fette dienen. Die Nährstoffe werden dann über die Darmwand ans Blut abgegeben, das sie an die Körperzellen weitertransportiert. Der nicht verwertbare Rest wird als Stuhl ausgeschieden.

Verdi, Giuseppe, * 1813, † 1901; italienischer Komponist. Er führte die Opernkunst des 19. Jh. auf einen Höhepunkt. »Rigoletto«, »Der Troubadour«, »La Traviata«, »Ein Maskenball«, »Die Macht des Schicksals«, »Don Carlos«, »Aida«, »Othello« und »Falstaff« zählen noch heute zu den weltweit am meisten gespielten Opern in aller Welt.

Verdun [vɛr'dœ̃], eine Stadt und ehemalige Festung im Nordosten Frankreichs, 21 900 Einwohner. Im Ersten Weltkrieg fand hier 1916 eine der ersten großen Materialschlachten statt. Bei dem Kampf um die Festung starben etwa 360 000 Franzosen und 335 000 Deutsche, ohne dass eine den Kriegsverlauf bestimmende Entscheidung fiel.

Verdunstung [die], der Übergang von Flüssigkeiten in den gasförmigen Zustand, wobei die Temperatur der Flüssigkeit unterhalb des *Siedepunktes* liegt.

Ländersteckbrief
Vereinigte Arabische Emirate

Fläche:	83 600 km²
Einwohner:	4,7 Millionen = 56 je km²
Hauptstadt:	Abu Dhabi
Religion:	Islam
Amtssprache:	Arabisch
Währung:	1 Dirham = 100 Fils

Vereinigte Arabische Emirate, Staat in Vorderasien.

Landesnatur: Die Vereinigte Arabische Emirate sind gegliedert in 7 autonome Emirate. Der Staat besteht vorwiegend aus flachwelligem Küstenland, dem zahlreiche Sandbänke, Korallenriffe und Inseln vorgelagert sind; es herrscht trockenheißes Wüstenklima.

Bevölkerung: Die Bewohner sind vorwiegend Araber und bekennen sich zum Islam. Der Anteil der Ausländer liegt bei rund 75%.

Wirtschaft: Haupteinnahmequelle ist die Erdöl- und Erdgasförderung. Die Industrie umfasst Zement- und chemische Industrie sowie Erdölraffinerien, Meerwasserentsalzungsanlagen und eine Aluminiumschmelze. Von wachsender Bedeutung ist die Finanzwirtschaft. – Jedes Emirat hat seinen eigenen Großflughafen; Hauptseehafen ist Port Rashid.

Geschichte: Die Föderation der Vereinigte Arabische Emirate wurde 1971 nach dem Ende des 1853 geschlossenen Schutzvertrages mit Großbritannien und nach Abzug der britischen Truppen aus den arabischen Scheichtümern am Persischen Golf ausgerufen. Der Präsident wird alle 5 Jahre von den Herrschern der 7 Staaten gewählt und steht dem Obersten Rat vor, der alle gemeinsamen politischen Entscheidungen trifft. Die Föderation ist Mitglied der UN und der Arabischen Liga.

Vereinigte Arabische Emirate: Das 321 m hohe Luxushotel »Burj Al Arab« in Dubai wurde auf einer künstlichen Insel vor der Küste errichtet.

Ländersteckbrief
Vereinigte Staaten von Amerika

Fläche:	9 631 418 km^2
Einwohner:	301,0 Millionen = 31 je km^2
Hauptstadt:	Washington
Religion:	protestantische Kirchen, römisch-katholische Kirche, Judentum
Amtssprache:	Englisch
Währung:	1 US-Dollar = 100 Cents

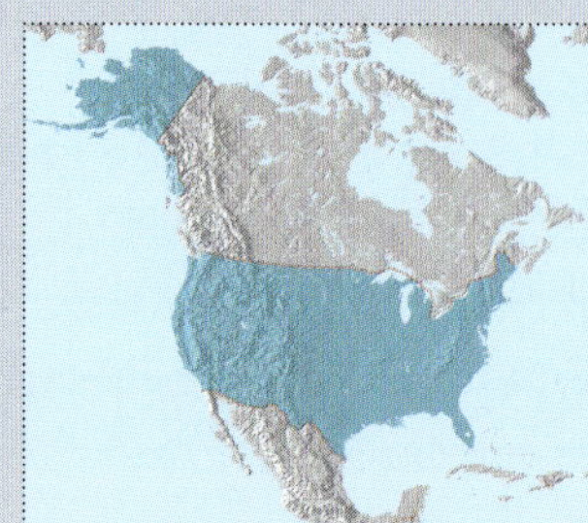

Vereinigte Staaten von Amerika (USA), Staat in Nordamerika.

Landesnatur: Die atlantische Küstenebene reicht von New York bis zur mexikanischen Grenze. Am Mississippi greift sie 800 km flussaufwärts. Als langgestrecktes Mittelgebirge erreichen die *Appalachen* im Süden (Mount Mitchell) 2037 m Höhe. Nach Westen schließen sich die Appalachenplateaus an und gehen in die weiten Ebenen über, die jenseits des Mississippi als *Great Plains* zu den *Rocky Mountains* (im *Mount Elbert* 4399 m hoch) ansteigen. Nach Westen schließen sich Hochplateaus und Becken an, im Norden das *Columbia Plateau*, südlich davon das *Great Basin*. Im Südosten liegen die Blöcke des *Colorado Plateau* mit dem *Grand Canyon*. Die Hochbecken werden nach Westen vom *Kaskadengebirge* (Mount Rainier 4392 m), weiter südlich durch die *Sierra Nevada* (Mount Whitney 4421 m) begrenzt. Zwischen diesen Ketten und der Küstenkordillere liegt das Kalifornische Längstal. – Das im Osten feuchte Klima wird längs der Linie New York-Kansas City in einen kühl- und einen warmgemäßigten Bereich gegliedert. Südflorida hat tropisches Klima. Der Westen ist trockener, z. T. wüstenhaft, die Pazifikküste im Norden feuchtgemäßigt, im Süden subtropisch. Im Winter sind Kaltlufteinbrüche mit Schneestürmen häufig (Blizzards). Der Süden wird häufig von Wirbelstürmen (Hurrikans) aus der Karibischen See heimgesucht.

Bevölkerung: Am dichtesten besiedelt sind die Neuengland- und die mittelatlantischen Staaten zwischen Massachusetts und Pennsylvania sowie Kalifornien im Westen, am schwächsten die Trockengebiete in den Rocky Mountains. 75% der Bevölkerung sind Weiße (13% Hispanics), 13% Schwarze, 0,9% Indianer und rund 3,6% Asiaten, u. a.

Vereinigte Staaten von Amerika: Mit dem Bau des Weißen Hauses in Washington wurde 1792 begonnen.

Vereinigte Staaten von Amerika: Bizarr geformte Felsen prägen die Landschaft im Naturschutzgebiet Monument Valley, das im Navajoreservat in Utah bzw. Arizona eingerichtet wurde.

Wirtschaft: Die USA stehen zwar nach der Einwohnerzahl erst an dritter Stelle unter den Ländern der Erde; nach ihrer Wirtschaftskraft aber übertreffen sie alle anderen Staaten bei weitem. – Die Landwirtschaft wird überwiegend in hochmechanisierten Großfarmen betrieben. Über die Hälfte des Ackerlands dient dem Getreidebau, v. a. von Mais und Weizen, der auch eine wichtige Exportrolle spielt. Die USA sind weltweit der größte Erzeuger von Sojabohnen. Der Produktionswert der Viehzucht (Rinder, Milchkühe, Schweine) übersteigt den des Ackerbaus. Im Fischfang nehmen die USA die 4. Stelle auf der Erde ein. – Im Bergbau führen wertmäßig das Erdöl und Erdgas (Texas, Kalifornien, Louisiana) vor der Kohle (Appalachen, Rocky Mountains, zwischen Mississippi und Ohio), dem Eisen- (am Oberen See und in Alabama) und Kupfererz (Utah) und allen anderen Produkten. Die USA haben den höchsten Pro-Kopf-Verbrauch an Energie in der Welt. Die wichtigsten Energieerzeuger sind Wärmekraftwerke (auf Erdöl-, Erdgas- oder auch Kohlebasis); 20% der Energie werden in Wasserkraftwerken, 22% in Atomkraftwerken erzeugt. – Die Industrie hat ihre Schwerpunkte v. a. in dem Streifen zwischen Boston–Baltimore im Osten und Chicago–Saint Louis im

Westen. Bedeutende Anteile am Export haben chemische Erzeugnisse, Maschinen und Fahrzeuge, Metalle und Metallwaren, Nahrungs- und Genussmittel, Textilrohstoffe und Textilien, Fleisch, elektronische

Genauer betrachtet …

Vereinigte Staaten von Amerika

Staat	Fläche in km²	Einw. in Mio.	Hauptstadt	Staat	Fläche in km²	Einw. in Mio.	Hauptstadt
Alabama	135 775	4,45	Montgomery	*Nevada*	286 367	2,00	Carson City
Alaska	1 700 138	0,63	Juneau	*New Hampshire*	24 219	1,24	Concord
Arizona	295 276	5,13	Phoenix	*New Jersey*	22 590	8,41	Trenton
Arkansas	137 742	2,67	Little Rock	*New Mexico*	314 939	1,82	Santa Fé
California	424 002	33,87	Sacramento	*New York*	141 080	18,98	Albany
Colorado	269 618	4,30	Denver	*North Carolina*	139 397	8,05	Raleigh
Connecticut	14 358	3,41	Hartfort	*North Dakota*	183 123	0,64	Bismarck
Delaware	6 448	0,78	Dover	*Ohio*	116 103	11,35	Columbus
Florida	170 314	15,98	Tallahassee	*Oklahoma*	181 048	3,45	Oklahoma City
Georgia	153 952	8,19	Atlanta	*Oregon*	254 819	3,42	Salem
Hawaii	28 313	1,21	Honolulu	*Pennsylvania*	119 291	12,28	Harrisburg
Idaho	216 456	1,29	Boise	*Rhode Island*	4 002	1,05	Providence
Illinois	150 007	12,42	Springfield	*South Carolina*	82 902	4,01	Columbia
Indiana	94 328	6,08	Indianapolis	*South Dakota*	199 744	0,75	Pierre
Iowa	145 754	2,93	Des Moines	*Tennessee*	109 158	5,69	Nashville-Davidson
Kansas	213 111	2,69	Topeka				
Kentucky	104 665	4,04	Frankfort	*Texas*	695 676	20,85	Austin
Louisiana	134 275	4,47	Baton Rouge	*Utah*	219 902	2,23	Salt Lake City
Maine	91 653	1,27	Augusta	*Vermont*	24 903	0,61	Montpelier
Maryland	32 134	5,30	Annapolis	*Virginia*	110 792	7,08	Richmond
Massachusetts	27 337	6,35	Boston	*Washington*	184 672	5,89	Olympia
Michigan	250 465	9,94	Lansing	*West Virginia*	62 759	1,81	Charleston
Minnesota	225 182	4,92	Saint Paul	*Wisconsin*	169 643	5,36	Madison
Mississippi	125 443	2,84	Jackson	*Wyoming*	253 349	0,49	Cheyenne
Missouri	180 546	5,60	Jefferson City				
Montana	380 850	0,90	Helena	Bundesdistrikt:			
Nebraska	200 358	1,71	Lincoln	*District of Columbia*	177	0,57	Washington

Erzeugnisse, Erdöl und Kohle. – Von wachsender Bedeutung ist der Tourismus. Wichtigste Reiseziele sind die zahlreichen Nationalparks sowie die Großstädte an der Ostküste und in Kalifornien.

Verkehr: Das gut ausgebaute Verkehrsnetz verfügt besonders im Osten über ein dichtes Straßen- und Schienennetz. Im Güterverkehr ist die Eisenbahn noch immer wichtigster Verkehrsträger vor dem Straßenverkehr, dem Transport durch Pipelines und der Binnenschifffahrt. Der Flugverkehr verfügt mit Chicago, Dallas und Los Angeles über die größten Flughäfen der Erde.

Geschichte: Das von Indianern bewohnte Gebiet der heutigen Staates wurde im 16. Jh. von Europäern erkundet. Die USA entwickelten sich aus den im 17. Jh. an der Ostküste Nordamerikas gegründeten britischen Kolonien. Die 13 Kolonien schlossen sich 1774 in Philadelphia zusammen. Die Kolonisten forderten politische Gleichberechtigung, sie wollten im Londoner Parlament vertreten sein. Der Einsatz britischer Streitkräfte führte zum *Unabhängigkeitskrieg* 1775–1783, aus dem die Kolonien als Sieger hervorgingen. Zunächst ein lockerer Staatenbund, gaben sie sich 1787 die noch heute gültige bundesstaatliche Verfassung, die zum Vorbild für viele demokratische Staaten wurde. Erster Präsident der USA wurde G. *Washington* (1789–1797).

Der neue Bundesstaat begann sofort zu expandieren. So kauften die USA 1819 Florida von Spanien. Der Aufnahme Texas' in den Bund folgte ein Krieg mit Mexiko 1846–1848, bei dem die USA das Gebiet der späteren Unionsstaaten New Mexico, Arizona, Colorado, Utah, Nevada und Kalifornien eroberten. Der Hauptstoß der Ausdehnung, an der zahlreiche Einwanderer aus Europa beteiligt waren, ging nach Westen. Dabei wurde rücksichtslos Gewalt gegen die Indianer angewandt. Um die Mitte des 19. Jh. war der Pazifik erreicht, und die Zahl der Unionsstaaten hatte sich mehr als verdoppelt.

Boston, Hauptstadt des Nordostküsten-Staates Massachusetts in den USA, ist ein wichtiges Handels- und Finanzzentrum.

Als A. *Lincoln*, ein Gegner der Sklaverei, 1860 Präsident wurde, traten 11 Südstaaten, in deren Plantagenwirtschaft schwarze Sklaven beschäftigt wurden, aus der Union aus. Es kam zum *Sezessionskrieg*, der 1865 mit der Kapitulation der Südstaaten und der Wiederherstellung der Union endete. 1867 kauften die USA Alaska von Russland. Der wirtschaftliche Aufschwung der folgenden Jahrzehnte ermöglichte eine imperiale Machtentfaltung. Im Krieg gegen Spanien 1898 eroberten die USA Kuba, Puerto Rico und die Philippinen. Nebenher besetzten sie Hawaii und andere Pazifikinseln. Häufig griffen sie in die Politik lateinamerikanischer Staaten ein.

Der Eintritt der USA in den Ersten Weltkrieg 1917 unter Präsident W. *Wilson* war kriegsentscheidend. Die im Jahr 1929 ausbrechende Weltwirtschaftskrise bekämpfte Präsident F. D. *Roosevelt* (1933–1945) mit dem Programm des *New Deal*. Unter seiner Führung nahmen die USA – wiederum kriegsentscheidend – am Zweiten Weltkrieg teil. Das weitere Ausgreifen sowjetischer Einflüsse nach 1945 veranlasste Präsident *Truman* und dessen Nachfolger, den Republikaner D. D. *Eisenhower* (1953–1961), zu vielseitigen Abwehrmaßnahmen. Militärische Bündnisse wie die NATO wurden abgeschlossen. Im »Kalten Krieg« waren die USA die unbestrittene Führungsmacht des Westens.

Die Wahl des Demokraten J. F. *Kennedy* 1960 zum Präsidenten führte zu Gesetzen zur rechtlichen Gleichstellung der Schwarzen und zur erfolgreichen Zurückdrängung des sowjetischen Einflusses auf Kuba. Nach Kennedys Ermordung im November 1963 versuchte L. B. *Johnson* (1963–1969), das innenpolitische Programm fortzuführen (Bürgerrechtsgesetz, »Feldzug gegen die Armut«). Die gesamte Politik wurde zunehmend vom Krieg in Vietnam überschattet. Schließlich konnte R. M. *Nixon* 1973 den Vietnamkrieg durch einen Waffenstillstand und den Abzug der amerikanischen Truppen für die USA beenden. Nixon normalisierte 1972 das Verhältnis zur Volksrepublik China mit einem Besuch in Peking. Die *Watergate-Affäre* zwang ihn 1974 zum Rücktritt. Nachfolger wurde Vizepräsident G. *Ford*. Der 1976 zum Präsidenten gewählte Demokrat J. *Carter* vermittelte den ägyptisch-israelischen Frieden. Die Geiselhaft US-amerikanischer Botschaftsangehöriger 1979–1981 in Teheran bedeutete eine Demütigung der USA.

Die Präsidentenwahl 1980 gewann der Republikaner R. *Reagan*, der einen wirtschaftlichen Aufschwung herbeiführte und gegenüber der UdSSR eine Politik der Stärke verfolgte. Reagans Nachfolger wurde 1989 G. H. *Bush*. 1991 befreiten die USA im Rahmen eines UNO-Mandats an der Spitze alliierter Truppen das im August 1990 vom Irak besetzte Kuwait. Das Ende der UdSSR machte die USA zur alleinigen globalen Führungsmacht. 1993 wurde der Demokrat B. *Clinton* neuer Präsident. Er versuchte neue wirtschafts- und sozialpolitische Schwerpunkte zu setzen. 1999 scheiterte ein Amtsenthebungsverfahren gegen ihn *(Lewinsky-Affäre)*. Außenpolitisch blieb das Verhältnis zum Irak gespannt, im israelisch-palästinensischen Konflikt bemühten sich die USA vergeblich um eine dauerhafte Friedenslösung. 1999 organisierten die USA nach der Eskalation der Kosovo-Krise den NATO-Luftkrieg gegen Jugoslawien. Die Präsidentschaftswahlen 2000 gewann der Republikaner G. W. *Bush*, ein Sohn des früheren Präsidenten G. H. *Bush*. Am 11. 9. 2001 zerstörten islamische Terroristen mit entführten Flugzeugen das World Trade Center in New York völlig und das Pentagon in Washington teilweise. Die USA machten den islamischen Extremisten Usama *Bin Ladin* und seine Organisation *Al Qaida* für die Anschläge verantwortlich und führten mit einer militärischen Offensive gegen Afghanistan den Sturz des mit Bin Ladin verbündeten Talibanregimes herbei. Im Rahmen einer neuen *Nationalen Sicherheitsstrategie* gegen den internationalen Terrorismus und die Verbreitung von Massenvernichtungswaffen gingen die USA 2003 gemeinsam mit Großbritannien militärisch gegen Irak vor und beendeten dort die Herrschaft Saddam *Husseins*. Im Innern veranlasste Präsident Bush Steuersenkungen und Reformen im Bildungswesen. Bei den Präsidentschaftswahlen 2004 konnte er sich gegen den demokratischen Herausforderer J. F. *Kerry* durchsetzen. Eine innere Stabilisierung Afghanistans und des Iraks gelang bis 2007 nicht. Auch → »Genauer betrachtet«, Seite 132.

Vereinigte Staaten von Amerika: Aus der Ostwand des Mount Rushmore in South Dakota meißelte der Bildhauer G. Borglum die Büsten der Präsidenten George Washington, Thomas Jefferson, Theodore Roosevelt und Abraham Lincoln (von links).

Was sind die …
Vereinten Nationen

Die Vereinten Nationen (englisch *United Nations Organization),* Abkürzung *UN (UNO),* sind eine am 26. 6. 1945 auf der UN-Konferenz von San Francisco gegründete Vertragsorganisation souveräner und gleichberechtigter Nationen. Am 24. 10. 1945 trat die Charta der UN in Kraft. Die Vereinten Nationen sind der bisher umfassendste Versuch eines Ordnungssystems für die internationale Staatenwelt. 2007 hatten die Vereinten Nationen 192 Mitglieder. Damit gehörten ihnen – mit Ausnahme der Vatikanstadt und solchen Gebieten, die international überwiegend nicht als eigenständige Staaten anerkannt werden (Taiwan, Westsahara) – alle Länder der Erde an. Die Vereinten Nationen werden deswegen auch als Weltorganisation bezeichnet, die sich aller Probleme annehmen soll, die von internationalem Interesse sind und mit diplomatischen, wirtschaftlichen oder notfalls auch militärischen Mitteln gelöst werden können. Die Organisation der Vereinten Nationen wurde 2001 gemeinsam mit ihrem damaligen Generalsekretär K. *Annan* mit dem Friedensnobelpreis ausgezeichnet.

Hauptaufgaben: Erstes Ziel der Vereinten Nationen ist die Sicherung des Weltfriedens u. a. durch Vermittlung und Schlichtung, durch Beobachtung und Untersuchung von Konflikten, durch Entsendung von UN-Friedenstruppen, sogenannten *Blauhelmen,* und durch diplomatische, wirtschaftliche oder militärische Sanktionen. Eine weitere Hauptaufgabe ist die Sicherung und Verbesserung der weltweiten Lebensbedingungen in allen Bereichen (Handel, Soziales, Gesundheit, Umwelt, Klima u. a.). Außerdem bemühen sich die Vereinten Nationen um die Sicherung und Förderung eines humanen Zusammenlebens (Menschenrechte, Demokratisierung, Flüchtlingsbetreuung).

Flagge der Vereinten Nationen

Organisation: Die UN haben 6 Hauptorgane: die Generalversammlung, den Sicherheitsrat, das Sekretariat, den Wirtschafts- und Sozialrat, den Treuhandrat und den Internationalen Gerichtshof. Die Arbeit des Treuhandrates wurde nach der Unabhängigkeit des letzten Treuhandgebietes 1994 eingestellt. In der *Generalversammlung* haben sämtliche Mitglieder der UN eine Stimme. Sie tagt regulär einmal jährlich. Die Generalversammlung wählt (ernennt) auf Empfehlung des Sicherheitsrates den *Generalsekretär.* Wichtigstes Organ ist der *Sicherheitsrat* mit vorrangiger Zuständigkeit für die Wahrung des Friedens. Neben den ständigen Mitgliedern USA, Russland, China, Großbritannien und Frankreich gehören dem Sicherheitsrat weitere 10 von der Generalversammlung auf zwei Jahre gewählte nichtständige Mitglieder an. Die ständigen Mitglieder können über ihr *Vetorecht* Entscheidungen, die nicht in ihrem Interesse liegen, verhindern. Das *Sekretariat* (Sitz: New York) unter dem Generalsekretär führt die Geschäfte der UN und ihrer Organe. Als erster Repräsentant der Vereinten Nationen ist der Generalsekretär ein wichtiger Mitspieler in der internationalen Politik. Bisherige Generalsekretäre waren T. Lie (1946–1952), D. *Hammarskjöld* (1953–1961), S. *U Thant* (1961–1971), K. *Waldheim* (1972–1981), J. *Pérez de Cuéllar* (1982–1991), B. *Boutros Ghali* (1992–1996) und K. *Annan* (1997–2006). Seit 2007 ist der Südkoreaner *Ban Ki Moon* Generalsekretär. Der *Wirtschafts- und Sozialrat* fördert vor allem die wirtschaftliche und soziale Entwicklung und Zusammenarbeit. Ihm gehören 54 auf 3 Jahre gewählte Mitglieder an, von denen jährlich 18 neu gewählt werden. Der Internationale Gerichtshof in Den Haag entscheidet zwischenstaatliche Rechtsstreitigkeiten. Spezialorgane (z. B. das Kinderhilfswerk UNICEF) und eigenständige Sonderorganisationen (z. B. die Weltbank) von zum Teil beachtlichem Einfluss vervollständigen das System der Vereinten Nationen.

Reformbemühungen: 2004 stellte eine UN-Kommission unter dem Titel »Eine sicherere Welt: Unsere gemeinsame Verantwortung« ein Reformprogramm vor, das sich mit neuen Herausforderungen beschäftigte (u. a. internationaler Terrorismus) und in dem Vorschläge zur Reform der UNO-Organe unterbreitet wurden. Bemühungen um die Erweiterung des Sicherheitsrates scheiterten bisher an der grundsätzlichen Uneinigkeit unter den Staaten über die künftige Größe des Sicherheitsrates und die als neue ständige Mitglieder zu benennenden Nationen. Vor diesem Hintergrund bemüht sich auch die Bundesrepublik Deutschland um einen ständigen Sitz im Sicherheitsrat. 2006 wurden erstmals die 47 Mitglieder des neu geschaffenen *UN-Menschenrechtsrates* gewählt, der mit dem Ziel eines wirksameren Menschenrechtsschutzes die bisherige Menschenrechtskommission ablöste.

Vererbung [die], die Weitergabe von Erbinformationen von Generation zu Generation. Auch → Genetik.

Was ist eine ... Verfassung

Eine Verfassung ist die rechtliche *Grundordnung* eines Staates. Sie betrifft den Aufbau und die Gliederung des Staates, die Ausübung der Staatsgewalt und die Rechte und Pflichten seiner Bürger. Die meisten Staaten haben eine geschriebene Verfassung, die in den Demokratien in der Regel durch eine verfassungsgebende Versammlung entworfen wurde. Ein Staat hat auch dann eine Verfassung, wenn er keine schriftliche Verfassungsurkunde besitzt, z. B. Großbritannien. Im rechtlichen Sinn ist mit Verfassung die Gesamtheit aller Rechtsnormen gemeint, die sich auf die Verfassung beziehen sowie die Urkunde selbst, das sogenannte *Staatsgrundgesetz*. In zahlreichen Staaten gibt es ein *Verfassungsgericht*. Es stellt fest, ob einzelne Regierungsakte im Einklang mit der Verfassung stehen.

Bedeutung und Aufbau der Verfassung: Im modernen Verfassungsstaat bildet die (geschriebene) Verfassung das fundamentale Gesetz. Sie ist höchste Richtschnur der Rechtsordnung. Sie zwingt die politische Wirklichkeit in einen gesetzlichen Rahmen, setzt dem Staat Grenzen und verhindert staatliche Willkür. Verfassungen bestehen in der Regel aus einem organisatorischen Teil, der Regelungen der staatlichen Organe und Institutionen enthält, sowie einem Grundrechtsteil, in dem die Rechtsstellung des Bürgers zum Staat definiert ist. Darüber hinaus beschreiben die sogenannten Staatszielbestimmungen das Wesen des Staates und seine politische Wertordnung (»Geist der Verfassung«), z. B. demokratischer Rechtsstaat, Sozialstaat.

Entwicklung von Verfassungen: Die erste geschriebene Verfassung entstand in den Gliedstaaten der nordamerikanischen Kolonien, die sich 1776 für unabhängig erklärten. Die Verfassung für die USA folgte 1787. Sie wurde immer wieder ergänzt bzw. verändert *(Amendments),* so 1789 durch einen Grundrechtskatalog. Nachdem während der *Französischen Revolution* (1789–1799) mehrere Verfassungen (z.B. 1791 mit der Deklaration der Menschen- und Bürgerrechte) erlassen worden waren, setzte sich das Prinzip im 19. Jh. auch in anderen Staaten durch. In Deutschland hatten zuerst süd- und mitteldeutsche Staaten (Bayern 1819) eine geschriebene Verfassung. Preußen folgte 1848–1850. Die Frankfurter Nationalversammlung erarbeitete 1849 die sogenannte *Paulskirchen-Verfassung* mit einem umfangreichen Grundrechtskatalog. Die Verfassung des Norddeutschen Bundes 1867 trägt die Handschrift des preußischen Ministerpräsidenten O. von *Bismarck.* Sie war auch Vorbild für die Verfassung des Deutschen Reiches 1871. An die Paulskirchen-Verfassung wiederum knüpfte 1919 die *Weimarer Reichs-Verfassung* an. Die Verfassung der Bundesrepublik Deutschland ist das *Grundgesetz (GG).* Ursprünglich als Provisorium gedacht, hat sich das Grundgesetz wegen seiner fortschrittlichen Gestaltung so sehr bewährt, dass es im Zuge der Wiedervereinigung nicht infrage gestellt wurde. Im Grundgesetz sind neben der verfassungsrechtlichen Ordnung auch die Grundrechte verankert.

Vergaser [der], eine Vorrichtung bei Verbrennungsmotoren zur Erzeugung eines zündfähigen Kraftstoff-Luft-Gemisches. Im Vergaser wird der Kraftstoff fein zerstäubt und mit Luft gemischt. Die Einstellung des Vergasers, das heißt die Regulierung der Zusammensetzung des Gemischs, ist wichtig für die Leistung und den Kraftstoffverbrauch des Motors.

Vergewaltigung [die], *Notzucht,* die Nötigung zum Geschlechtsverkehr durch Gewalt oder durch die Androhung von Gewalt.

Vergil, *Virgil, Publius Vergilius Maro,* * 70 v. Chr., † 19 v. Chr.; römischer Dichter. Er schuf in einem Zeitraum von zehn Jahren mit »Aeneis« eines der bedeutendsten literarischen Werke der Antike, das die Irrfahrten des Aeneas beschreibt.

Vergleich [der], ein Vertrag, durch den ein Rechtsstreit zwischen zwei Parteien auf dem Wege gegenseitigen Nachgebens beendet wird.

Verhaltensforschung [die], *Ethologie,* ein Teilgebiet der Biologie, in dem versucht wird, das Verhalten von Tieren als Einzel- und Sozialwesen (Gruppe, Herde, Familie usw.) zu erforschen und zu vergleichen. Die moderne Verhaltensforschung wurde von Konrad *Lorenz* begründet. Ein Zweig der Verhaltensforschung, die *Humanethologie,* bemüht sich auf naturwissenschaftlicher Grundlage um die Erforschung des menschlichen Verhaltens.

Verhältniswort [das] → Präposition.

Verkehr, Gesamtheit der Einrichtungen für die räumliche Fortbewegung von Personen, Gütern und Nachrichten.

Verhaltensforschung: Dian Fossey beobachtete die Berggorillas im Virunga-Gebirge (Afrika). Das Buch der berühmten, 1985 ermordeten Verhaltensforscherin wurde verfilmt; Szene aus »Gorillas im Nebel« mit Sigourney Weaver.

Verkehrszeichen [das], ein gesetzlich festgelegtes, allgemein gültiges Warn-, Gebots-, Verbots- oder Hinweiszeichen, das der Regelung und Sicherung des Verkehrs auf öffentlichen Straßen und Plätzen dient. Auch → »Genauer betrachtet«.

Verklappung [die], die Beseitigung von Sonderabfällen, die an Land angefallen sind, durch Versenkung oder Einleitung ins Meer. Grundsätzlich ist diese Abfallbehandlung auf See durch internationale Übereinkommen geregelt. Da die Verklappung schwerwiegende ökologische Auswirkungen haben kann (z. B. Fischsterben), wird sie zunehmend eingeschränkt. Einige Abfälle, wie schwermetallhaltige Klärschlämme, dürfen bereits nicht mehr verklappt werden.

Verlag [der], eine Firma, in der Bücher, Zeitungen oder Zeitschriften hergestellt (verlegt) werden.

Genauer betrachtet … Verkehrszeichen

Die erste Verkehrsampel wurde am 10. Dezember 1868 in der Londoner Innenstadt aufgebaut. Auf einer 7 m hohen eisernen Säule hingen 2 Signalarme mit roter und grüner Gaslampe. Rot bedeutete »Halt«, grün »freie Fahrt«. Ein Polizist musste die Signale mittels eines Hebels am Fuß der Säule bewegen. Dies war nicht ungefährlich. Am 2. Januar 1869 explodierten die Gaslampen und verletzten den Polizisten schwer. Die erste elektrische Verkehrsampel wurde 1914 in Cleveland, Ohio (USA), montiert. Sie verwendete elektrische Lampen mit vorgesetzten Farbfiltern. Zusätzlich war sie mit einer Klingel ausgerüstet, die ausgelöst wurde, wenn die Ampel die Farbe wechselte. Ampeln mit rotem, grünem und gelbem Licht wurden erstmals 1918 in New York eingesetzt.

Genauer betrachtet … Jules Verne

Der Schriftsteller Jules Verne lebte in einer Zeit, in der die technische Revolution und die Wissenschaftsbegeisterung der Menschen ihren Höhepunkt erreicht hatte. Er verarbeitete in seinen Romanen eine Fülle wissenschaftlicher Fakten und ersetzte fehlende Kenntnisse durch fantastische Vermutungen, die sich allerdings zum Teil in der Realität bestätigten. So beschreibt zum Beispiel sein Roman »Von der Erde zum Mond, Direktflug in 97 Stunden und 20 Minuten« (1865) die erste Mondexpedition. Die langwierigen Vorbereitungen der Reise erinnern verblüffend an die Raketentests unserer Zeit. Verne begründete mit seinen halbwissenschaftlichen Romanen die Science-Fiction-Literatur.

Vermeer [vɛr-], eigentlich *van der Meer*, Jan, genannt *V. van Delft*, * 1632, † 1675; niederländischer Maler. Er war Hauptmeister der niederländischen Malerei des 17. Jh. Seine Werke, die er mit großer Detailgenauigkeit und harmonischer Farbigkeit malte, zeigen bürgerliche Innenräume mit einer oder wenigen Figuren bei einer alltäglichen Beschäftigung.

Verne [vɛrn], Jules, * 1828, † 1905; französischer Schriftsteller. Er schrieb als Erster technisch-utopische Abenteuerromane. Am bekanntesten wurden »Fünf Wochen im Ballon«, »Reise zum Mittelpunkt der Erde«, »Reise um den Mond«, »20 000 Meilen unterm Meer« und »Reise um die Welt in 80 Tagen«. Auch → »Genauer betrachtet«.

Vers [der], eine in sich gegliederte und durch einen bestimmten Rhythmus gekennzeichnete Wortreihe in einem Gedicht. Mehrere miteinander verbundene

Verse ergeben eine *Strophe.* Unter *Versmaß* versteht man die bestimmte und regelmäßige Abfolge betonter und unbetonter oder langer und kurzer Silben in einem Vers.

Versailles [vɛr'saj], eine Stadt in Frankreich, 20 km südwestlich von Paris, 85 000 Einwohner. In Versailles steht ein prächtiges Schloss, das *Ludwig XIV.* 1661 bis 1710 bauen ließ. Im Spiegelsaal des Schlosses von Versailles wurde 1871 das Deutsche Reich ausgerufen. Das Schloss war von 1682 bis zur Französischen Revolution (1789) Residenz der französischen Könige und ist heute ein Museum.

Versicherung [die], die Übertragung eines ungewissen, aber befürchteten finanziellen Risikos auf eine große Gemeinschaft. Diese wird vertreten durch die Versicherungsgesellschaft, an die viele Versicherte regelmäßige Prämien zu zahlen haben. Erleidet ein Versicherter einen Schaden, so kommt die Versicherungsgesellschaft gemäß dem abgeschlossenen Versicherungsvertrag (Police) dafür auf. Es gibt die unterschiedlichsten Versicherungen. Gesetzlich vorgeschrieben ist die Sozialversicherung sowie eine Haftpflichtversicherung für alle Autofahrer. Daneben gibt es auch die private Haftpflichtversicherung, Lebensversicherung, Diebstahlversicherung und viele andere mehr.

Versailles: Das barocke Schloss, 1682–1789 Residenz der französischen Könige, wurde unter Ludwig XIV. errichtet.

Version [die], Fassung eines Textes, Lesart, Ausführung; eine von mehreren Arten, einen Sachverhalt darzustellen.

Verstärker [der], ein elektronisches Gerät zur Verstärkung einer Wechselspannung oder einer Wechselstromleistung, meist unter Benutzung von → Transistoren.

Versteigerung [die], *Auktion,* eine besondere Form des Verkaufs. Der Preis wird durch Bieten und Überbieten der am Kauf Interessierten gesteigert. Der Meistbietende erhält durch den Versteigerer (Auktionator) den Zuschlag, der als Kaufvertrag gilt.

Versteinerungen [Pl.] → Fossilien.

vertikal, senkrecht, von oben nach unten oder umgekehrt. Gegensatz: *horizontal.*

Vertrag [der], eine Abmachung zwischen Partnern (Personen, Gemeinschaften, Staaten), meist nach gesetzlichen Regeln. Wichtige Verträge werden schriftlich niedergelegt.

Verwitterung [die], die Zerstörung von Gestein unter dem Einfluss natürlicher Kräfte wie Regen, Sturm, Frost.

Vesper [die], die Zeit gegen den Abend zu; Abendbrot; in der katholischen Messe das Stundengebet am späten Nachmittag oder Abend.

Vespucci [ves'putʃi], Amerigo, * 1451, † 1512; italienischer Seefahrer. Er unternahm mehrere Reisen nach Amerika und verfasste Reisebeschreibungen über Südamerika. Der deutsche Buchdrucker und Kartenzeichner M. *Waldseemüller* (* 1475, † 1521) hielt Vespucci fälschlich für den Entdecker Amerikas und benannte den Erdteil nach dessen Vornamen.

Vesuv [der], ein tätiger Vulkan in Süditalien, am Golf von Neapel, 1277 m hoch. Der gewaltigste Ausbruch, 79 n.Chr., verschüttete die Städte *Herculane-*

Vesuv: Das verschüttete Pompeji wurde ab 1748 ausgegraben und archäologisch erforscht; Ruine des Jupitertempels.

um, Pompeji und *Stabiae.* Die letzte größere Eruption erfolgte 1944.

Veteran [der], altgedienter Soldat.

Veterinäre [Pl.], Tierärzte.

Veto [das], Einspruch gegen einen Beschluss einlegen, um seine Durchführung zu verhindern.

Vibraphon [das], *Vibrafon,* ein Schlaginstrument, dessen Metallplatten auf einem Gestell liegen. Unter den Platten sind Resonanzröhren angebracht. Elektrisch betriebene Windflügel zwischen Platten und Röhren geben den Tönen einen weichen, vibrierenden Klang.

Victoriafälle, die größten Wasserfälle Afrikas, auf der Grenze zwischen Sambia und Simbabwe, bis 107 m hoch und etwa 1700 m breit.

Victoriasee, größter See Afrikas, zwischen Uganda, Kenia und Tansania; der See liegt 1134 m über dem Meeresspiegel, ist bis 81 m tief und hat eine Fläche von 69 484 km^2.

Videokamera [die], ein elektronisches Gerät zur Aufnahme und Speicherung von bewegten Bildsignalen auf einem Speichermedium.

Videorekorder [der], *Videorecorder,* ein Gerät, das Bilder auf ein Magnetband in einer Kassette aufzeichnen und wiedergeben kann. Auf dem Magnetband werden Signale als magnetische Schwankungen gespeichert, die zur Wiedergabe durch Videoköpfe abgetastet und in elektrische Impulse umgewandelt werden.

Videospiel [das], ein Spiel oder Spielprogramm, das mit Hilfe eines Zusatzgerätes für den Fernsehempfänger auf dem Bildschirm gespielt werden kann. Dazu gehören Spielklassiker wie Mühle oder Schach sowie immer aufwändiger gestaltete Geschicklichkeits- und Abenteuerspiele, die erst durch die moderne Computertechnik möglich wurden. Sehr viele Spielprogramme sind deshalb auch für den Einsatz am → Computer bestimmt.

Videotext [der], die Übertragung von Texten oder Grafiken zusammen mit dem Fernsehbild; sie können durch ein besonderes Steuergerät *(Video-Decoder)* oder mit Hilfe der Fernbedienung zu jedem beliebigen Zeitpunkt auf dem Bildschirm sichtbar gemacht werden.

Vierte Welt [die], jene Länder der Dritten Welt, die über keine Rohstoffe (z. B. Erdöl) verfügen und von der allgemeinen Preissteigerung besonders hart betroffen sind. Sie zählen zu den ärmsten Ländern der Welt.

Vierwaldstätter See [der], ein Alpensee in der Schweiz, 114 km^2 groß und bis 214 m tief.

Die Victoriafälle in Afrika gehören seit 1989 zum Weltnaturerbe.

Ländersteckbrief Vietnam

Fläche:	331 690 km²
Einwohner:	85,3 Millionen = 257 je km²
Hauptstadt:	Hanoi
Religion:	Buddhismus, Daoismus, römisch-katholische Kirche
Amtssprache:	Vietnamesisch
Währung:	1 Dong = 10 Hào = 100 Xu

Vietnam, Staat in Südoastasien.

Landesnatur: Wirtschaftliche Kernräume Vietnams sind die Schwemmlandebenen um die Deltas vom *Roten Fluss* im Norden und vom *Mekong* im Süden. Ansonsten ist das Land überwiegend gebirgig und erreicht im *Fan Si Pan* im Norden Höhen von 3142 m, in der *Annamitischen Kordillere* im Süden 2598 m. Das Klima ist im Norden subtropisch, im Süden tropisch-heiß. Sommerliche Niederschläge bringt der Südwest-Monsun.

Bevölkerung: Die Bevölkerung besteht zu knapp 90% aus Vietnamesen. Mehr als die Hälfte bekennen sich zum Buddhismus. Daneben gibt es zahlreiche Mischreligionen und eine katholische Minderheit.

Wirtschaft: Die Landwirtschaft ist Lebensgrundlage Vietnams. Hauptanbauprodukt ist Reis; für den Export werden v. a. Kautschuk, Tee, Mais und Kaffee angebaut. Küsten- und Binnenfischerei sind von Bedeutung. Vietnam verfügt über zahlreiche Bodenschätze: Steinkohle, Eisen, Zink, Chrom, Gold, Phosphat u. a. Die Industrie umfasst Betriebe der Nahrungsmittel-, Textil-, Eisen- und Stahl-, Maschinen- und chemischen Industrie. – Haupthäfen sind Haiphong, Da Nang und Ho Chi Minh; Flughäfen in Hanoi und Ho Chi Minh.

Geschichte: Von 111 v. Chr. bis 939 n. Chr. war Vietnam eine chinesische Provinz, danach ein selbstständiges Kaiserreich. Im 19. Jh. wurde es von Frankreich besetzt und war Bestandteil von *Französisch-Indochina*. Der Kommunist *Ho Chi Minh* proklamierte am 2. 9. 1945 die Unabhängigkeit und rief die *Demokratische Republik Vietnam* aus. Am 19. 12. 1946 begann mit Partisanenangriffen auf die französischen Truppen ein langwieriger Kampf *(Indochina-Kriege)*. Mit der Einnahme von Diên Biên Phu am 7. 5. 1954 war die französische Niederlage besiegelt. Das *Genfer Indochina-Abkommen* vom 21. 7. 1954 teilte das Land entlang dem 17. Breitengrad provisorisch in eine Nordzone und eine Südzone.

Nordvietnam entwickelte sich zu einer kommunistischen Volksrepublik. In *Südvietnam* machte sich 1955 *Ngo Dinh Diem* zum Präsidenten. Die Weigerung Südvietnams, eine Volksabstimmung über die Wiedervereinigung abzuhalten, und die Missstände unter

Vietnam: In der Halong-Bucht im Südchinesischen Meer ragt eine Vielzahl von Kalkfelsen und kleinen Inseln aus dem Wasser; die vom Fischfang lebenden Menschen wohnen hier auf Hausbooten.

dem Diem-Regime bewirkten seit 1957 ein Wiederaufleben der Tätigkeit kommunistischer Guerillas *(Vietcong)* in Südvietnam, die von Nordvietnam aus unterstützt wurde. Die USA griffen in wachsendem Maß in die Kämpfe ein. Es kam zum Vietnamkrieg, in den auch Laos und Kambodscha verwickelt wurden. Im Jahr 1973 wurde ein Waffenstillstand geschlossen. Er beendete jedoch nur das militärische Engagement der USA in Vietnam; der Bürgerkrieg ging unvermindert weiter. Im Frühjahr 1975 eroberten Vietcong und Nordvietnamesen Südvietnam. 1976 wurden Nord- und Südvietnam unter kommunistischer Führung wiedervereint. Die *Sozialistische Republik Vietnam* entstand. 1979 besetzten vietnamesische Truppen das mit China verbündete Kambodscha; daraufhin unternahm China eine erfolglose »Strafaktion« gegen den Norden Vietnams. 1989 zog Vietnam seine Truppen aus Kambodscha zurück. Nach dem Zusammenbruch des Kommunismus in der UdSSR und in Europa hielten Vietnams Machthaber an der kommunistischen Parteiherrschaft fest, leiteten aber eine wirtschaftliche Liberalisierung ein. 1992 trat eine neue Verfassung in Kraft. Generalsekretär der Kommunistischen Partei ist seit 2001 *Nong Duc Manh*, Staatspräsident seit 2006 *Nguyen Minh Triet* und Premierminister seit 2006 *Nguyen Tan Dung*.

Vignette [vi'njɛtə, die, franz.], **1.** kleinformatiges Zierbild als Buchschmuck (Holz- oder Kupferstich). **2.** ein Aufkleber fürs Auto als Beleg dafür, dass man eine Autobahn-Benutzungsgebühr bezahlt hat, z. B. üblich in der Schweiz.

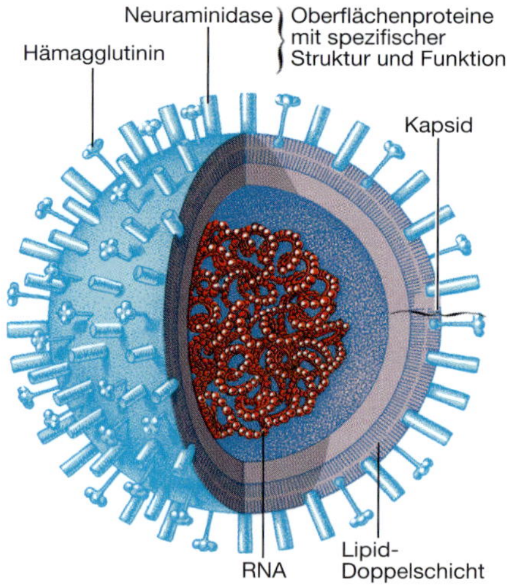

Viren: Die meisten Viren haben eine einfache Struktur: Sie bestehen wie dieser Grippevirus aus einem Nucleinsäurefaden, der von einer Proteinhülle (Kapsid) umgeben ist.

Vikar [der], Geistlicher ohne selbstständiges Amt.

Viktoria, * 1819, † 1901; Königin von Großbritannien und Irland seit 1837 und Kaiserin von Indien seit 1877. Während ihrer Regierungszeit erlebte die Ober- und Mittelschicht eine wirtschaftliche Blüte; die Zeit wird auch *Viktorianisches Zeitalter* genannt.

Vilnius, *Wilna,* die Hauptstadt von Litauen, 542 000 Einwohner.

Violine [die] → Geige.

Violoncello [violon'tʃelo, das] → Cello.

Vipern [Pl.], *Ottern,* giftige Schlangen, zu denen u. a. die *Kreuzotter* und die *Sandviper* gehören. Sie haben eine senkrecht gestellte Pupille, einen meist dreieckigen, scharf abgegrenzten Kopf und zwei Giftzähne.

virtuelle Realität [die] → Cyberspace.

virtuos, meisterhaft, technisch perfekt.

Virus [das oder der, Pl. Viren, lat., »Gift«], kleine krankheitserregende Partikel an der Grenze zwischen belebter und unbelebter Natur; Größe zwischen 1 tausendstel und 30 millionstel mm. Viren bestehen im Wesentlichen aus Erbmaterial, dessen Programm sie jedoch nicht selbst verwirklichen können, weil ihnen u. a. ein eigener Stoff- und Energiewechsel fehlt. Deshalb können sie sich nur vermehren, indem sie in Zellen von Mensch, Tier oder Pflanze (auch in Bakterien) eindringen und deren Eiweiß in Viruseiweiß umwandeln. Sie töten dadurch die lebende Zelle des fremden Gewebes ab. Zahlreiche Viren dringen als Krankheitserreger in menschliche Körperzellen ein. Sie verursachen u. a. *Masern, Aids, Kinderlähmung* und *Grippe.* Gegen die meisten Viren sind Schutzimpfungen entwickelt worden.

Visier [das], **1.** das hochklappbare Vorderteil eines mittelalterlichen Helms. **2.** eine Zielvorrichtung an Schusswaffen.

Vision [die], ein Bild, eine Erscheinung, die für andere nicht wahrnehmbar ist. Die Vision ist eine religiöse Erlebnisform. Visionen können auch durch Drogen hervorgerufen werden.

Visite [die], ein kurzer Besuch, besonders der Krankenbesuch eines Arztes.

visuell, das Sehen betreffend.

Visum [das], eine Eintragung im Pass, die als Genehmigung für die Einreise in ein fremdes Land gilt.

vital, lebenswichtig, lebenskräftig, voller Tatendrang.

Vitamine [Pl.], lebenswichtige chemische Verbindungen, die der menschliche Körper nicht selbst herstellen kann, sondern sich mit der Nahrung zuführen muss. Einzelne Vitamine kommen in der Natur als Vorstufen (Pro-Vitamine) vor, aus denen sich die eigentlichen Vitamine erst unter bestimmten Bedingungen bilden. Vitaminmangel führt zu Krankheiten. Die Vitamine werden mit Buchstaben bezeichnet, z. B. Vitamin A, Vitamin C. Man unterscheidet fettlösliche und wasserlösliche Vitamine. Die meisten von ihnen lassen sich heute auch künstlich herstellen. Vitamine sind in der Nahrung besonders in Gemüse, Früchten, Samen, Eigelb, Leber und Milch enthalten.

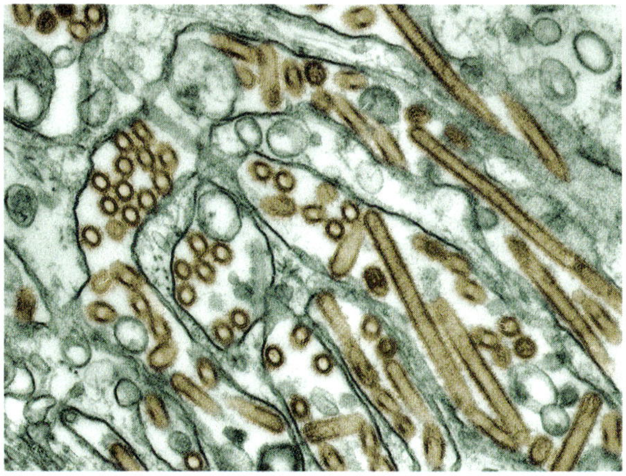

Vogelgrippevirus: mikroskopische Aufnahme des Erregers

Vivaldi, Antonio, * 1678, † 1741; italienischer Komponist und bedeutendster Geiger seiner Zeit. Er komponierte Opern und besonders Solokonzerte. In das Violinspiel führte er viele technische Neuerungen ein. Besonders bekannt wurden »Die vier Jahreszeiten«.

Vögel → Seite 144.

Vogelgrippe, *Hühnergrippe, Geflügelpest,* Tierseuche, die durch Viren ausgelöst wird und vor allem Hausgeflügel und Wildvögel befällt. In Einzelfällen kommt es bei engem Kontakt mit infizierten Tieren auch zu einer Übertragung auf den Menschen, die dann häufig tödlich ist. Experten befürchten, dass durch Kreuzungen mit menschlichen Grippeviren oder durch Mutation ein neuer, besonders gefährlicher Erreger entstehen könnte, der von Mensch zu Mensch übertragbar wäre und eine weltweite → Pandemie auslösen könnte, der viele Menschen zum Opfer fielen. In Deutschland ist der Erreger erstmalig im Februar 2006 in Schwänen nachgewiesen worden. Als vorbeugende Maßnahme wird bei Ausbrüchen in der Tierhaltung der gesamte betroffene Tierbestand getötet und vernichtet.

Vogesen [die], ein Mittelgebirge westlich des Rheins in Frankreich, bis 1426 m hoch.

Vokabel [die], einzelnes Wort, besonders einer fremden Sprache.

Vokal [der], *Selbstlaut,* Buchstaben des Alphabets, die einen eigenen Klang haben: a, e, i, o, u; einige von ihnen können Umlaute bilden: ä, ö, ü; andere können Diphthonge (Doppellaute) bilden: au, eu, ei (ai). Die anderen Buchstaben des Alphabets sind *Konsonanten (Mitlaute).*

Volk [das], allgemein alle Menschen, die durch eine gemeinsame Sprache und geschichtliche Entwicklung miteinander verbunden sind. Der Begriff Volk ist unabhängig von politischen Grenzen und Staatsformen.

Mehr wissen ...

Akrobaten der Lüfte: Vögel

Heute leben auf der Erde rund 8600 Vogelarten. Die kleinsten Vögel der Welt findet man unter den Kolibris, wie die Bienenelfe, die gerade einmal 6 cm Körperlänge erreicht. Auf der anderen Seite ist der afrikanische Strauß, ein flugunfähiger Laufvogel, mit bis zu 3 m Höhe der größte Vogel. Es gibt relativ viele Vögel, die nicht fliegen können, während andere Tausende von Kilometern im Flug zurücklegen und bei gewagten Sturzflügen Geschwindigkeiten von über 200 Stundenkilometern erreichen. Vögel bewohnen so unterschiedliche Lebensräume wie Eisschollen in der Antarktis, tropische Regenwälder, Trockenwüsten oder sogar die offene See.

Abstammung:

Vögel und Reptilien (Kriechtiere) hatten einen gemeinsamen Vorfahren, den *Archosaurier.* Der Urvogel *(Archaeopterix),* der vor rund 150 Mio. Jahren lebte, ist das berühmteste Beispiel unter den bisher bekannten Übergangsformen zwischen zwei deutlich verschiedenen Bauplänen des Tierreichs. Neben alten Reptilmerkmalen – wie Zähne, Krallen und die Schwanzwirbelsäule – besaß er bereits moderne Vogelmerkmale wie ein Federkleid, verwachsene Schädelknochen, drei Vorderzehen sowie eine lange Hinterzehe. Besonders gut fliegen konnte Archaeopterix jedoch noch nicht, dafür war sein Brustbein, an dem die Flugmuskulatur ansetzt, zu schwach entwickelt.

Eine Gruppe von Papageientauchern auf einer Klippe in Schottland

Eigenarten des Körperbaus:

Aus dem unbeholfen flatternden Archaeopterix wurden im Laufe der Evolution echte »Akrobaten der Lüfte«. Sogar die heute flugunfähigen Vögel – wie Lauf- und Tauchvögel – stammen von einst flugfähigen Vorfahren ab. Bei den meisten Vögeln ist der Körper bis ins Letzte auf Flugtüchtigkeit angelegt. Die Vordergliedmaßen des stromlinienförmigen Körpers sind zu *Flügeln* umgebildet. Das aus leichten Knochen bestehende Skelett hat die Form eines starren Kastens mit einem großen Brustbein, an dessen Kamm die stark entwickelte Flugmuskulatur ansetzt. Der großen körperlichen Belastung während des Fluges musste auch der Atmungsapparat angepasst werden. So bildeten sich als blasenartige Anhänge der Lunge Luftsäcke, die sich in die gesamte Körperhöhle ausdehnen. Ausläufer dieser *Luftsäcke* erstrecken sich bis in die Höhlungen der großen Röhrenknochen. Dadurch wird das Körpergewicht des Vogels verringert, eine wichtige Voraussetzung für das Fliegen. Diese äußerst leistungsfähige Lungenkonstruktion erklärt auch, warum Vögel beim Fliegen nicht außer Atem kommen und dass sie in der Lage sind, auch im Fluge ihren Gesang vorzutragen.

Der Vogelkörper ist in gewisser Hinsicht mit einem Hochleistungsmotor vergleichbar. Die Körpertemperatur liegt bei 40–44 °C und ist damit etwa 6 °C höher als bei den Säugern. So dient das Federkleid nicht nur zum Fliegen, sondern auch der Wärmeregulation. Der Vogel kann es – ganz nach den jeweiligen Witterungsverhältnissen – locker aufplustern, dicht anlegen oder zur Kühlung weit abspreizen.

Fortpflanzung:

Die Vögel der gemäßigten Breiten sind streng in den Rhythmus der Jahreszeiten eingebunden: Auf die Zeit der Balz und der Paarbildung folgt die Zeit der Jungenaufzucht, dann meist eine Ruhezeit und anschließend – bei vielen Arten – noch die Zeit des Vogelzuges. Die Balz dient dazu, eine Bindung zwischen den Geschlechtern herzustellen und so die Fortpflanzung sicherzustellen. Leuchtendes Gefieder, spezielle Lockrufe und Gesänge sowie akrobatische Flüge gehören zum Repertoire des oft kunstvoll ausgeführten Werbeverhaltens der Vogelmännchen. Einige Vogelarten führen auch eindrucksvolle Schaukämpfe vor. Die eigentliche Begattung besteht nur aus einem flüchtigen Zusammenpressen der Kloaken (eine für Geschlechtsprodukte, Harn- und Kotabgabe gemeinsame Körperöffnung).

Gemeinsames Merkmal der *Fortpflanzung* aller Vögel ist die Eiablage. In der schützenden, harten Kalkschale des Eis wachsen die *Küken* heran. Die Brutzeiten bewegen sich zwischen 11 Tagen, z. B. bei einigen Prachtfinken, und 63 Tagen bei den Kaiserpinguinen. Beim Schlüpfen sind die Jungen meistens nackt und hilflos und müssen im Nest beschützt und gefüttert werden, was zu der Bezeichnung *Nesthocker* geführt hat. Küken, die zum Zeitpunkt des Schlüpfens bereits ihr volles Federkleid haben, laufen und sich innerhalb kurzer Zeit selbständig ernähren können, bezeichnet man als *Nestflüchter.*

Als Aasfresser erfüllen Geier eine wichtige Funktion innerhalb des ökologischen Systems.

Vogelzug:

Ein anderes interessantes Phänomen ist die Orientierung der Vögel während des *Vogelzuges.* Wie gelingt es ihnen, über Tausende von Kilometern – zum Teil bei Dunkelheit – über Meere und Land zu ziehen, um sich jährlich erstaunlich genau am gleichen Brutplatz einzufinden? Vögel, die am Tage ziehen, orientieren sich am Sonnenstand, der mit Hilfe einer »inneren Uhr« mit der Tageszeit verrechnet wird. Viele Nachtflieger verfügen über einen Sternenkompass: Sie erkennen die Position des Polarsterns und seiner Umgebung und haben so einen Anhaltspunkt für die Nordrichtung. Ist aber der Himmel bedeckt, tritt ein weiteres Navigationssystem in Aktion: ein Magnetkompass. Vögel können nämlich anhand der Feldlinien des Erdmagnetfeldes zwischen »polwärts« und »äquatorwärts« unterscheiden und verfügen so über eine Nord-Süd-Achse zur Orientierung. Möglicherweise kommen noch weitere erstaunliche Navigationsleistungen hinzu, die wir noch gar nicht durchschauen.

Völkerbund

Völkerbund [der], eine internationale Organisation, die 1919 gegründet und 1946 aufgelöst wurde. Der Völkerbund hatte das Ziel, den Frieden zu sichern. Nach seiner Auflösung wurden die Aufgaben von den → Vereinten Nationen übernommen.

Völkerkunde [die], *Ethnologie,* die Wissenschaft, die sich mit den Kulturen und Kulturgütern der Völker befasst, sie beschreibt und miteinander vergleicht.

Völkerrecht [das], durch Gewohnheit oder Vereinbarung (z. B. Genfer Konvention) zustande kommende Rechtsregeln für die Beziehungen der Staaten untereinander. Das Völkerrecht enthält z. B. Festlegungen über die Abgrenzung der Staatsgebiete sowie die Rechtsverhältnisse der hohen See (Meeresfreiheit) und der Luft. Vor dem Völkerrecht sollen alle Völker gleichberechtigt sein.

Was ist eine … Völkerwanderung

Als Völkerwanderung wird im weiteren Sinn die Wanderungsbewegung ganzer Völker, Völkergruppen und Stämme, im engeren Sinn vor allem die Wanderung germanischer Stämme im 4.–6. Jh. n. Chr. bezeichnet. In die Völkerwanderungszeit fallen das Ende der römischen Herrschaft im Süden und Westen Europas und die Anfänge der europäischen Staatenbildung des Mittelalters.

Ursachen und Verlauf: Am Anfang der Völkerwanderung steht um 370 der Einfall der Hunnen. Sie stießen aus Mittelasien auf die Siedlungsgebiete der Goten am Schwarzen Meer und an der Donau. Damit begann die Epoche der verstärkten Wanderungen und der großen germanischen Reichsgründungen auf römischem Boden. Als Ursachen für die Wanderungsbewegungen gelten wirtschaftliche Nöte wie eine mangelhafte Nahrungsmittelversorgung. Daneben stellten die besseren klimatischen Verhältnisse im Süden Europas und der höhere Lebensstandard der römischen Zivilisation einen starken Anreiz dar, die angestammten Siedlungsgebiete zu verlassen.

Im Verlauf der Völkerwanderung zogen die Westgoten über den Balkan nach Italien, Südfrankreich und Spanien. 476 erklärten germanische Söldner den letzten römischen Kaiser *Romulus Augustulus* für abgesetzt. Die Wandalen drangen bis Nordafrika vor. Die Burgunder siedelten sich vorübergehend in der Gegend von Worms, später an der Rhône in Frankreich an. Die Ostgoten gründeten unter *Theoderich dem Großen* einen der bedeutendsten germanischen Staaten in Italien. Die Franken wanderten von ihrem Ursprungsgebiet am Niederrhein nach Frankreich und rheinaufwärts. Die Alemannen dehnten ihr Gebiet in der Völkerwanderungszeit vom Main bis in die Alpen hinein aus (Oberrhein, Elsass u. Schweiz). Angeln und Sachsen stießen nach England vor. Als Abschluss der Völkerwanderungszeit gilt der Einfall der Langobarden in Italien 568.

Kultur der Völkerwanderungszeit: Die Kultur der Völkerwanderungszeit ist vorwiegend aus den Funden der *Reihengräber* bekannt, in denen die Leichen in Reihen nebeneinander bestattet wurden. In den Gräbern lagen Männer und Frauen in vollständiger Bekleidung, die Frauen mit Schmuck, die Männer mit Waffen versehen; die Gräber des hohen Adels hoben sich durch ihre prächtige Ausstattung von den übrigen ab. Schwerter und Schwertscheiden, Helme, Gürtel- und Riemenschnallen, Ringe und Armreifen sind oft kunstvoll gearbeitet und vielfach mit Ornamenten verziert. Das bedeutendste Zeugnis der Baukunst der Völkerwanderungszeit ist das Grabmal Theoderichs des Großen bei Ravenna in Italien.

Volksabstimmung [die], *Volksentscheid, Plebiszit,* die Abstimmung aller stimmberechtigten Bürger eines Staates, Landes oder Kantons über ein Gesetz. Auch → Demokratie.

Volksbegehren [das], der durch Unterschriften ausgedrückte Wunsch eines bestimmten Teils des Volkes, dass ein Gesetzesvorschlag zur → Volksabstimmung gestellt werden soll.

Volkshochschule [die], eine Bildungseinrichtung (meist als Abendschule) für Erwachsene, in der sie sich neben dem Beruf weiterbilden können.

Volksrepublik [die], die Staatsbezeichnung einiger kommunistischer Staaten.

Volkswirtschaft [die] → Wirtschaft.

Volleyball ['vɔli-, der], ein Netzspiel, bei dem zwei Mannschaften zu je sechs Spielern versuchen, einen Ball mit der Hand so über das Netz zu schlagen, dass ihn die Gegenpartei vor dem Auffall auf den Boden nicht mehr erreicht bzw. ihn nicht regelgerecht zurückbringen kann. Von jeder Mannschaft darf der Ball höchstens dreimal berührt oder gespielt werden, dabei kann jeder Spieler zweimal an den Ball kommen, jedoch nicht direkt hintereinander. Der Ball darf mit den Händen »gepritscht«, »gebaggert« (Tiefbälle von unten annehmen und zuspielen) und »geschmettert«, jedoch nicht festgehalten, gehoben oder geworfen werden. Volleyball ist seit 1964 olympische Disziplin. Zunehmend beliebter wird der → Beachvolleyball.

Volljährigkeit [das], das Alter, mit dem eine Person uneingeschränkt geschäftsfähig ist, das Wahlrecht besitzt und gewählt werden darf, ehemündig ist und im Strafrecht als erwachsen gilt. Die Volljährigkeit beginnt in Deutschland und der Schweiz mit Vollendung des 18., in Österreich mit dem 19. Lebensjahr.

Vollmacht [die], die Erlaubnis, dass der Bevollmächtigte jemanden, der die Vollmacht erteilt, rechtlich vertreten darf.

Volontäre [Pl.], Personen, die zur Ausbildung (oder Vervollständigung der Ausbildung) in einem Betrieb arbeiten; meist nur gegen ein geringes Entgelt oder unentgeltlich.

Volt [das], Kurzzeichen V, die Einheit der elektrischen Spannung. 1 V herrscht zwischen zwei Punkten eines metallischen Leiters, wenn in ihm eine Leistung von 1 Watt bei einem Strom von 1 Ampere umgesetzt wird: 1 V = 1 W/1 A.

Volta, Alessandro Graf, * 1745, † 1827; italienischer Physiker. Er war ein Pionier auf dem Gebiet der Elektrizität und trug vor allem zum theoretischen Verständnis des elektrischen Stroms bei. Volta entdeckte die Elektrolyse von Wasser und erfand u. a. das *Volta-Element*.

Wer war …
Voltaire

Voltaire (eigentlich *François-Marie Arouet,* * 1694, † 1778) war ein französischer Schriftsteller und Philosoph und der bekannteste Vertreter der französischen *Aufklärung*. Voltaire förderte als brillanter und geistreicher Schriftsteller, Publizist und Redner die Verbreitung des aufgeklärten Gedankenguts. Für viele seiner Zeitgenossen war er ein geschätzter Gesprächspartner. Er schrieb neben philosophischen Abhandlungen auch Gedichte, Dramen, Epen, Romane, Erzählungen und historische Werke. Nach seinem Tod wurde er als Held der *Französischen Revolution* geehrt. Voltaires Kritik richtete sich gegen den absolutistischen Staat, gegen Vorurteile und Aberglauben, vor allem aber gegen die katholische Kirche. Dennoch war er kein Atheist, denn Gott existierte für ihn als vernünftiger Urheber alles Seins. Für Voltaire, der an die Vernunft im Menschen glaubte, war das oberste Ziel die Toleranz und die Menschlichkeit. Dass der Glaube an ein optimistisches Menschenbild und an die vernünftige Einrichtung der Welt jedoch auch erschüttert sein kann, zeigte er in seinem philosophischen Roman »Candide« (1759).

Voltaire wurde 1704–1711 im Jesuitenkolleg in Paris erzogen. Nach dem Studium der Rechtswissenschaft kam er in Kontakt mit aristokratischen und liberalen Kreisen. Seine literarischen Werke wurden begeistert aufgenommen, doch geriet Voltaire als Befürworter von Toleranz und Meinungsfreiheit wiederholt mit der Zensur in Konflikt. Wegen Kritik an den französischen Zuständen musste er Paris verlassen und lebte 1726–1729 in England im Exil. 1750–1753 war er Gast *Friedrichs des Großen* in Berlin, mit dem er jedoch in eine Auseinandersetzung geriet. Seit 1754 arbeitete er an einem der bedeutendsten Projekte der französischsprachigen Aufklärung, der »Encyclopédie« mit.

Voltaire; Farbkupferstich von Charles Corbett nach einer Zeichnung von L. Sen; 18. Jh. Paris, Bibliothèque Nationale

Volumen [das], Abkürzung vol., der Rauminhalt von geometrischen Körpern.

Vorarlberg, ein österreichisches Bundesland, die Landeshauptstadt ist *Bregenz*. Im Norden grenzt das Land an den Bodensee.

Vorderasien, zusammenfassende Bezeichnung für den südwestlichen Teil Asiens, der auch Orient genannt wird. Zu dem Gebiet gehören die Staaten Türkei, Iran, Irak, Syrien, Libanon, Israel, Jordanien, Saudi-Arabien, Jemen, Oman und die Vereinigten Arabischen Emirate.

Vorgeschichte [die] → Geschichte.

Vorhaut [die], eine verschiebbare Haut an der Spitze des männlichen Gliedes, → Geschlechtsorgane.

Vormundschaft [die], die Übernahme der Aufgaben, die bei Kindern gewöhnlich Eltern wahrnehmen. Ein Vormund wird dann von einem Gericht für ein Kind bestimmt, wenn seine Eltern gestorben sind oder die elterlichen Aufgaben nicht wahrnehmen können. Auch Erwachsene können einen Vormund bekommen, wenn sie z. B. durch Krankheit geistig nicht in der Lage sind, ihre Angelegenheiten zu regeln. Erwachsene sind entmündigt, wenn sie einen Vormund bekommen.

Vorsilbe → Präfix.

Vorsteherdrüse [die] → Prostata.

Votum [das], Stellungnahme, Gutachten; die Stimme bei einer Abstimmung.

Voyeur [vwa'jøːr, der], jemand, der anderen bei sexuellen Handlungen zuschaut und dabei selbst zur sexuellen Erregung kommt.

vulgär, gemein, gewöhnlich.

Vulkan [der, nach *Vulcanus,* dem altrömischen Gott des Feuers], allgemein die Stellen der Erde, an denen Gase und dünn- oder zähflüssiges, glühendes Gestein (Magma) aus dem Erdinnern an die Oberfläche treten. Im engeren Sinn ist ein Vulkan ein »feuerspeiender Berg«, der durch Aufschüttungen aus erstarrter Magma entstanden ist und meist eine charakteristische

Genauer betrachtet …
Vulkan

Die höchsten Vulkane der Erde sind:

Name	Land	Höhe	letzter bekannter Ausbruch
Guallatiri	Chile	6060 m	1987
Sabancaya	Peru	5967 m	2000
Nevado del Huila	Kolumbien	5750 m	1994
Tupungatito	Chile	5640 m	1986
Lascar	Chile	5592 m	2003
Popocatépetl	Mexiko	5465 m	2005
Nevado del Ruiz	Kolumbien	5389 m	1992
Sangay	Ecuador	5230 m	2007
Irruputuncu	Chile	5163 m	1995
Tungurahua	Ecuador	5020 m	2006

Kegelform mit einem Krater in der Mitte aufweist. Die vulkanische Tätigkeit entsteht dadurch, dass sich im Erdinnern an besonderen Stellen etwa 10–20 km unter der Erdoberfläche Mengen von Magma ansammeln, sogenannte *Vulkanherde,* aus denen sich zunächst Gase einen Weg zur Oberfläche bahnen. Dabei sprengen sie oft explosionsartig einen *Schlot* frei, den dann das Magma zum Ausbruch benutzt. Zu Beginn kommt es meist zu einer von Erdbeben begleiteten heftigen Explosion. Anschließend schießt das Magma aus dem Krater, entweder in Form glühender, zähflüssiger Lava oder in Form von heißer Asche und Gesteinsbrocken. Vulkanausbrüche (Eruptionen) kündigen sich meist durch starke Unruhe im Untergrund des Vulkans, Gasaustritte und brodelnden Vulkanschlamm im Krater an. Es sind auf der Erde rund 500 noch tätige Vulkane bekannt (die Zahl der erloschenen geht in die Tausende), von denen 3/4 rund um den Pazifischen Ozean liegen. In Europa gibt es tätige Vulkane in Italien *(Vesuv, Ätna, Stromboli)* und bei Island. Auch → »Genauer betrachtet.

Vulkanisation [die], das Erhitzen von Naturkautschuk unter Zusatz von Schwefel oder Schwefelverbindungen auf etwa 120 °C. Durch die Vulkanisation wird der Kautschuk elastischer und widerstandsfähiger.

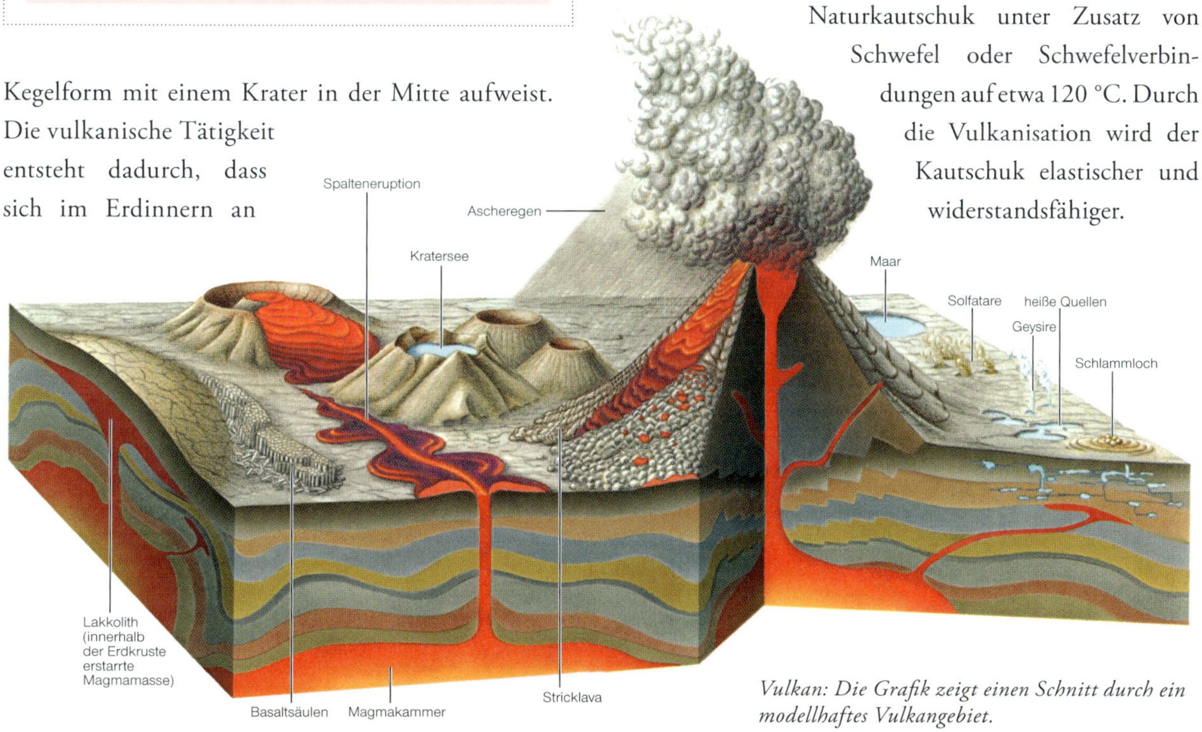

Vulkan: Die Grafik zeigt einen Schnitt durch ein modellhaftes Vulkangebiet.

W

W, **1.** 23. Buchstabe des Alphabets (Konsonant). **2.** Abkürzung für Westen. **3.** Kurzzeichen für → Watt.

Waadt, ein Kanton im Südwesten der Schweiz zwischen Neuenburger und Genfer See, in dem Französisch gesprochen wird; Hauptstadt ist *Lausanne.*

Waage [die], ein Gerät zur Bestimmung des Gewichtes von Körpern durch Massenvergleich. Die *Balkenwaage* besteht aus einem zweiarmigen, in der Mitte gelagerten Hebel mit je einer Waagschale an beiden Enden. Gewogen wird mit Hilfe geeichter Vergleichsmassen (Gewichte). Die *Federwaage* besitzt eine Feder, die durch die Gewichtskraft des Wiegegutes verlängert wird. Eine feinere Form ist die für chemische Untersuchungen gebrauchte *Analysenwaage.* Bei der *Laufgewichtswaage* wird ein Gewicht auf einem Waagenarm verschoben, bis der Arm horizontal hängt, also Gleichgewicht herrscht. Elektronische Waagen haben keine beweglichen Teile. Durch die Masse werden bei einem Kristall oder einem gespannten Band Formveränderungen bewirkt, die angezeigt werden.

Waben [Pl.], aus sechseckigen Wachszellen bestehende Wände des Bienenstocks. Die Wachszellen dienen der Aufzucht der Brut und der Speicherung von Vorräten (Blütenstaub, Honig).

Wacholder [der], ein einheimisches Zypressengewächs, das Trockenheit erträgt. Seine spitzen Nadeln schützen ihn vor Tierfraß, daher ist der Wacholder hauptsächlich in Gegenden mit Schafzucht (Heidelandschaft) verbreitet. Die blauen Beerenzapfen regen die Magentätigkeit an und werden als Gewürz und bei der Schnapsherstellung verwendet.

Wachteln: Die Europäische Wachtel wird bis 18 cm groß.

Wadi: Die Trockentäler führen nur periodisch Wasser, doch Bewässerungskulturen ermöglichen in einigen Regionen den Ackerbau; Blick auf das Wadi Hadramaut (Jemen).

Wachse [Pl.], schmelzbare, leicht knetbare organische Stoffe, die natürlich als Pflanzenwachs und tierisches Wachs (Bienenwachs) vorkommen oder synthetisch aus Erdöl hergestellt werden. Chemisch ist Wachs ein Gemisch aus Estern.

Wachteln [Pl.], mehrere Arten einer Gruppe von Vögeln, die zu den Hühnervögeln gestellt werden. Wachteln sind – als Ausnahme unter den Hühnervögeln – typische Zugvögel, die in den Steppen und Savannen Afrikas beziehungsweise Südasiens überwintern. Vom nicht voll ausgefärbten → Rebhuhn ist die *Europäische Wachtel* durch die rahmfarbenen Streifen am Kopf unterscheidbar. Beim Männchen findet sich außerdem eine typische, meist schwarze Zeichnung an der Kehle. Bei uns gehören die Wachteln zu den stark gefährdeten Vögeln.

Wadi [das], ein trockenes, nur bei starken Regenfällen durchflossenes Tal in Wüsten- oder Halbwüstengegenden.

Wer war ...
Richard Wagner

Der deutsche Komponist Richard Wagner (* 1813, † 1883) prägte maßgeblich die Oper des 19. Jh. Seine Bedeutung liegt in seiner Konzeption des Musikdramas, die von der Idee eines Gesamtkunstwerks bestimmt wird: In ihm bilden die Elemente Musik, Wort und Bild eine Einheit. Wagner vertonte in seinen Bühnenwerken eigene Texte (er wählte hauptsächlich Stoffe aus dem Mittelalter sowie aus deutschen Götter- und Heldensagen) und führte zur Charakterisierung von Personen und bestimmten Situationen wiederkehrende musikalische Motive (Leitmotive) ein. Seine bekanntesten Werke sind »Der fliegende Holländer«, »Tannhäuser«, »Lohengrin«, »Tristan und Isolde«, »Die Meistersinger von Nürnberg«, »Parsifal« und die den »Ring des Nibelungen« bildenden vier Musikdramen »Das Rheingold«, »Die Walküre«, »Siegfried« und »Götterdämmerung«.

Wagner begann als Kapellmeister in Würzburg, wurde später Musikdirektor in Riga. Zurück in Dresden war er gezwungen, wegen seiner Beteiligung an der Revolution von 1848 in die Schweiz zu fliehen. Später zog er nach München. 1870 heiratete er dort Cosima von Bülow und gründete mit der Unterstützung König Ludwigs II. das Bayreuther Festspielhaus, das 1876 eröffnet wurde. Dort werden alljährlich die Wagner-Festspiele abgehalten, bei denen ausschließlich Wagner-Opern zur Aufführung kommen. Die Leitung der Festspiele liegt bis heute in den Händen der Nachfahren Richard Wagners.

Waffenstillstand [der], die vorübergehende Unterbrechung der Feindseligkeiten, oft wie die *Waffenruhe* mit einem bestimmten Zweck, meist als Vorstufe zu Friedensverhandlungen.

Wahl [die], allgemein eine Abstimmung; eine Mehrheitsentscheidung über die Berufung zu einem Amt (z. B. als Klassensprecher). In einer Demokratie spielt die Wahl eine entscheidende Rolle. Sie bietet den Staatsbürgern die Möglichkeit, Personen ihres Vertrauens für eine befristete Zeit damit zu beauftragen, ein Amt zu verwalten. In den modernen Staaten erfolgen Wahlen nach allgemeinem, freiem, gleichem, geheimem und meist auch nach direktem Wahlrecht. Auch nach dem allgemeinen Wahlrecht sind nicht alle Staatsbürger zur Wahl berechtigt, sondern sie müssen gewisse Mindestanforderungen erfüllen, wie ein bestimmtes Lebensalter, volle Geschäftsfähigkeit und staatsbürgerliche Unbescholtenheit. In Deutschland haben Bürger ab 18 Jahren das Recht bei Europa-, Bundestags-, Landtags- und Kommunalwahlen zu wählen (aktives Wahlrecht) beziehungsweise gewählt zu werden (passives Wahlrecht). Das freie Wahlrecht verbietet jede Form von staatlicher Einwirkung auf die Wahlentscheidung.

Wahlsystem [das], Bestimmungen, nach denen eine Wahl durchgeführt und ausgewertet wird. Dabei unterscheidet man die *Mehrheitswahl*, bei der der Kandidat gewählt wird, der die meisten Stimmen erhält, und die *Verhältniswahl*, bei der Kandidatenlisten von Parteien oder Wählergemeinschaften gewählt werden. Die Aufteilung der Parlamentssitze erfolgt im Verhältnis der auf die einzelnen Listen abgegebenen Stimmen. Außerdem gibt es die *Mischwahl*, bei der die Mehrheitswahl und die Verhältniswahl kombiniert werden. Der Wähler gibt zwei Stimmen ab, die erste Stimme gilt dem Kandidaten des Wahlkreises, die Zweitstimme gilt der Liste. Bei der Verteilung der Parlamentssitze werden die durch die Erststimme in den Wahlkreisen direkt gewählten Abgeordneten einer Partei auf die ihr durch die Zweitstimme zustehenden Gesamtmandate angerechnet. Über die zahlenmäßige Zusammensetzung des Parlaments durch die Parteien bestimmen damit die Zweitstimmen. Um eine Zersplitterung des Parlaments in viele kleine Parteien zu vermeiden, wurde in der Bundesrepublik Deutschland die *Fünf-Prozent-Klausel* eingeführt. Diese Klausel besagt, dass eine Partei bei der Wahl mindestens 5% der Zweitstimmen erhalten muss, um ins Parlament zu kommen. Erhält eine Partei weniger als 5%, hat sie keinen Anspruch auf Parlamentssitze. Eine Ausnahme von dieser Regelung besteht jedoch dahingehend, dass es auch genügt, wenn eine Partei 3 Direktmandate gewinnt, um ins Parlament zu kommen.

Wald: In unseren Zonen muss die verbliebene Waldfläche pfleglich bewirtschaftet werden. In der Forstwirtschaft unterscheidet man je nach Nutzung, nach Art und Häufigkeit des Einschlags den Hoch-, Mittel- und Niederwald.

Wald: Die Große Rote Waldameise baut mannshohe Hügel.

Wahrsagen [das], die Erkundung des Schicksals, beispielsweise durch Kartenlegen, Lesen der Handlinien oder andere Methoden.

Währung [die], ein Geldsystem, das innerhalb eines Staates gesetzlich festgelegt ist; die Zahlungseinheit eines Landes. Die seit 2002 gültige Währung in Deutschland sind der Euro und Cents. Ausländische Währungen sind *Devisen*.

Waise [die], ein Kind, das keine Eltern mehr hat. Kinder mit nur noch einem Elternteil nennt man Halbwaisen.

Walachei [die], eine Landschaft in Rumänien, zwischen den Karpaten und der Donau.

Wald [der], eine Pflanzengesellschaft mit wild wachsenden hochwüchsigen Holzarten. Neben Bäumen bilden Sträucher, Kräuter und Moose den Pflanzenbestand. Das natürliche Vorkommen von Wald ist davon abhängig, ob geeigneter Boden, genügend Feuchtigkeit und Wärme vorhanden sind. In sehr großen Höhen und sehr kalten Klimazonen kommt Wald nicht vor. Auch die Zusammensetzung des Waldes richtet sich nach den klimatischen Bedingungen. In den regenreichen tropischen Gebieten beiderseits des Äquators ist der Wald außerordentlich üppig *(tropischer Regen-*

wald). Er besteht aus zahlreichen Laubholz- und Palmenarten, die das ganze Jahr über grün sind. Für die warmen, aber trockenen Subtropen sind *subtropische Hartlaubgehölze* kennzeichnend, in denen immergrüne Laubhölzer mit derben Blättern vorherrschen. Auch Nadelhölzer kommen vor. In der gemäßigten Zone wächst winterkahler *Laub-* und *Mischwald.* Weiter nach Norden folgt dann als Letztes die hauptsächlich aus Fichten und Kiefern bestehende *immergrüne boreale Nadelwaldzone.* Der natürliche Wald ist eine Lebensgemeinschaft aus Pflanzen und Tieren, die in einem dynamischen Gleichgewicht stehen. Die ursprüngliche, natürliche Art des Waldes ist der *Urwald.* Um Raum für Siedlungen, Acker- und Weideflächen zu erhalten, hat der Mensch den Urwald vielerorts gerodet. Daneben hat er seinerseits einen *Kulturwald* angelegt. Dieser ist in unseren Breiten die vorherrschende Form des Waldes. Der Erhaltung des Waldes kommt eine herausragende Bedeutung zu, denn er hat großen Einfluss auf das Klima, auf die Sauerstofferzeugung, den Schutz des Bodens vor Austrocknung und Erosion und die Bodenbefestigung. Außerdem dient er der Versorgung der Menschen mit dem wertvollen Rohstoff Holz für Haus- und Schiffbau, Möbel, Brennmaterial, Papier, Zellstoff usw. In den Industrieländern der Nordhalbkugel wird der Wald jedoch zunehmend geschädigt. Seit Mitte der 1970er Jahre beobachtet man das sogenannte → Waldsterben.

Waldmeister [der], eine 15–30 cm hohe Pflanze unserer Laubwälder, mit kleinen weißen Blüten, die im Frühjahr erscheinen. Waldmeister enthält Cumarin und ist besonders im getrockneten Zustand sehr wohlriechend. Er wird gern zur Herstellung von Maibowle benutzt.

Waldorfschulen [Pl.], staatlich anerkannte, freie öffentliche Schulen, die von R. *Steiner* 1919 gegründet wurden. Waldorfschulen sind Gesamtschulen, an denen man den Haupt- und Realschulabschluss und das Abitur machen kann. Die Schulen wollen einen Ausgleich zwischen wissenschaftlichem Lernen und künstlerisch-praktischer Betätigung schaffen und bieten darum auch handwerkliche Fächer sowie Eurythmie (eine Bewegungskunst, die Sprache, Musik und körperliche Bewegung miteinander verbindet) an. Bis kurz vor dem Abitur werden Beurteilungen nicht als Zensuren, sondern in Form von Berichten gegeben.

Waldsterben [das], eine Bezeichnung für die seit der Mitte der 1970er Jahre auftretenden Schäden an Laubbäumen und Nadelbäumen. Innerhalb von 10 Jahren haben sich diese Schäden auf nahezu alle Gebiete in Deutschland ausgeweitet. Als Ursache gelten gasförmige Luftverunreinigungen wie Schwefeldioxide, Stickoxide und Schwermetalle, die aus Autos, Heizungen und Fabriken in die Umwelt gelangen. An der Luft werden sie zu Säuren oxidiert, die mit den Niederschlägen abregnen *(saurer Regen).* Durch die sauren Niederschläge werden die Bäume nachhaltig geschädigt und können schließlich absterben. Außerdem begünstigen Klimaveränderungen, Schädlinge und Fehler im Waldbau das Waldsterben.

Wale [Pl.], Säugetiere, die sich dem Leben im Wasser besonders angepasst haben. Wale haben einen stromlinienförmigen Körper und eine waagerech-

Waldsterben: Zunehmende Luftverschmutzung und stark versauerte Böden führten in einigen Regionen wie hier in der Tschechischen Republik zu einem katastrophalen Waldsterben.

Wale: Die schwarzweiße Zeichnung ist charakteristisch für die Schwertwale, die zu den Zahnwalen gehören.

te Schwanzflosse (im Gegensatz zu den Fischen, die eine senkrechte Schwanzflosse haben), mit der sie sich fortbewegen. Als Wärmeschutz und zur Verbesserung des Auftriebs dient ein bis 50 cm dickes Unterhautfettgewebe. Wale atmen nicht automatisch wie andere Säugetiere, sondern bewusst. Sie müssen dazu an die Wasseroberfläche kommen. Sie bringen nach einer Tragzeit von 10–13 Monaten meist ein Junges zur Welt, das sie im Wasser säugen. Man unterscheidet bei den Walen die *Bartenwale,* die gefranste Hornplatten (Barten) im Maul haben, mit denen sie kleine Nahrungsteile aus dem Wasser filtern *(Grauwale, Glattwale* und *Furchenwale* wie der *Blauwal),* und *Zahnwale,* deren Kiefer mit vielen Zähnen besetzt ist (z. B. *Delphine, Pottwale).* Viele Walarten sind durch den Walfang, den einige Staaten noch immer betreiben, vom Aussterben bedroht.

Wales [wɛilz], eine Halbinsel im Westen Großbritanniens, Hauptstadt ist *Cardiff.* 1536 wurde Wales mit England vereinigt, 1912 erhielt es eine begrenzte Eigenständigkeit. Seit dem 14. Jh. wird dem britischen Thronfolger der Titel Prince of Wales verliehen.

Wałęsa [va'wɛ̃sa], Leszek (Lech), * 1943; polnischer Politiker und Gewerkschaftsführer. 1980 war er führend in der Streikbewegung der Danziger Werftarbeiter und Mitgründer sowie bis 1990 Vorsitzender der unabhängigen Gewerkschaft *Solidarność.* 1981/1982 kam er in Haft. Wałęsa erhielt 1983 den Friedensnobelpreis und war 1990–1995 Staatspräsident Polens.

Walhall [die], in der germanischen Göttersage eine prächtige, aus Speeren und Schilden erbaute Halle. Die Walhall ist der Wohnort der Götter und auch der Aufenthaltsort der gefallenen Krieger.

Walküren [Pl.], in der germanischen Göttersage Heldenjungfrauen, die auf Befehl Wodans den Helden im Kampf beistanden und die auf dem Schlachtfeld gefallenen Krieger für → Walhall auswählten.

Wallenstein, Albrecht Eusebius Wenzel von, Herzog von Friedland und Mecklenburg, Fürst von Sagan, * 1583, † 1634; kaiserlicher Heerführer im Dreißigjährigen Krieg. Wallenstein, der seine Landsknechtheere auf eigene Kosten aufstellte und ausrüstete, gelang es, im Laufe des Krieges einen gewaltigen Länderbesitz und große Reichtümer zu erwerben und sich gegenüber

Wales: Seine regenreichen Hochflächen dienen vorwiegend als Weiden, vor allem für die Schafzucht.

allen anderen kaisertreuen Fürsten eine Vormachtstellung zu schaffen. 1630 entließ Kaiser *Ferdinand II.* Wallenstein auf Drängen seiner Gegner. Nachdem aber der Schwedenkönig *Gustav Adolf* zugunsten der Protestanten in den Krieg eingegriffen und *Tilly* 1631 bei Breitenfeld geschlagen hatte, wurde Wallenstein zurückgerufen. Als er nach dem Tode Gustav Adolfs eigene Verhandlungen mit den Schweden, mit Brandenburg und Sachsen aufnahm, wurde er 1634 erneut abgesetzt und auf kaiserlichen Befehl ermordet.

Wallfahrt [die], eine in vielen Religionen verankerte Pilgerfahrt zu einem religiös bedeutsamen Ort, oft zu heiligen Orten. Dahinter steht meist die Hoffnung, für die Wallfahrt einen Gnadenerweis zu bekommen, z. B. die Heilung von Krankheiten oder die Erfüllung eines Wunsches.

Wallis [das], ein Kanton im Süden der Schweiz, die Hauptstadt ist *Sitten.*

Wallonen [Pl.], der französisch sprechende Bevölkerungsteil Belgiens. Seit der Gründung des belgischen Staats stehen sie mit den im Norden des Landes lebenden *Flamen* in einem Sprachenstreit.

Wall Street ['wɔːl 'striːt, die], eine Geschäftsstraße mit Geldinstituten in New York, Sitz der Börse.

Walnuss [die], die Frucht des Walnussbaums, der im Mittelmeergebiet und im westlichen Asien heimisch ist und ein wertvolles hartes Möbelholz liefert. Der wohlschmeckende Samen der Walnuss liefert Speiseöl und dient zur Herstellung von Ölfarben.

Walpurgisnacht [die], die Nacht vom 30. April auf den 1. Mai (Vorabend des Namensfestes der heiligen Walpurgis), in der der Sage nach die Hexen auf dem Blocksberg (dem Brocken im Harz) ihre Feste feierten.

Walross [das], im Nördlichen Eismeer und im Nordatlantik lebende Robbe, die bis 3,75 m groß wird. Die oberen Eckzähne sind zu starken Hauern umgewandelt.

Walrosse können ein Gewicht von bis zu 1500 kg erreichen.

Walser, Martin, *1927; deutscher Schriftsteller. Er beschäftigt sich in satirischer und kritischer Weise mit Themen der Zeit, schildert häufig bürgerliche Antihelden. Mit seinen Romanen »Halbzeit«, »Das Einhorn«, »Ein springender Brunnen« hatte er ebenso Erfolg wie mit seinen Erzählungen »Ein fliehendes Pferd«, Theaterstücken, Essays und Hörspielen.

Walther von der Vogelweide, *um 1170, † nach 1229; mittelhochdeutscher Dichter. Er war ein bekannter Minnesänger und Spruchdichter, der sich in seiner Dichtung auch für das Kaisertum und gegen den Papst aussprach.

Walzer [der], ein Rund-Paartanz im ¾-Takt mit starker Betonung des ersten Viertels in jedem Takt. Der Walzer wurde im 19. Jh. zu einem der beliebtesten Gesellschaftstänze. Weltgeltung verschafften ihm vor allem die Wiener Komponisten Vater und Sohn J. *Strauß (Wiener Walzer).* Im 20. Jh. wurde in England der *langsame Walzer (English Waltz)* entwickelt.

Wandalen [Pl.], *Vandalen,* ein ostgermanisches Volk, das um 400 n. Chr. nach Spanien zog, von dort nach Nordafrika übersetzte und ein Reich gründete, dessen Hauptstadt seit 439 Karthago war und das sich zur beherrschenden Macht im Mittelmeergebiet entwickelte. 455 plünderten die Wandalen Rom. 533 wurden sie von den Römern besiegt und vertrieben.

Wandalismus [der], Zerstörungswut.

Wangerooge, eine Ostfriesische Insel, → Friesische Inseln.

Wankelmotor [der], ein von dem Ingenieur Felix *Wankel* (* 1902, † 1988) erfundener → Verbrennungsmotor, der anstelle eines Hubkolbens mit einem Drehkolben arbeitet. Daher wird er auch als *Drehkolben-* oder *Kreiskolbenmotor* bezeichnet.

Wanzen [Pl.], Insekten mit stechend-saugenden Mundwerkzeugen und einem charakteristischen Saugrüssel, der in Ruhe bauchwärts eingeklappt wird. Der Körper ist oft abgeflacht, und die Deckflügel sind häufig ledrig verfestigt. Daher werden Wanzen leicht für Käfer gehalten. Die oft mit Stinkdrüsen ausgestatteten Wanzen sind meistens Pflanzensauger. Daneben gibt es viele Arten, die räuberisch leben. Wenige Arten sind auch Blutsauger an Mensch und Tier, z. B. die Bettwanze. Es sind weltweit rund 40 000 Arten verbreitet, die in die *Wasserwanzen,* die *Wasserläufer* und die *Landwanzen* unterteilt werden.

WAP [das], Abkürzung für englisch **W**ireless **A**ccess **P**rotocol, »drahtloses Zugangsprotokoll«, eine Möglichkeit der Verbindung zwischen *Handy* und *Internet.* WAP wandelt *Webseiten* so um, dass die Informationen per *SMS* an das Handy gesendet werden können. Dabei werden vor allem die Bild- und Grafikbestandteile der Webseite herausgefiltert. In WAP-fähigen Handys ist ein Steuerprogramm eingebaut, das auf die Größe der Handy-Displays abgestimmt ist. Eine Anwendung für WAP ist die Informationssuche im Internet sowie das *Mobile Banking,* d. h. die Kontenverwaltung über das Mobiltelefon.

Wappen [das], im Mittelalter das Abzeichen eines in seiner Rüstung unkenntlichen Ritters, das auf Schild und Helm angebracht war. Die Schildform wurde zum wesentlichen Bestandteil der Wappen. Damit die Wappen gut von weitem zu erkennen waren, verwendete man kräftige Farben (Rot, Blau, Grün, Schwarz) und die Metalle Gold (Gelb) und Silber (Weiß). Seit dem 13. Jh. wurden auch von anderen als ritterlichen Geschlechtern (von Geistlichen, Bürgern) Wappen geführt, ferner nahmen Länder, Städte, Bistümer, Klöster und Zünfte Wappen an. Nach den *Herolden,* die die Wappen ihrer fürstlichen Herren trugen, nennt man die Wappenkunde *Heraldik.*

Warane [Pl.], Familie der Echsen, zu der rund 30 Arten gehören. Sie leben in Afrika, Süd- und Südostasien sowie in Australien. Mit 20 cm ist der *Zwergwaran* die kleinste, mit über 3 m Länge der *Komodowaran* die größte Art. Warane sind überwiegend Bodenbewohner, die als Räuber hauptsächlich Weichtieren nachstellen, aber auch Aas nicht verschmähen.

Warane: Der Bindenwaran wird bis zu 3 m lang.

Warhol ['wɔːhɔl], Andy, * 1928, † 1987; US-amerikanischer Maler und Filmemacher. Er zählt seit den 1960er Jahren zu den populärsten Künstlern der *Pop-Art.* Charakteristisch für ihn ist die Technik des Siebdrucks nach Fotovorlage, wie etwa sein Porträt von Marilyn Monroe. Warhol arbeitete auch als Schriftsteller, Musiker und Filmregisseur.

Warmblüter [Pl.], *gleichwarme Tiere,* Tiere, die ihre Körperwärme unabhängig von der Außentemperatur konstant halten. Hierzu gehören die Säugetiere und die Vögel. Gegensatz: *wechselwarme Tiere.*

Die Wartburg wurde 1999 von der UNESCO zum Weltkulturerbe erklärt.

Wärme [die], in der Physik die Bewegungsenergie von Atomen oder Molekülen.

Warschau, die Hauptstadt Polens, an der Weichsel, 1,7 Mio. Einwohner. Warschau wurde im Zweiten Weltkrieg zu 84% zerstört, jedoch weitgehend stilgerecht wiederaufgebaut. Unter deutscher Besetzung bestand hier ein Judenghetto, in das die Deutschen ab 1940 über 400000 Juden sperrten. Ab 1942 wurden über 310000 Juden in das Konzentrationslager Treblinka gebracht und ermordet. Gegen die endgültige Vernichtung des Ghettos gab es 1943 einen Aufstand im Ghetto. Die Überlebenden wurden in Vernichtungslagern ermordet. Heute steht an der Stelle des Warschauer Ghettos ein Mahnmal.

Warschauer Pakt [der], ein militärisches Verteidigungsbündnis, das 1955 als Gegenstück zur NATO gegründet wurde. Er hatte seinen Sitz in Moskau, ihm gehörten die Sowjetunion, Albanien, Bulgarien, die DDR, Polen, Rumänien, die Tschechoslowakei und Ungarn an. Als Folge des Umbruchs in Osteuropa wurde der Warschauer Pakt 1991/1992 aufgelöst.

Wartburg [die], eine Burg im Thüringer Wald bei Eisenach. Sie wurde im 11. Jh. erbaut und war Sitz der Landgrafen von Thüringen bis 1440, später Aufenthaltsort Martin *Luthers* (1521–1522), der hier das Neue Testament übersetzte. Am 18. Oktober 1817 fand auf der Wartburg eine Zusammenkunft von 500 Abgesandten deutscher Universitäten statt, die zu einer Demonstration gegen die Politik der Restauration in den deutschen Bundesstaaten und die Unterdrückung der liberalen demokratischen Bewegungen wurde.

Warze [die], eine Hautwucherung mit glatter oder höckeriger Hornschichtoberfläche, wird durch Viren hervorgerufen. Warzen können ansteckend sein.

WASG, *Arbeit & soziale Gerechtigkeit – Die Wahlalternative,* 2005 gegründete linkssoziale Partei in Deutschland; Auch → Die Linke.

Washington ['wɔʃiŋtən], die Bundeshauptstadt der Vereinigten Staaten mit dem Sitz der Regierung, 563000 Einwohner. Der Ort der Stadtgründung wurde 1791 von G. *Washington* festgelegt, seit 1800 ist Washington Hauptstadt.

? *Wer war …* George W. Washington

Der US-amerikanische Politiker George Washington (* 1732, † 1799) war 1789–1797 erster Präsident der USA. Durch seine führende Rolle im Unabhängigkeitskampf und bei der Ausarbeitung der Verfassung gilt er als »Vater« der Vereinigten Staaten. Nach ihm sind die Hauptstadt und der Bundesstaat Washington benannt.

Washington, Sohn eines Plantagenbesitzers, arbeitete zunächst als Landvermesser, bevor er durch Erbschaft Besitzer großer Ländereien wurde. Er vertrat als Gegner der englischen Kolonialpolitik die Kolonie Virgina 1774/1775 auf dem 1. und 2. Kontinentalkongress, einer politischen Versammlung der Vertreter der amerikanischen Kolonien. Nach Ausbruch der ersten Kämpfe im Unabhängigkeitskrieg 1775 wurde Washington zum Oberbefehlshaber der Truppen der aufständischen Kolonien gegen Großbritannien ernannt. Zwar konnte Washington die Briten aus Boston vertreiben, in der Folgezeit musste er jedoch Rückschläge hinnehmen. Trotzdem erklärten die USA am 4. 7. 1776 die Unabhängigkeit. Mit Hilfe des preußischen Offiziers F. W. von *Steuben* steigerte Washington im Winter 1777/1778 die Schlagkraft seiner Truppen. Schließlich zwang er 1781 bei Yorktown in Virginia die englische Armee zur Kapitulation und brach damit den englischen Kriegswillen. Nach dem Frieden von Versailles 1783 kehrte Washington zunächst auf sein Landgut Mount Vernon zurück.

George Washington, Gemälde von Rembrandt Peale; um 1850. Washington D. C., National Gallery of Art

1787 wurde er Präsident des Verfassungskonvents in Philadelphia, der die Verfassung der USA erarbeitete. 1789 wählte ihn das Wahlmännerkollegium einstimmig zum ersten US-amerikanischen Präsidenten. 1792 wurde Washington wiedergewählt. Innenpolitisch konzentrierte er sich auf den Ausbau der bundesstaatlichen Einrichtungen und den Aufbau eines Regierungsapparates, der sich in seinen Grundzügen bis in die Gegenwart bewährte. Nach außen hin wahrte er Neutralität in den europäischen Konflikten nach der *Französischen Revolution.* 1796 lehnte er eine erneute Kandidatur für das Präsidentenamt ab und schuf damit die Tradition, dass kein Präsident länger als zwei Amtszeiten regieren solle. In seiner Abschiedsbotschaft warnte Washington vor zersetzendem Parteiengeist im Innern und auswärtigen Verstrickungen. Angesichts eines drohenden Konflikts mit Frankreich wurde ihm 1798 noch einmal der Oberbefehl über die Armee übertragen. Sein Landgut Mount Vernon wurde zur nationalen Gedenkstätte.

Washingtoner Artenschutzübereinkommen [das], ein von der Bundesrepublik Deutschland 1973 unterzeichnetes Abkommen zum Schutz frei lebender und gefährdeter Tier- und Pflanzenarten. 1975 wurde diese Übereinkunft als Gesetz übernommen.

Wasser [das], eine chemische Verbindung aus Wasserstoff und Sauerstoff (H_2O). Wasser siedet unter Normaldruck bei 100 °C und erstarrt bei 0 °C zu Eis. Wasser ist einer der wichtigsten Stoffe, die in der Natur vorkommen. Es bedeckt als Flüssigkeit oder als Eis mehr als ¾ der ganzen Erdoberfläche. Das in der Natur vorkommende Wasser enthält unterschiedliche Mengen von Salzen und Gasen. Wasser ist für alle Organismen lebensnotwendig, da die chemischen Prozesse in den Zellen nur in wässrigen Lösungen ablaufen können. Pflanzen bestehen bis zu 90%, der tierische und der menschliche Körper bis zu 70% aus Wasser. Siehe auch ZEIT-Beitrag → »Wasser: Blaues Gold«, Seite 160–163.

Wasserball [der], ein Torspiel im Wasser zwischen zwei Mannschaften zu je sieben Spielern, die den Ball durch Zuspiel über dem Wasser ins gegnerische Tor bringen müssen. Das Spielfeld ist 20 x 30 m groß, die Spieldauer beträgt 4 mal 7 Minuten.

Wasserfall [der], eine Gefällstufe in einem Flusslauf, über die das Wasser senkrecht hinabfällt. Auch → »Genauer betrachtet«, Seite 164.

Neusüdwales in Australien: Auf dem Grund des ausgetrockneten Burrinjuck-Stausees verdorren die Überreste eines Fisches

Wasser

Blaues Gold

Von Christiane Grefe

Die Luft flimmert bei 46 Grad, die Erde ist aufgerissen. Die Ziegen gehen vor den letzten winzigen Halmen in die Knie, oder sie recken sich, nach spärlichen Blättchen suchend, hinauf bis zu den oberen Zweigen der Bäume. Wer gegen Ende der Trockenzeit durch Rajasthan reist, der begegnet einer Wüste. Einst waren weite Teile des indischen Bundesstaates dicht bewaldet, doch Abholzung führte dazu, dass heute monatelang alles verdorrt ist. Selbst die Brunnen sind oft leer, die Menschen müssen ihr Trinkwasser in Tanks von der Regierung beziehen. Auch in Laxman Singhs Dorf Laporiya ringen rund 2000 Bauern und Hirten mit einer Natur, die ihnen von September bis Anfang Juli keinen Tropfen Regen gönnt und dann drei Monate lang vom Himmel stürzende Monsungüsse sendet. Dieses Wasser rauschte jahrelang weitgehend ungenutzt in den Bahala-Fluss und riss auch noch Teile des staubigen Bodens mit.

Die Rettung des Dorfteichs

Bis der reiche Viehzüchter Singh vor 20 Jahren damit begann, das Regenwasser zu zähmen. Erst brachte er seine Mitbewohner dazu, in gemeinsamer Arbeit den zerstörten alten Dorfteich wieder zu befestigen. Dann entwickelte er das »Chouka-System« aus vielen kleinen Dämmen und Kanälen, um die Regentropfen zu »ernten«.

Chouka heißt Rechteck, und lauter viereckige Felder, etwa 65 mal 130 Meter groß, wurden auf dem gemeinsamen Weideland angelegt. Sie sind jeweils an drei Seiten von Lehmwällen eingedämmt und leicht versetzt hintereinander angeordnet. Wenn es zur Monsunzeit schüttet, dann sammelt sich das Wasser in der niedriger gelegenen, geschlossenen Seite und »springt« ab einem bestimmten Pegelstand zum nächsten Chouka über; und so fort, bis es schließlich in drei Bewässerungsteichen aufgefangen wird. So werden die Regenfluten länger auf der Weide gehalten. Über die Jahre wachsen wieder Gras und Kräuter für die Tiere, und sogar Bäume: Neembaum, Tamarinde und Babul.

Kinder schleppen schwere Krüge

Die zwar arbeitsreiche, aber einfache Lösung, das Wasser zu speichern, weist nicht nur für Indien in die Zukunft. Auch in Südamerika oder in Afrika sind immer mehr Menschen von dramatischen Trockenheiten bedroht. Ungerechterweise vor allem in Entwicklungsländern, in denen sich ohnehin schon die Probleme bündeln.

Rund eine Milliarde Erdenbürger haben noch immer kein sauberes Trinkwasser. Der chronische Mangel bedroht ihre Gesundheit. Zugleich verhindert er, dass sich die Lebensbedingungen der Familien verbessern: Wenn Kinder jeden Tag schwere Krüge von oft kilometerweit entfernt liegenden Brunnen oder Wasserhändlern heimschleppen müssen, dann können sie auch nicht zur Schule gehen. Wasser, das existenzielle Gut, entscheidet über Gewinner und Verlierer. Weil es immer knapper wird, spricht man schon vom »Erdöl des 21. Jahrhunderts« oder vom »Blauen Gold«. Viele Experten und Politiker warnen gar davor, dass um Wasser in Zukunft auch Kriege geführt werden könnten.

Denn Wasser kann zwar nicht aufgebraucht werden wie Öl – aber regional ist es begrenzt. Über 97 Prozent der globalen Gesamtmenge bilden die salzigen Ozeane – »Wasser, Wasser überall, und doch kein Tropfen zum Trinken«, dichtete der Brite Samuel Taylor-Coleridge beim Anblick des Meeres – und nur knapp drei Prozent sind Süßwasser. Davon sind neun Zehntel in Polen und Gletschern gebunden. Das übrige Zehntel – Seen, Teiche, Flüsse, Ströme, Feuchtgebiete und Grundwasser – reicht zwar für alle aus. Doch dieses Süßwasser konzentriert sich in bestimmten Gebieten – und wird in anderen immer spärlicher. Die Ursachen lassen sich auf einen Begriff bringen: Übernutzung. Verschwendet werden nicht

Dorfbrunnen im Ort Sande in Malawi: In vielen afrikanischen Staaten mangelt es an sauberem Trinkwasser

nur die Wasservorräte, sondern zugleich jene Ökosysteme, die das Lebenselixier stets neu hervorbringen. Aus purer Not holzen beispielsweise Bauern wie in Rajasthan Wälder ab, um Brennmaterial und neue Äcker zu gewinnen. Dabei sind Bäume so wichtig dafür, dass Wasser nicht verdunstet, sondern im Boden versickern kann.

Auch der Klimawandel verändert den Wasserhaushalt: Sturzregen und Überschwemmungen waschen Boden und Nährstoffe fort, Stürme beschleunigen ihrerseits die Wüstenbildung – die wiederum das Klima noch mehr aufheizt.

Zur Wasserknappheit tragen zudem Gifte aus der Landwirtschaft bei. Vor allem in Entwicklungsländern landen im Wasser hohe Mengen von Pestiziden. Überhaupt verbraucht die Landwirtschaft weltweit am meisten Wasser. Um ein Kilo Getreide zu produzieren, müssen 1000 bis 2000 Liter aufs Feld gebracht werden; die Herstellung eines Kilos Rindfleisch erfordert sogar bis zu 16 000 Liter für die Tränke und die Herstellung der Futtermittel.

Zunehmend sind auch Regionen des reichen Nordens von Wassermangel bedroht. In Brandenburg zum Beispiel hatten die Bauern in mehreren Sommern schlechte Ernten, weil es kaum Regen gab. In Südspanien, wo trotz großer Trockenheit auf Plantagen Gemüse für ganz Europa gezüchtet wird, graben sich Provinzen gegenseitig das knappe Wasser ab. In Texas, im Süden der USA, musste Wasser im Sommer rationiert werden. Ausgerechnet dort in der Halbwüste haben viele Bürger im Garten ihren eigenen Swimmingpool. Scheinbar kommt für sie nicht nur der Strom aus der Steckdose, sondern selbstverständlich auch das Wasser aus der Leitung. Sie machen sich seinen Wert kaum noch bewusst. Dabei gäbe es ohne Wasser nicht nur keine Dusche, keine Kraftwerke, keine Industrie. Sondern vor allem: kein Grün, keine Mahlzeiten, keine Naturkreisläufe, keinen menschlichen Stoffwechsel. Kein Leben. Nicht zufällig gründen die großen Erzählungen der Weltreligionen dort, wo die großen Flüsse entspringen: Ganges, Brahmaputra, Nil und Tigris. Von allen Rohstoffkrisen, warnen die Vereinten Nationen, sei die Wasserkrise »diejenige, die unser Überleben und das unseres Planeten Erde am meisten bedroht«.

Der wahre Wert des Wassers

Seit einigen Jahren ist das Problem erkannt, und es gibt immer mehr Anstrengungen, Wasser zu sparen. Doch noch zu selten werden Preise je nach Verbrauch und sozialer Lage erhoben; zu selten wird das wertvolle Trinkwasser vom Brauchwasser (mit dem man abwäscht und Gartenbeete

Wasser auf Vorrat: Der Hoover-Damm in Nevada, USA

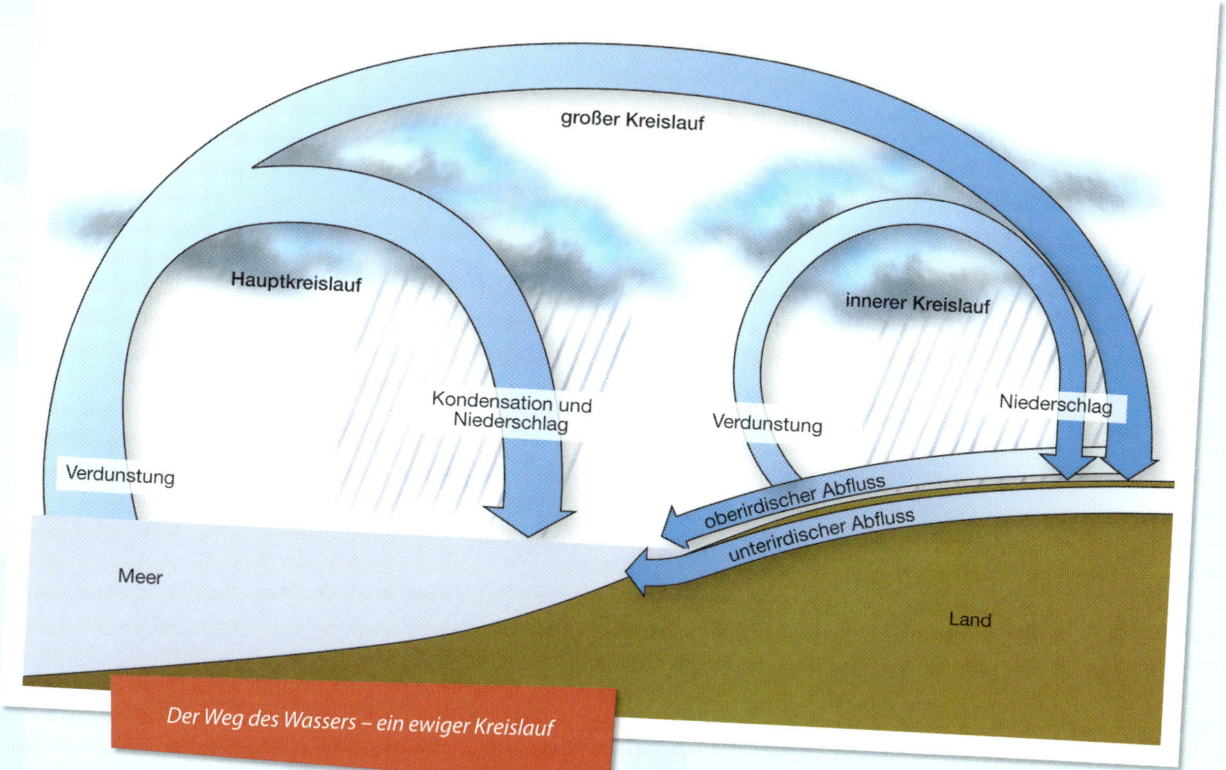

Der Weg des Wassers – ein ewiger Kreislauf

gießt) getrennt und Letzteres mehrmals verwendet. Noch immer fehlen wassersparende Trenntoiletten oder Bewässerungssysteme, bei denen immer nur Tröpfchen gezielt an die Wurzeln der Pflanzen gebracht werden. Und noch viel häufiger müssten Aufforstungsprogramme dazu beitragen, dass dürregefährdete Regionen wieder ergrünen.

Die Kunst des Bewässerns

So wie im indischen Laporiya. Langsam kann dort das Nass auch ins Grundwasser versickern, das 103 Brunnen speist. Selbst in sehr trockenen Jahren sind sie bei sparsamer Nutzung nicht versiegt. Für seine »Feldflaschen« haben Laxman Singh und seine Organisation GVNML inzwischen Preise bekommen, und Hunderte Dörfer haben es übernommen.

Seine Chouka-Technik ist nur eine Möglichkeit, Regenwasser zu nutzen: Runde oder schlangenlinienförmige Dämme, Steinwälle auf den Feldern oder den Höhenlinien eines Bergs folgende Gräben – in Indien gibt es die unterschiedlichsten Methoden der Wasserernte. Diese Kunst wurde, wie in Ägypten oder bei den Maya, schon vor Jahrtausenden praktiziert. Im Nordosten bewässern Stämme ihre Felder mit Rohren aus Bambus, punktgenau und sparsam werden die Pflanzen betröpfelt. In Himachal Pradesh transportieren Bauern über viele Kilometer lange »Kuls« (Röhren) Wasser aus dem Himalaya. Und in der Wüste Thar wird der Regen in unterirdischen Tanks gespeichert, die mit halbdurchlässigen Deckeln geschützt sind.

Überall, wo es wieder Wasser gibt, geht es den Leuten besser. In Laporiya verdienen sie an ihrer Milch, sie können Futter, Mais, Weizen und Gemüse anbauen, und neuerdings sogar Heilkräuter für den wachsenden Ayurveda-Markt. Alles, weil sie der Wüste getrotzt haben.

Genauer betrachtet … Wasserfall

Die höchsten Wasserfälle der Erde sind:

(San) Ángel (Venezuela)	978 m
Tugela (Südafrika)	948 m
Yosemite (USA)	739 m
Kukenaam (Guyana/Venezuela)	610 m
Sutherland (Neuseeland)	579 m
Roraima (Guyana)	457 m
Kalambo (Tansania)	427 m
Gavarnie (franz. Pyrenäen)	423 m
Krimmler (Österreich)	380 m
Gießbach (Schweiz)	300 m
Staubbach (Schweiz)	287 m

Wasserhärte [die], der Gehalt des Wassers an Magnesium- oder Calciumsalzen. Die Wasserhärte wird in Härtegraden gemessen. 1 Härtegrad entspricht dem Gehalt von 10 g Kalk in 1000 l Wasser. Ein an Calciumsalzen reiches Wasser heißt hartes Wasser im Gegensatz zu weichem Wasser, das keine oder nur wenig Calciumsalze enthält.

Wasserkraftwerk [das], eine Anlage zur Elektrizitätserzeugung, bei der fallendes Wasser als Energiequelle dient. Das Wasser treibt eine Turbine, die den Elektrizitätserzeuger (Generator) in Bewegung setzt. *Laufwasserkraftwerke* sind in Flussläufen oder deren Seitenkanälen eingebaut und haben nur begrenzte Staumöglichkeiten. *Speicherkraftwerke* stehen in Verbindung mit Staubecken (Talsperren), was die Steuerung des Wasserzuflusses zur Turbine ermöglicht. *Pumpspeicherkraftwerke* pumpen ein hoch gelegenes Speicherbecken mit Hilfe von billigem Nachtstrom voll Wasser, das bei hohem Tagesstrombedarf zu Tal strömt (durch eine Rohrleitung) und eine Turbine antreibt. *Gezeitenkraftwerke* nutzen den sich zwischen Ebbe und Flut ergebenden Höhenunterschied des Meerwasserspiegels.

Wasserpflanzen [Pl.], in oder auf dem Wasser lebende Pflanzen, die ihre Nährstoffe direkt aus dem Wasser aufnehmen.

Wasserscheide [die], eine gedachte geographische Linie, die oft über einen Gebirgskamm, aber auch in Tälern verläuft. Von der Wasserscheide fließen Flüsse in verschiedene Richtungen ab.

Wasserskilaufen [das], *Wasserschilaufen,* eine Disziplin des Wassersports, bei der Läufer, von einem voranfahrenden Motorboot gezogen, auf einem oder zwei Skiern über das Wasser gleiten. Es gibt Wettbewerbe im Slalom, im Weitspringen und im Figurenlaufen.

Wassersport [der], alle Sportarten, die im oder am Wasser betrieben werden.

Wasserstoff [der, griech. hydrogenium], ein chemisches Element mit dem Zeichen H. Wasserstoff ist ein farb- und geruchloses, brennbares Gas, das in freiem Zustand nur in geringen Mengen in der Atmosphäre vorkommt. Gebunden findet er sich als Bestandteil des Wassers und vieler anderer, vor allem organischer Verbindungen. Die chemischen Verbindungen des Wasserstoffs mit Kohlenstoff bilden die vielen Koh-

Wasserball wird in einer Wassertiefe von 1,80 m gespielt.

Watt: Bei Ebbe fällt das Watt trocken, wobei das Wasser durch oft tiefe Furchen (Priele) abfließt. Dann kann man das Watt auch zu Fuß durchwandern.

lenwasserstoffe. Wasserstoff ergibt mit Sauerstoff ein hochexplosives Gemisch *(Knallgas).* In der Technik wird Wasserstoff sehr vielfältig verwendet, z. B. bei der Kohlehydrierung, bei der Fetthärtung, zu autogenem Schweißen und Schneiden, als Raketenbrennstoff. Steigende Bedeutung hat Wasserstoff als Energieträger, z. B. im Brennstoffelement.

Wasserstoffbombe [die] → Kernenergie.

Wasserwaage [die], ein einfaches Gerät zum Bestimmen der waagerechten Lage einer Ebene. Wichtigstes Hilfsmittel ist hier eine Luftblase in einer flüssigkeitsgefüllten Röhre. Befindet sich die Luftblase dabei genau zwischen zwei Markierungen auf der Röhre, so steht die untersuchte Ebene waagerecht, weicht die Blase nach links oder rechts über die Markierung hinaus, ist auch die Ebene (etwa ein Regal oder eine Waschmaschine) zur entsprechenden Seite geneigt.

Wasserzeichen [das], ein durchscheinendes Zeichen auf dem Papier von Akten, Banknoten, Briefmarken und Urkunden zur Sicherung vor Fälschungen.

Watson ['wɔtsən], James Dewey, * 1928; US-amerikanischer Biochemiker. Er erforschte die Desoxyribonucleinsäure (DNS) und erhielt den Nobelpreis für Medizin 1962.

Watt [das], *Wattenmeer,* ein flacher, im Bereich der Gezeiten liegender Küstenstreifen, der bei Flut von Meerwasser überspült wird, bei Ebbe jedoch trockenfällt. Wattböden sind schlickig, gelegentlich auch sandig und können nach Eindeichung und Entsalzung zu fruchtbaren Marschen werden. Das Watt ist außerordentlich reich an Lebewesen (Würmer, Muscheln, Schnecken). Millionen von Vögeln finden hier Nahrung, Brut- und Rastplätze. Um die charakteristische Lebensgemeinschaft des Watts zu schützen, wurden in Deutschland die drei Nationalparks Hamburgisches, Niedersächsisches und Schleswig-Holsteinisches Wattenmeer eingerichtet.

Watt [wɔt], James, *1736, †1819; englischer Ingenieur und Erfinder. Watt konstruierte die erste brauchbare Dampfmaschine mit Kondensator, Fliehkraftregler, automatischer Ventilsteuerung und gleichmäßig geregelter Leistung. Nach Watt wurde das Watt, die Maßeinheit der Leistung, benannt (Kurzzeichen W).

Watzmann [der], mit 2713 m dritthöchster deutscher Berg und höchster Gipfel der Berchtesgadener Alpen.

Webcam [web'kæm], Abk. aus engl. *web* und *camera*, digitale Videokamera, die Aufnahmen über das Internet überträgt.

Watzmann: Mit 1800 m Höhenunterschied zwischen Wandfuß und Gipfel ist seine Ostwand die höchste Felswand der Ostalpen.

Weber, **1.** Carl Maria von, * 1786, † 1826; deutscher Komponist. Weber war ein Meister der romantischen Oper. Sein berühmtestes Werk ist der »Freischütz«. Er schuf auch Orchester- und Klaviermusik, Lieder und Chorwerke. **2.** Max, * 1864, † 1920; deutscher Soziologe und Philosoph. Weber hatte mit seinen Schriften zur Wirtschaft und Religion großen Einfluss auf die Entwicklung der Soziologie.

Weblog, *Blog*, Kunstwort aus Web und Logbuch, eine Webseite im Internet, die von einem oder mehreren Autoren, *Blogger* genannt, regelmäßig durch neue Einträge ergänzt wird.

Webmaster [web'maːstə], Bezeichnung für den Administrator einer → Webseite, kurz auch *Admin* genannt. Der Webmaster ist für alle im Zusammenhang mit Aufbau, Verwaltung und Wartung anfallenden Tätigkeiten einer Webseite verantwortlich.

Webseite [web-, die], eine Datei im *World Wide Web,* die Texte, Grafiken sowie Verknüpfungen *(Hyperlinks)* zu anderen Seiten enthält. Webseiten sind in der Regel grafisch sehr aufwändig gestaltet und können mit einem besonderen Steuerprogramm, dem *Browser,* betrachtet werden. Eine besondere Form der Webseite ist die → Homepage.

Wechsel [der], ein in seiner Form an gesetzliche Vorschriften gebundenes, schriftliches Zahlungsversprechen. Man kann z. B. einen Wechsel zeichnen, wenn man für einen Kauf kein Bargeld besitzt.

Wechseljahre [Pl.], *Klimakterium,* bei Frauen der Zeitraum (meist zwischen 45. und 50. Lebensjahr), in dem die Eierstöcke ihre Tätigkeit einstellen, so dass die Regelblutung (Menstruation) aussetzt und schließlich ganz ausbleibt. Die damit einhergehenden hormonellen Veränderungen können zu unterschiedlichen körperlichen und seelischen Beschwerden führen.

Wechselkurs [der], *Devisenkurs,* der Preis für die Währung eines Landes, der in der Währung eines anderen Landes ausgedrückt wird. *Feste Wechselkurse* werden zwischen zwei Ländern abgesprochen. Die *freien Wechselkurse* bilden sich an den Devisenmärkten durch Angebot und Nachfrage.

Wechselstrom [der], elektrischer Strom, dessen Stärke und Richtung sich periodisch ändern; wird durch Generatoren und elektrische Schwingungserzeuger (Sender) hergestellt. Da sich Wechselstrom leicht umformen und ohne große Verluste fortleiten lässt, wird er zur Übertragung elektrischer Energie auf große Entfernungen genutzt.

wechselwarme Tiere [Pl.], *Kaltblüter,* Tiere, deren Körpertemperatur sich der Außentemperatur angleicht, z. B. Lurche und Reptilien.

Wegener, Alfred, * 1880, † 1930; deutscher Geophysiker und Polarforscher. Er war einer der bedeutendsten deutschen Polarforscher und Geowissenschaftler und entwickelte eine Theorie der *Kontinentalverschiebung.*

Wehrpflicht [die], die gesetzliche Verpflichtung des Staatsbürgers, Dienst in den Streitkräften zu tun. In der Bundesrepublik Deutschland wurde die Wehrpflicht 1956 eingeführt. Sie besteht für alle deutschen Männer, die das 18. Lebensjahr vollendet haben. Aufgrund der Wehrpflicht müssen sie einen Wehrdienst leisten. Unter bestimmten Umständen gibt es die Möglichkeit, den Wehrdienst zu verweigern und stattdessen einen → Zivildienst abzuleisten.

Weichtiere [Pl.], ein sehr alter Tierstamm, zu dem u. a. *Schnecken, Muscheln* und *Kopffüßer (Tintenfische)* gehören. Kennzeichnend für alle Weichtiere ist der Eingeweidesack auf dem Rücken, der bei den Schnecken spiralig aufgerollt ist und der häufig von einer Kalkschale bedeckt wird, die aber auch fehlen oder rückgebildet sein kann. Der muskulöse Fuß ist ursprünglich eine breite Kriechsohle (z. B. bei den Schnecken), kann aber auch erheblich umgebildet sein, z. B. als Grabfuß bei den Muscheln, als Rückstoßorgan bei den Kopffüßern. Der muskulöse Schlund enthält eine Reibezunge

(Radula) zum Abschaben von Nahrungsteilchen, fehlt aber den Muscheln, die ihre Nahrung aus dem Wasser filtrieren. Weichtiere sind getrenntgeschlechtlich oder Zwitter. Es gibt rund 130 000 Arten im Meer, im Süßwasser und auf dem Land.

Weiden [Pl.], Bäume und Sträucher, die schon sehr früh im Jahr blühen. Bei Weiden gibt es männliche und weibliche Sträucher. Die Blüten bestehen aus zusammenstehenden Kätzchen. Die besonders biegsamen Zweige werden zum Korbflechten verwendet.

Weihnachten [das], das Geburtsfest Jesu Christi. Es wird seit dem 4. Jh. am 25. Dezember gefeiert (vorher am 6. Januar). Der genaue Geburtstag Christi ist unbekannt. Bei der Wahl des Datums dürfte die Wintersonnenwende (Christus als Lichtbringer) den Ausschlag gegeben haben. Viele Weihnachtsbräuche gehen auf römisches und germanisches Brauchtum zurück (Lichtbräuche, Speisen, Geschenksitten). Im Zentrum der heutigen Weihnacht steht die Bescherung, die an die Gaben der Heiligen Drei Könige erinnern soll, aber in den römischen Feiern zu Ehren des Gottes Saturn auch eine nichtchristliche Quelle besitzt. Der Gabenbringer ist der Heilige → Nikolaus bzw. das Christkind, also Jesus Christus. Im protestantisch geprägten Norden entwickelte sich dagegen die Figur des → Weihnachtsmannes. Der *Weihnachtsbaum* lässt sich mit Beginn des 17. Jh. belegen, die *Weihnachtskrippe* reicht bis ins 13. Jh. zurück.

Weihnachtsmann, Figur des Gabenbringers zur Weihnachtszeit. Vom Mittelalter bis ins 19. Jh. galt der → Nikolaus als Symbol des weihnachtlichen Schenkens. Während der Reformation wurde die Bescherung vom Nikolaustag auf Weihnachten verlegt. Das den katholischen Engelvorstellungen nahestehende Christkind, wurde hier zu einer männlichen Figur und ist als Weihnachtsmann eine Mischung zwischen dem freundlichen Nikolaus und dem strafenden *Knecht Ruprecht*. In angelsächsischen Ländern heißt er *Santa Claus* oder *Father Christmas*, in Frankreich *Père Noël*, in der slawischen Welt *Väterchen Frost*.

Weihrauch [der], durch Verbrennung von wohlriechenden Stoffen (Harz) erzeugter Rauch, der in vielen Religionen kultischen Zwecken dient.

Weihwasser [das], in den katholischen und orthodoxen Kirchen geweihtes Wasser, mit dem sich die Gläubigen beim Betreten der Kirche bekreuzigen und das der Priester bei Segnungen versprengt.

Weimar, eine Stadt in Thüringen, 64 000 Einwohner. Im 18./19. Jh. lebten und wirkten hier u. a. *Goethe, Schiller, Herder, Liszt* und *Nietzsche,* an die es in Weimar zahlreiche Erinnerungen gibt (u. a. Goethehaus, Schillerhaus). Im Nationaltheater tagte 1919 die *Weimarer Nationalversammlung,* die die Verfassung der → Weimarer Republik beschloss. Auf dem Ettersberg befand sich im Zweiten Weltkrieg das Konzentrationslager Buchenwald, das heute eine Gedenkstätte ist. 1999 war Weimar Kulturhauptstadt Europas.

In Weimar lebten Goethe und Schiller, die bedeutendsten Dichter der deutschen Klassik; Standbild vor dem Deutschen Nationaltheater in Weimar.

Was war die …
Weimarer Republik

Weimarer Republik ist allgemein die Bezeichnung für die erste deutsche Republik 1919–1933, die das von *Bismarck* geschaffene und am 9. 11. 1918 nach der Abdankung Kaiser *Wilhelms II.* zusammengebrochene Kaiserreich ablöste. Die Bezeichnung geht auf die in Weimar tagende Nationalversammlung zurück, die die Verfassung der Weimarer Republik schuf.

Innere Wirren (1918–1923): In den Tagen des deutschen militärischen Zusammenbruchs im Ersten Weltkrieg bildeten sich Anfang November 1918 in ganz Deutschland spontan Arbeiter- und Soldatenräte, die zunächst vornehmlich die Beendigung des Krieges und die Lösung drängender sozialer Probleme anstrebten. Am 9. 11. 1918 wurde die Republik ausgerufen. Der in der *Novemberrevolution* gebildete Rat der Volksbeauftragten hatte die Last der Kriegsbeendigung zu tragen. Seit Anfang 1919 kam es in verschiedenen Teilen des Reiches zu Erhebungen der revolutionären Linken. Zu ihrer Bekämpfung setzte die Regierung die neu gebildeten *Freikorps* ein, deren Mitglieder größtenteils republikfeindlich eingestellt waren. Der Sozialdemokrat F. *Ebert* wurde am 11. 2. 1919 zum Reichspräsidenten gewählt. Die schwerste Belastung der jungen Republik bildete der Zwang zur Annahme des *Versailler Vertrages,* des Friedensvertrages zur Beendigung des Ersten Weltkrieges. Dieser Vertrag wurde in Deutschland überwiegend als ungerecht empfunden und von nahezu allen politischen Kräften abgelehnt. Im gescheiterten Kapp-Lüttwitz-Putsch, benannt nach seinen Anführern W. *Kapp* und W. von *Lüttwitz,* zeigte sich 1920 der Widerstand von rechts gegen die neu geschaffene demokratische Ordnung. Ein Generalstreik der Gewerkschaften und die Weigerung der Beamtenschaft, mit den Aufständischen zusammenzuarbeiten, ließen den Putsch scheitern. Der vorläufige Ausgleich mit Sowjetrussland im *Vertrag von Rapallo* (April 1922) vermochte in der Außenpolitik nur bedingt neuen Spielraum zu schaffen. Das Republikschutzgesetz von 1922 konnte dem Terror von rechts, der in den Morden an den gemäßigten Politikern M. *Erzberger* und W. *Rathenau* gipfelte, kein Ende bereiten. Wegen der Nichterfüllung von Entschädigungsverpflichtungen besetzten französische und belgische Truppen das Ruhrgebiet. Die deutsche Reichsregierung antwortete mit der Ausrufung des passiven Widerstandes *(Ruhrkampf),* der allerdings im Herbst 1923 abgebrochen werden musste. Eine Rekordinflation erschütterte weite bürgerliche Kreise in ihrer sozialen Stellung. In München scheiterte der *Hitler-Putsch.*

Politische Beruhigung (1924–1929): Die Währungsreform und die Neuregelung der Reparationsfrage leiteten seit 1924 eine gewisse Erholung ein. Nach dem Tod

Polizisten bilden 1923 eine Barriere, um die Arbeitslosen davon abzuhalten, das Schöneberger Rathaus in Berlin zu stürmen.

Eberts wurde 1925 P. von *Hindenburg* zum Reichspräsidenten gewählt. Die politische Erholung beruhte auf dem Fehlen radikaler Auseinandersetzungen, auch wenn die Arbeitslosenzahl 1925/1926 zwei Mio. erreichte. Entscheidend für die Erfolgsbilanz dieser Jahre war die Außenpolitik, die 1923–1929 unter der Leitung G. *Stresemanns* stand. Die *Verträge von Locarno* leiteten eine Aussöhnung mit dem Westen ein. 1926 trat Deutschland in den Völkerbund ein. 1927 erreichte es den Abzug der seit Kriegsende bestehenden Internationalen Militärischen Kontrollkommission (1927) und die Räumung des militärisch besetzten Rheinlandes (endgültig 30. 6. 1930). In den Großstädten entfaltete sich ein kulturelles Leben, das in der Rückschau oft als »goldene Zwanzigerjahre« bezeichnet wird.

Auflösung (1930–1933): Die nach dem New Yorker Börsenkrach im Oktober 1929 einsetzende *Weltwirtschaftskrise* leitete die Schlussphase der Weimarer Republik ein. Weite Bevölkerungskreise wandten sich von den bürgerlichen Parteien ab und besonders der Nationalsozialistischen Deutschen Arbeiterpartei (NSDAP) zu. Unter maßgeblichem Einfluss des Militärs (General K. von *Schleicher*) wurde 1930 die Regierung H. *Brüning* gebildet. Sie sollte sich in erster Linie auf das Vertrauen des Reichspräsidenten stützen, was eine grundsätzliche Abkehr vom parlamentarischen System anzeigte. Brüning verlor 1932 das Vertrauen Hindenburgs und wurde durch F. von *Papen* als Reichskanzler ersetzt. Die innenpolitische Auseinandersetzung verschärfte sich. Die stark angewachsene Kommunistische Partei Deutschlands bekämpfte die Sozialdemokratische Partei als »Sozialfaschisten«. Blutige Zusammenstöße zwischen rechten und linken Kräften ließen einen Bürgerkrieg befürchten. In dieser Situation übernahm Schleicher am 2. 12. 1932 das Reichskanzleramt. Sein Versuch, durch Spaltung der NSDAP und Zusammenarbeit mit den Gewerkschaften eine breite gesellschaftliche Unterstützung zu finden, scheiterte. Am 30. 1. 1933 ernannte Hindenburg A. *Hitler* zum Reichskanzler. Der Weg zur Herrschaft des → Nationalsozialismus war frei.

Ursachen des Scheiterns: Die militärische Niederlage im Ersten Weltkrieg wurde im Bewusstsein der Bevölkerung nicht akzeptiert. Die Behauptung, dass die Niederlage durch die Novemberrevolution herbeigeführt worden sei, die sogenannte *Dolchstoßlegende,* fand in weiten Kreisen Beifall. Der Friedensvertrag von Versailles schien die Schwäche der neuen Republik zu bestätigen. Während die Linken mit Enttäuschung feststellten, dass die soziale und wirtschaftliche Umgestaltung in Ansätzen stecken geblieben war, sah man auf der Rechten den revolutionären Aufbruch und gerade diese Reformansätze als grundlegend verfehlt an. Die politische Mitte wurde zwischen diesen beiden radikalen Standpunkten zerrieben. Als von außen die Weltwirtschaftskrise zu den vorhandenen Belastungen hinzutrat, war die Weimarer Republik bereits weitgehend gescheitert. Ein Großteil der sozial und politisch unzufriedenen Wählerschaft wandte sich radikalen Parteien zu. Die Erwartung der Führungsschichten der Weimarer Republik, dass sie die nationalsozialistische Bewegung für ihre eigenen Ziele einspannen könnten, sollte sich schnell als verhängnisvolle Illusion erweisen.

Weinbaugebiet auf Zypern: Weinreben benötigen sonnige Lagen bei mäßig feuchtem Klima; erst drei Jahre nach der Anlage eines Weinbergs kann geerntet werden.

Wein [der], ein alkoholisches Getränk aus weißen oder roten Weintrauben. Die Ernte der Weintrauben (Lese) beginnt im September und kann sich bis zum Dezember hinziehen. Die bei der Weinlese geernteten Trauben werden zerquetscht, der entstehende Brei heißt *Maische.* Zur Weißweinbereitung wird der Traubensaft *(Most)* in einer Presse, der *Kelter,* von den festen Bestandteilen abgepresst (abgekeltert) und dann vergoren. Bei der Rotweinherstellung wird die Maische von Rotweintrauben zuerst vergoren und dann abgekeltert, damit die roten Farbstoffe und die Gerbstoffe, die nur in der Beerenhaut enthalten sind, in den Wein gelangen. In beiden Fällen macht der Wein eine zweite Gärung (Nachgärung) durch, bevor er trinkfertig ist. Die alkoholische Gärung beruht darauf, dass der in den Trauben enthaltene Zucker von Hefepilzen, die natürlicherweise im Most vorkommen, zu Alkohol (Äthylalkohol) abgebaut wird. Je nach der Erntezeit der Trauben und der Süße der Weine unterscheidet man *Kabinett, Spätlese, Auslese, Beerenauslese* oder *Eiswein.* Je nach der Sorte der Trauben unterscheidet man *Riesling, Silvaner, Traminer* u.a. Wein wurde bereits 3500 v. Chr. hergestellt.

Weinbrand [der], ein aus Wein hergestellter Branntwein mit mindestens 38 Volumenprozent Alkohol.

Weiße Rose, ein Freundeskreis von Studenten in München, der 1942/1943 Flugblätter unter dem Symbol der weißen Rose verteilt hat, in denen zum Widerstand gegen den Nationalsozialismus aufgerufen wurde. Die führende Gruppe (Hans und Sophie *Scholl,* Christoph *Probst,* Willi *Graf,* Alexander *Schmorell,* Professor Kurt *Huber*) wurde 1943 vom Volksgerichtshof zum Tode verurteilt und hingerichtet.

Weißes Haus, der Amts- und Wohnsitz des Präsidenten der Vereinigten Staaten in Washington. Es wurde 1800 erstmals bezogen.

Ländersteckbrief
Weißrussland

Fläche:	207 600 km²
Einwohner:	9,7 Millionen = 47 je km²
Hauptstadt:	Minsk
Religion:	russisch-orthodoxe Kirche, römisch-katholische Kirche
Amtssprache:	Weißrussisch, Russisch
Währung:	1 Weißrussland-Rubel = 100 Kopeken

Weißrussland, Staat in Osteuropa.

Landesnatur: Weißrussland ist ein von der Eiszeit

überformtes, überwiegend ebenes Land mit zahlreichen Seen, ausgedehnten Wäldern und versumpften Niederungen (Pripjat-Sümpfe im Süden).

Bevölkerung: Die Bevölkerung setzt sich aus 81% Weißrussen, 11% Russen, 4% Polen und 2% Ukrainern zusammen. Die Mehrheit bekennt sich zum russisch-orthodoxen Glauben, 8% sind römisch-katholisch.

Wirtschaft: Weißrussland verfügt über eine gut entwickelte Landwirtschaft (Viehzucht, Anbau von Flachs, Kartoffeln und Futterpflanzen). An Bodenschätzen gibt es Torf, Phosphorit, Steinsalz und Erdöl. Wichtigste Industriezweige sind der Fahrzeugbau, die Nahrungsmittel-, Textil- und Elektroindustrie. – Weißrussland ist ein wichtiges Transitland für den Verkehr zwischen Westeuropa und Russland; internationaler Flughafen ist Minsk.

Geschichte: Bereits im 16. Jh. kamen Teile Weißrusslands unter russische Herrschaft, die bis 1795 auf das ganze Gebiet ausgedehnt wurde. 1919 wurde eine *Weißrussische Sowjetrepublik* proklamiert. Diese verlor nach dem russisch-polnischen Krieg 1921 ihren westlichen Teil an Polen. Nach dem Zweiten Weltkrieg wurden die an Polen verlorenen Gebiete der Republik wieder angegliedert. 1991 erklärte Weißrussland seine Unabhängigkeit und wurde Mitglied der GUS. Staatspräsident ist seit 1994 A. *Lukaschenko*, der ein autoritäres Präsidialregime errichtete und oppositionelle Bestrebungen unterdrückte.

Weitsprung [der], leichtathletischer Wettbewerb. Es gilt, nach einem beliebig langen Anlauf vom Absprungbalken aus möglichst weit in die Sprunganlage zu springen. Dabei darf der Absprungbalken nicht übertreten werden.

Weizen [der], ein Getreide mit langen oder kurzen Ähren, die nur kurze Grannen haben oder auch unbegrannt sind. Die gelblichen Körner sind etwa 5 mm lang und sehr stärkehaltig. Der Weizen ist über die

Weißrussland: Frauen in traditioneller Landestracht

ganze Welt verbreitet. Er wird in einigen Gegenden als Sommerweizen oder als Winterweizen angebaut. – Eine ältere Weizensorte ist der *Dinkel,* bei dem die Hülsen am Korn verbleiben. Er wird unreif geerntet und geröstet als »Grünkern« verkauft.

Weizsäcker, Richard von, *1920; deutscher Politiker. 1981–1984 war Weizsäcker regierender Bürgermeister von Westberlin und 1984–1994 war er Bundespräsident.

Welle [die], **1.** im Maschinenbau ein Element zum Übertragen von Drehungen, meist eine runde Metallstange, die sich in Lagern dreht. **2.** in der Physik eine Form des Energietransportes in einem Medium, wobei periodische Schwingungen auf benachbarte Teilchen übertragen werden. Dabei ändern die einzelnen Teilchen ihren Ort nicht (z. B. Kornfeld: Die Schwingungen der Getreidehalme pflanzen sich fort, die einzelnen Halme bleiben aber an ihrem Ort). Als *Wellenlänge* bezeichnet man den Abstand zwischen zwei aufeinanderfolgenden Teilchen im gleichen Schwingungszustand, als *Frequenz* die Anzahl der Hin- und Herbewegungen, die ein Teilchen in einer Sekunde ausführt. **3.** *Meereswelle,* eine meist durch Wind verursachte rhythmische Schwingung des Meerwassers an Ort und Stelle. Dabei vollführen die Wasserteilchen kreis- oder ellipsenförmige Bewegungen und kehren im Gegensatz zur Strömung wieder an den Ausgangspunkt zurück. Es findet also kein Transport von Wassermassen statt, sondern die Bewegungsvorgänge pflanzen sich fort.

Wellenreiten [das], englisch *Surfing*, ein Vorläufer des → Windsurfings.

Wellensittich [der], ein 17–20 cm großer Papageienvogel, der in den australischen Grassteppen beheimatet und bei uns zu einem beliebten Käfigvogel geworden ist. Ursprünglich waren Wellensittiche grün, heute gibt es viele Zuchtrassen in unterschiedlichen Farben.

Wellensittich: Diesen geselligen Vogel, der in der Natur in großen Scharen lebt, sollte man nicht allein, sondern zumindest paarweise in einer ausreichend großen Voliere halten.

Wellington ['wɛliŋtən], seit 1865 die Hauptstadt Neuseelands, im Süden der Nordinsel, 178 000 Einwohner.

Welpe [der], Bezeichnung für das Junge von Hunden, Wölfen und Füchsen, solange es noch von der Mutter gesäugt wird.

Welse [Pl.], verschiedene Familien der Knochenfische, die sehr alte Fischgruppen darstellen. Sie sind bis auf die Antarktis in allen Erdteilen zu finden. Typisch für die mehr als 2000 Arten der Welse sind ihre langen Kopfanhänge (Barteln), die diese Fische unverwechselbar machen. Die bekannteste einheimische Art ist der *Flusswels* oder *Waller* – mit bis zu 150 kg Gewicht und 3 m Länge zugleich auch unser größter Süßwasserfisch. Der Flusswels ist ein gefräßiger Räuber, der alles verschlingt, was Maul und Magen fassen können. Er erbeutet neben anderen Fischen auch Bisamratten und unerfahrene Küken von Enten und Teichhühnern.

Was ist das …
Weltall

Das Weltall ist der gesamte Raum (Weltraum) mit allen darin enthaltenen Himmelskörpern. Die Erforschung des auch *Universum* oder *Kosmos* genannten Weltalls erfolgt mit astronomischen Teleskopen, welche die Strahlung der Himmelskörper beobachten, die später analysiert und interpretiert wird. Die unmittelbare kosmische Umgebung der Erde erforschen Raumsonden und Satelliten, die auch Materialproben zur Erde bringen.

Himmelskörper: Die Erde ist Teil des *Sonnensystems*, das aus der Sonne und der Gesamtheit aller sie ständig umwandernden Himmelskörper (Planeten, Zwergplaneten, Planetoiden, Meteoroiden, Monde, Kometen) sowie Gas- und Staub-

Milchstraße: Am dunklen Nachthimmel sind die Sterne und Nebel der Milchstraße als zart leuchtendes Band gut zu erkennen.

teilchen besteht. Die Sonne ist eine heiße Gaskugel, die wie alle Sterne ihre Energie durch Kernreaktionen im Inneren erzeugt; Planeten reflektieren nur das Licht der Sonne. Die Sonne bildet mit etwa 100 Mrd. ähnlichen Sternen ein scheibenförmiges System, die *Milchstraße (Galaxis),* mit einem Durchmesser von etwa 100 000 Lichtjahren (1 Lichtjahr entspricht etwa 9 Billiarden km), deren Zentrum alle zu ihr gehörenden Sterne umkreisen. Die relativ geringen Unterschiede in den Sternmassen – verglichen mit der Sonnenmasse – bewirken große Unterschiede in Farbe, Leuchtkraft und Lebensdauer der Sterne: Massearme Sterne sind lichtschwach, rot gefärbt und können so alt sein wie das Universum; die massereichsten Sterne leuchten hell und bläulich, existieren aber nur einige Mio. Jahre. Sie geben am Ende ihrer Lebensspanne ihr Gas in den Weltraum ab. Dort bildet es ausgedehnte Wolken aus Gas und Staub, aus denen sich immer wieder neue Sterne bilden. Die Galaxis besitzt zudem im Kernbereich eine elliptische, über 6000 Lichtjahre durchmessende Verdickung aus überwiegend alten Sternen. Eingebettet ist die Milchstraße in einen kugelförmigen Bereich *(Halo)* aus dünn verteilten Einzelsternen und Hunderten kugelförmiger Sternhaufen. Die Milchstraße ist Teil einer Gruppe von etwa zwei Dutzend Galaxien, von denen nur eine weitere, der Andromedanebel, ähnlich aufgebaut ist wie sie und ein spiralförmiges Muster in der Sternscheibe zeigt. Alle anderen Galaxien sind klein und elliptisch oder unregelmäßig geformt. Solche Gruppen, sogenannte *Galaxienhaufen,* sind im ganzen Weltall zu finden und enthalten oft Hunderte von Galaxien. Die Haufen ihrerseits bilden wiederum *Superhaufen.* Auf allen Ebenen dieser Hierarchie sind die Gruppen durch ähnliche Bewegungen im Weltall gekennzeichnet. Darstellungen des bekannten Universums zeigen, dass die Galaxien riesige leere Gebiete umgeben, wodurch das Universum einem Schwamm ähnelt.

Entstehung: Das Weltall entstand vor etwa 13,7 Milliarden Jahren im sogenannten *Urknall (Big Bang)* und enthielt bereits die ganze heutige Materie, zunächst in Form von Strahlung. Nach etwa 380 000 Jahren bildeten sich Atome – die Struktur des Universums war zu dieser Zeit bereits festgelegt. Seit seinem Anfang expandiert das Weltall beständig weiter. Bis vor kurzem schien unklar, wie seine weitere Entwicklung aussieht. Neuere Beobachtungen deuten an, dass die Expansion seit einigen Jahrmilliarden immer stärker wird und niemals aufhört. In einem *Endknall (Big Rip)* könnten Sterne, Planeten, Moleküle und schließlich alle Teilchen von der geheimnisvollen sogenannten *Dunklen Energie* zerrissen werden.

Die Raumstation ISS (International Space Station) bewegt sich in einer Höhe zwischen 350 und 450 km über der Erde.

Was waren die … Weltkriege

Weltkriege sind die beiden großen Kriege des 20. Jh., an denen viele Staaten teilnahmen und von denen große Teile der Erde erfasst wurden.

Erster Weltkrieg (1914–1918): Am 28. 6. 1914 wurden der österreichische Thronfolger *Franz Ferdinand* und seine Frau in Sarajevo von einem serbischen Nationalisten ermordet. Das Attentat war der Funke, der in ein Pulverfass fiel. Zwischen den europäischen Großmächten bestanden vielfältige Spannungen, die sich in einer Serie von Kriegserklärungen entluden. Den »Mittelmächten« Deutschland, Österreich-Ungarn, Bulgarien und Türkei stand die »Entente« gegenüber, das Dreierbündnis von Frankreich, Russland und Großbritannien. Ihm schlossen sich im Lauf der Zeit 17 weitere Staaten an.

Der Krieg wurde an vielen Fronten geführt: in Westeuropa, Russland, Oberitalien, auf dem Balkan,

In der Schlacht von Verdun wurde 1916 um jeden Meter Boden gerungen. Dieser zermürbende Stellungskrieg im Ersten Weltkrieg führte zu verheerenden Verlusten auf deutscher wie auf französischer Seite.

im Nahen Osten und zur See. Der deutsche Kriegsplan, Frankreich in den ersten Wochen vernichtend zu schlagen, misslang; es kam zum »Stellungskrieg« mit riesigen Verlusten an Menschen und Material. Im Osten waren die Mittelmächte erfolgreicher. Die militärische Niederlage Russlands führte zur Revolution, und die bolschewistische Regierung sah sich im März 1918 zum Friedensschluss gezwungen. Inzwischen waren aber, herausgefordert durch den unbeschränkten U-Boot-Krieg Deutschlands, die USA im April 1917 in den Krieg eingetreten; das brachte die Entscheidung. Nach Niederlagen an allen Fronten mussten die Mittelmächte Waffenstillstand schließen, zuletzt Deutschland am 11. 11. 1918.

Der Erste Weltkrieg forderte rund 10 Mio. Todesopfer. Er führte zum Sturz der Monarchie in Deutschland, Österreich-Ungarn, Russland und der Türkei. In Europa entstanden neue Nationalstaaten. Deutschland musste den Frieden von Versailles unterzeichnen, was die demokratische Entwicklung in der Weimarer Republik schwer belastete. Die durch den Krieg verursachte große Not war lange Zeit nicht zu beheben, und die traditionellen Führungsschichten bestritten die Verantwortung für Krieg und Niederlage.

Zweiter Weltkrieg (1939–1945): Den Zweiten Weltkrieg entfesselte A. *Hitler*, der in Deutschland seit 1933 an der Macht war. Vorgeblich wollte er nur die Ungerechtigkeiten des Versailler Vertrags beseitigen; tatsächlich verfolgte er aber von Anfang an das Ziel, »Lebensraum« im Osten zu erobern und letztlich die Weltherrschaft zu erringen. Nachdem Hitler mit dem sowjetischen Diktator *Stalin* einen Nichtangriffspakt und ein Geheimabkommen über die Aufteilung Polens geschlossen hatte, griffen deutsche Truppen am 1. 9. 1939 Polen an. Großbritannien und Frankreich erklärten Deutschland zwei Tage später den Krieg, nahmen aber keine Kampfhandlungen auf. Polen wurde rasch besiegt und geteilt. Weitere »Blitzkriege«, die jeweils nur wenige Wochen dauerten, folgten: Im April 1940 wurden Dänemark und Norwegen besetzt, im Mai 1940 Frankreich, Belgien, die Niederlande und Luxemburg, im April 1941 Jugoslawien und Griechenland; gleichzeitig wurden deutsche Truppen zur Unterstützung des verbündeten Italien nach Nordafrika entsandt.

Am 22. 6. 1941 überfiel Hitler unter Bruch des Nichtangriffspaktes die Sowjetunion, die er als seinen eigentlichen Gegner betrachtete. Trotz großer Anfangserfolge gelang ihm diesmal kein Blitzkrieg; die Offensive kam vor Moskau zum Stehen. Zugleich wurde der Krieg nun wirklich zum Weltkrieg, in den alle Großmächte verwickelt waren: Als Japan am 7. 12. 1941 den US-amerikanischen Flottenstützpunkt Pearl Harbor angriff, erklärten Deutschland und Italien den USA den Krieg, obwohl sie vertraglich nicht dazu verpflichtet waren. Japan eroberte in kürzester Zeit große Teile Südostasiens.

1943 kam die Wende des Krieges. In Stalingrad wurde eine deutsche Armee eingekesselt und vernichtet. Die Westalliierten landeten in Nordafrika und wenig später in Italien, wo der faschistische Diktator *Mussolini* gestürzt wurde. Der deutsche U-Boot-Krieg im Atlantik brach zusammen. Es begannen massive Luftangriffe auf deutsche Städte. Im Pazifik eroberten Amerikaner und Briten die meisten der von Japan besetzten Gebiete zurück. Am 6. 6. 1944 landeten westalliierte Truppen an der französischen Kanalküste und begannen mit der Befreiung Frankreichs. Ende 1944 hatte Deutschland die meisten eroberten Gebiete wieder verloren, und in den ersten Monaten des Jahres 1945 wurde es von sowjetischen und westalliierten

Soldaten der Wehrmacht reißen im Zweiten Weltkrieg am 1. 9. 1939 die polnischen Schlagbäume nieder.

Truppen besetzt. Am 30. 4. beging Hitler Selbstmord. Sein testamentarisch eingesetzter Nachfolger *Dönitz* vollzog am 7. und 9. 5. die bedingungslose Kapitulation. Nachdem zwei amerikanische Atombomben auf Hiroshima und Nagasaki abgeworfen worden waren, kapitulierte am 2. 9. 1945 auch Japan.

Im Zweiten Weltkrieg starben zwischen 55 und 62 Mio. Soldaten und Zivilisten. Rund 20 Mio. Menschen mussten fliehen oder wurden vertrieben. Die Anti-Hitler-Koalition brach bald auseinander, der Ost-West-Konflikt begann. Ein Friedensschluss mit Deutschland kam deshalb nicht zustande; das Land wurde geteilt. Osteuropa kam unter sowjetische Vorherrschaft und wurde einer kommunistischen Umgestaltung unterworfen. Die Siegerstaaten Großbritannien und Frankreich sanken im Vergleich mit den USA und der UdSSR zu Mächten zweiten Ranges herab. Deutschland blieb bis zum 3. 10. 1990 geteilt.

Weltkulturerbe, *Welterbe*, besonders schutzwürdige historische Stätten, Kunstdenkmäler, Naturschutzgebiete und Landschaftsteile, die unter den Schutz der UNESCO gestellt sind.

Was ist die…
Weltraumfahrt

Die Weltraumfahrt umfasst das Entsenden bemannter oder unbemannter Flugkörper in den Weltraum mit dem Ziel, die erdnahe Umgebung, aber auch das gesamte Sonnensystem wissenschaftlich zu untersuchen oder die Nachrichtentechnik und die Wettervorhersage zu unterstützen. Organisiert wird die Weltraumfahrt von Weltraumagenturen wie der US-amerikanischen NASA, der europäischen ESA oder der russischen RKA, die eigene Zentren zum Start von Raketen unterhalten. Wichtigste technische Voraussetzung für die Weltraumfahrt sind Triebwerke, die sich im luftleeren Weltraum fortbewegen können, wie das nach dem Rückstoßprinzip arbeitende Raketentriebwerk. Damit ein Flugobjekt das irdische Schwerefeld überwinden kann, muss es auf die Fluchtgeschwindigkeit von 11,2 km/s und darüber hinaus beschleunigt werden. Flugobjekte, die das Schwerefeld der Erde verlassen, werden *Raumsonden* genannt, solche, die sich auf Kreis- oder Ellipsenbahnen um die Erde bewegen, heißen *Satelliten*.

Nutzung des Weltraums: Die für die Menschheit bedeutendste Nutzung des Weltraums sind die bemannten *Raumstationen*, die seit Anfang der 1970er Jahre – als die Ära der ersten Mondflüge zu Ende ging – hauptsächlich im Dienst der Grundlagenforschung stehen. In ihnen werden vor allem biomedizinische, materialwissenschaftliche oder pharmazeutische Experimente durchgeführt. Nachdem die 1986 gestartete russische Mir 2001 ausgemustert wurde, ist die internationale Raumsta-tion ISS (International Space Station) die einzige zurzeit in Betrieb befindliche Raumstation. Sie ist in der Regel mit drei Astronauten unterschiedlicher Nationalität besetzt, die vor allem mit dem Spaceshuttle der NASA oder mit russischen Sojus-Raketen befördert werden. Eines der ehrgeizigsten Raumfahrtprojekte der letzten Zeit ist das Hubble-Weltraumteleskop (HST), das sich seit April 1990 in einer Erdumlaufbahn in etwa 600 km Höhe befindet, von wo aus sich der Weltraum ohne die störenden Einflüsse der Atmosphäre untersuchen lässt. Nach anfänglichen Schwierigkeiten entstanden mit dem HST die bisher schärfsten Aufnahmen von allen Planeten des Sonnensystems und es lieferte indirekte Nachweise zur Existenz von Schwarzen Löchern. Zu den weiteren zivilen Nutzungen des Weltraums zählen die Tiefraumsonden – unbemannte Raumfahrzeuge, die die Planeten des Sonnensystems und den Raum zwischen ihnen erforschen (wie die Jupitersonde Galileo oder die Saturnsonde Cassini). Militärisch und kommerziell wird der Weltraum vor allem zu Kommunikations- und Navigationszwecken sowie zur Wettervorhersage genutzt. *Erderkundungssatelliten* überwachen Klimaparameter wie Temperatur, Vegetationszustand oder Umweltverschmutzung. *Wettersatelliten* liefern kontinuierlich

Weltraumfahrt: Start der Raumfähre Columbia in Cape Canaveral im Jahr 1997

Wetterdaten und ermöglichen Vorhersagen und Katastrophenwarnungen. Navigationsgeräte, wie sie z. B. in Autos zum Einsatz kommen, fangen die Daten der *Navigationssatelliten* des GPS-Systems auf, um daraus eine Position auf der Erde zu ermitteln. Von großer wirtschaftlicher Bedeutung sind *Kommunikationssatelliten*, die gleichzeitig Zehntausende interkontinentaler Telefongespräche erlauben und zudem Hunderte von ausgestrahlten Fernseh- und Radioprogrammen über die Erde verteilen.

Weltreligionen [Pl.], Religionen, die über weite Teile der Erde verbreitet sind und den Anspruch auf allgemeine Gültigkeit erheben, insbesondere Buddhismus, Christentum, Islam.

Weltwirtschaftskrise [die], eine weltweite Wirtschaftskrise, die 1929 von den USA ausging und alle großen Handelsstaaten erfasste. In Deutschland trug die Weltwirtschaftskrise entscheidend zum Niedergang der *Weimarer Republik* bei.

Weltwunder [Pl.], *sieben Weltwunder,* sieben von Antipatros von Sidon um 150 v. Chr. als besonders außergewöhnlich bezeichnete Bauwerke der Antike: 1. der Artemis-Tempel in Ephesos. Der Tempel wurde im 6. Jh. v. Chr. unter Chersiphron und seinem Sohn Metagenes erbaut und war 133 m lang und 69 m breit. Er war der Jagdgöttin Artemis geweiht. 356 v. Chr. wurde der Tempel durch Brandstiftung zerstört, wieder aufgebaut und 262 v. Chr. durch die Goten endgültig vernichtet. 2. die Pyramiden bei Gizeh. Die Pyramiden bei Gizeh in Ägypten wurden um 2650 bis um 2250 v. Chr. von den Königen Cheops (137 m hoch, ursprünglich 146,6 m), Chephren (136,4 m hoch) und Mykerinos (62 m hoch) als Grabmäler errichtet. 3. die Zeusstatue in Olympia. Die Statue wurde von dem athenischen Bildhauer Phidias geschaffen und bestand aus Elfenbein und Gold. Später wurde sie nach Konstantinopel verschleppt, wo sie verbrannte. 4. der Leuchtturm von Pharos vor Alexandria. Der Leuchtturm wurde 280/279 v. Chr. auf der Insel Pharos vor Alexandria errichtet und war rund 136 m hoch. Er wurde im 14. Jh. durch ein Erdbeben zerstört. 5. der Koloss von Rhodos. Der Koloss war eine etwa 36 m hohe Bronzestatue an der Hafeneinfahrt von Rhodos. Er wurde 290 v. Chr. geschaffen und stürzte bei einem Erdbeben 224 v. Chr. ein. 6. die Hängenden Gärten der Semiramis in Babylon. Die Gärten der Semiramis waren eine terrasenförmige Gartenanlage mit Bewässerungssystem. Sie wurden vermutlich 605 bis 562 v. Chr. von Nebukadnezar erbaut. 7. das Mausoleum in Halikarnassos. Das Mausoleum ist ein etwa 46 m hohes Grabmal des Königs Mausolos von Karien († 353 v. Chr.). Es bestand aus einer Säulenhalle mit pyramidenförmigem Dach auf einer Stufenterrasse. Von diesen Weltwundern sind lediglich die Pyramiden bei Gizeh erhalten geblieben.

Weltwunder: Der Koloss von Rhodos; Radierung aus dem 18. Jh. Mailand, Sammlung Bertarelli

Werbung [die], die bewusste Beeinflussung von Menschen zu einem bestimmten Zweck. Man unterscheidet zwischen politischer Werbung (Propaganda) und Wirtschaftswerbung. Die früher allgemein übliche Bezeichnung *Reklame* für alle wirtschaftlichen Werbemaßnahmen wird heute häufig in abwertendem Sinn gebraucht. Wirtschaftswerbung ist eine geschäftliche Anpreisung, die sich an einen größeren Personenkreis wendet, um das Interesse für bestimmte Erzeugnisse und Leistungen zu wecken und deren Absatz zu steigern. Die Mittel der Werbung sind vielgestaltig: Anzeigen, Werbebriefe, Plakate, Leuchtschriften, Werbefilme, Vorträge, Schaufenster u. a.

Werft [die], ein Unternehmen für den Bau, die Ausrüstung und die Reparatur von Schiffen.

Eine Werft umfasst die zur Montage notwendigen Werkstätten und Einrichtungen (Kräne, Gerüste) sowie Helling (Montageplatz) und Docks.

Werra [die], der rechte Hauptquellfluss der Weser. Sie entspringt im Süden des Thüringer Waldes und vereinigt sich nach 292 km mit der Fulda bei Münden zur Weser.

Wertpapier [das], eine Urkunde, die für einen bestimmten Betrag an Vermögen steht. Wertpapiere sind beispielsweise Aktien, Wechsel, aber auch Schecks.

Werwolf [der], im Volksglauben ein blutgieriger Mensch, der in Wolfsgestalt auftritt.

Wespen: In Mitteleuropa ist die Gewöhnliche Wespe verbreitet.

Weser [die], ein großer deutscher Fluss, der aus der Vereinigung der Fulda und der Werra bei Münden entsteht. Die Weser ist 440 km lang, sie mündet bei Bremerhaven in die Nordsee.

Weserbergland [das], ein waldreiches Mittelgebirge beiderseits der Weser zwischen Münden und Minden in Niedersachsen.

Wespen [Pl.], Insekten mit einem Giftstachel. Sie falten ihre Vorderflügel in der Ruhe der Länge nach zusammen. Es gibt einzeln lebende (solitäre) und Staaten bildende (soziale) Wespen. *Solitäre Wespen* bauen ihre Nester in Pflanzenstängeln oder Erdlöchern. *Soziale Wespen* bauen Nester aus einer papierartigen Masse, die sie durch Zerkauen von Holz herstellen. Die Waben sind waagerecht angeordnet mit abwärts gerichteten Zellenöffnungen. Alle Wespen gehen vor Anbruch des Winters zugrunde, nur die jungen, schon befruchteten Königinnen überwintern und bilden im nächsten Frühjahr mit neugeborenen Wespen einen neuen Staat. Die größte europäische Wespe ist die *Hornisse,* die eine Länge von 3,5 cm erreichen kann.

Westen, Abkürzung W, eine Himmelsrichtung.

Westerwald [der], deutsches Mittelgebirge, ein Teil des Rheinischen Schiefergebirges zwischen Sieg, Rhein und Lahn. Die höchste Erhebung ist der *Fuchskauten* mit 656 m. Im Westerwald wird Basalt abgebaut.

Westfalen, ein Teil des Landes Nordrhein-Westfalen, ehemals eine preußische Provinz.

Westfälischer Friede, beendete am 24. 10. 1648 den *Dreißigjährigen Krieg.* Die Verhandlungen wurden in den westfälischen Städten Münster (mit den Franzosen und ihren Verbündeten) und Osnabrück (mit den Schweden und ihren Verbündeten) geführt.

Westfälischer Friede: Gerard Ter Broch, Der Friedensschwur von Münster, Gemälde; 1648. London, National Gallery

Westindien, die karibisch-mittelamerikanische Inselwelt, bestehend aus den *Großen Antillen,* den *Kleinen Antillen,* den *Bahamas,* den *Turks-* und *Caicosinseln* sowie den *Cayman Islands;* zusammen 235 928 km² mit rund 36 Mio. Einwohnern. Westindien erhielt seinen Namen durch die irrtümliche Annahme von Christoph(er) Kolumbus, er habe mit der am 12. Oktober 1492 betretenen Bahamainsel San Salvador (Guanahani) Indien erreicht.

Westsahara, 1958–1976 Spanisch-Sahara, an der Nordwestküste Afrikas, 266 000 km², 320 000 Einwohner, Hauptstadt *Al Aaiún*; halbwüstenhaftes, von Wadis zerschnittenes Sandsteinplateau mit vorwiegend Sandwüsten im Süden und Felswüsten im Norden. Die Bevölkerung besteht aus den *Sahraouis,* einer arabisch-berberischen Mischbevölkerung. Das Gebiet ist wegen seiner Phosphatvorkommen von Bedeutung.

Geschichte: 1885 bekam Spanien von den europäischen Großmächten das Río-de-Oro-Gebiet zugesprochen. Das erweiterte Territorium wurde 1946 zur Kolonie *Spanisch-Westafrika.* 1958 entstand die spanische Überseeprovinz *Spanisch-Sahara.* 1975/1976 gab Spanien die Kolonie auf, deren nördlicher Teil nun von Marokko und deren südlicher Teil von Mauretanien verwaltet werden sollte. Die Befreiungsbewegung *Polisario* rief noch im selben Jahr die *Demokratische Arabische Republik Sahara* aus. Mauretanien verzichtete 1979 zugunsten der Polisario auf seinen Anteil an dem Gebiet, der daraufhin auch von Marokko annektiert wurde. Ein geplantes Referendum über die Autonomie der Sahara kam bislang nicht zustande.

Was ist das … Wetter

Wetter bezeichnet den physikalischen Zustand der Erdatmosphäre an einem bestimmten Ort zu einem bestimmten Zeitpunkt, der durch das Zusammenspiel zahlreicher meteorologischer Elemente (z. B. Luftdruck, Temperatur, Wind, Wolken, Niederschläge) bestimmt ist. Neben den Auswirkungen mancher Wetterlagen auf Körper und Geist des Menschen ist das Wetter insbesondere für Gartenbau und Landwirtschaft von grundlegender Bedeutung. Deshalb spielt das Wetter in Brauchtum und Volksglauben seit jeher eine große Rolle. Wetterextreme richten immer wieder schwere Schäden an oder beeinträchtigen das Verkehrswesen.

Einflussfaktoren: Die wärmespendende Sonne ist der Auslöser für die wetterbestimmenden Vorgänge in der Atmosphäre. Die unterschiedlich starke Erwärmung der Luft (in Abhängigkeit von der Breitenlage, der Land-Meer-Verteilung, Höhenlage und Bewölkung) bestimmt die Bildung von Hoch- und Tiefdruckgebieten und verursacht damit die Entstehung von Winden. Gleichzeitig beeinflusst sie die Verdunstung und damit die Wolkenbildung und die Niederschläge.

Die einzelnen wetterbestimmenden Faktoren wie Lufttemperatur, Luftfeuchtigkeit, Wind u.a. stehen dabei in einem komplexen wechselseitigen Abhängigkeitsverhältnis. So beeinflussen z.B. Winde, die kalte oder auch warme Luftmassen heranführen, die Lufttemperatur ebenso wie eine dichte Wolkendecke, die die Erwärmung am Tag und die Abkühlung in der Nacht deutlich mindert.

Die Wettervorhersage: Die Kenntnis solcher Zusammenhänge und die Auswertung der Wetterbeobachtungen über einem großräumigen Gebiet ermöglichen die Wettervorhersage. Als Arbeitsgrundlage für die Vorhersage dienen die in zahlreichen meteorologischen Stationen ständig aufgenommenen Wetterdaten, die in *Wetterkarten* aufgezeichnet werden. Darin werden mittels international gültiger Symbole u.a. Luftdruck, Temperatur, Niederschlag, Bewölkung, Wind nach Stärke und Richtung dargestellt. Eine wichtige Ergänzung der Wetterkarte liefern die Satellitenbilder, da sie die großräumige Verteilung der Wolkenfelder zeigen, aus der man auf Luftdruck und Strömungsverhältnisse schließen kann. Satellitenbilder von fast ganz Europa, Afrika und dem Atlantischen Ozean liefert z.B. auch Meteosat, der erste europäische Wettersatellit. Die Treffsicherheit der kurzfristigen Prognosen (für ein bis zwei Tage) beträgt in unserem Klima etwa 85%. Bei langfristigen Vorhersagen (für Wochen und Monate) spielt auch die Kenntnis typischer Großwetterlagen eine Rolle und die Berücksichtigung häufig wiederkehrender Witterungsbesonderheiten. Für Westeuropa sind dies z.B. die Kälterückfälle Mitte Mai (Eisheilige) und in der ersten Junihälfte (Schafskälte) sowie das Vorherrschen milder Temperaturen im Altweibersommer und während des Weihnachtstauwetters.

Satellitenaufnahmen der Erde dienen u.a. der langfristigen Wettervorhersage. Die weißen Wirbel sind Tiefdruckgebiete.

Wetterleuchten [das], das Aufleuchten von entfernten Blitzen oder ihr Widerschein in den Wolken. Den Donner kann man wegen der großen Entfernung des Gewitters nicht hören.

WHO, Abkürzung für englisch **W**orld **H**ealth **O**rganization, »Weltgesundheitsorganisation«, eine Sonderorganisation der *Vereinten Nationen*, gegründet 1948. Sie kümmert sich um internationale Gesundheitsfragen, die Bekämpfung von Weltseuchen wie Aids und Malaria und unterstützt die Mitgliedstaaten beim Ausbau ihrer öffentlichen Gesundheitsdienste.

Widerstandsbewegung [die], allgemein die organisierte Auflehnung gegen eine Gewaltherrschaft, insbesondere die Opposition gegen die nationalsozialistische Gewaltherrschaft 1933 bis 1945. Aktiver Widerstand, der auf den Sturz des Naziregimes abzielte, konnte nur geheim und in kleinen Gruppen betrieben werden. Die Widerstandsbewegung umfasste Gruppen unterschiedlicher weltanschaulicher und politischer Orientierung, z. B. Gewerkschafter, Sozialdemokraten, Kommunisten, Konservative, evangelische und katholische Geistliche, Studenten (z. B. die studentische Widerstandsgruppe der »Weißen Rose«, der die Geschwister *Scholl* angehörten), Offiziere. Der größte Aufstandsversuch einer deutschen Widerstandsbewegung stand unter der Führung von Graf *Stauffenberg* und anderer hoher Offiziere der deutschen Wehrmacht. Nach dem Scheitern des Attentats auf Hitler am 20. 7. 1944 wurden einige Führer der Widerstandsbewegung sofort erschossen. Hunderte ihrer Mitglieder verurteilte man danach zum Tode. – In den seit 1938/1939 von deutschen Truppen besetzten Ländern entstanden Widerstandsbewegungen gegen die Besatzungsmacht, in Frankreich die *Résistance,* Partisanengruppen in Jugoslawien, Polen, der Sowjetunion und Griechenland.

Wiederaufarbeitungsanlage [die], großtechnische Anlage, in der abgebrannte Brennelemente aus Kernreaktoren zerlegt werden, um die Restmengen von Spaltstoffen zurückzugewinnen und die radioaktiven Spaltprodukte für die Endlagerung vorzubereiten. Diese Anlagen sind aus Sicherheitsgründen umstritten.

Wiederkäuer [Pl.], Paarhufer wie Hirsche, Rehe, Rinder, Schafe, Ziegen, Giraffen und Antilopen, die einen vierteiligen Magen besitzen und die aufgenommene Pflanzennahrung nach einiger Zeit wieder »aufstoßen« und ein zweites Mal kauen.

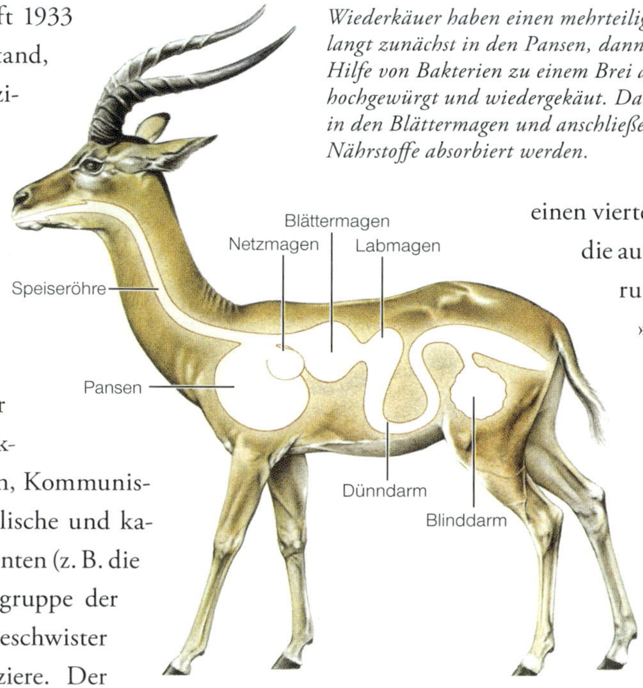

Wiederkäuer haben einen mehrteiligen Magen. Die Nahrung gelangt zunächst in den Pansen, dann in den Netzmagen, wo sie mit Hilfe von Bakterien zu einem Brei aufgeschlossen wird. Dieser wird hochgewürgt und wiedergekäut. Danach gelangt der Nahrungsbrei in den Blättermagen und anschließend in den Labmagen, wo die Nährstoffe absorbiert werden.

Wiedervereinigung [die], siehe ZEIT-Beitrag → »Wiedervereinigung: Als die Mauer fiel«, Seite 182 bis 185.

Wieland, Christoph Martin, * 1733, † 1813; deutscher Schriftsteller. Er begründete die moderne deutsche Erzählprosa und gilt als Vertreter des Rokokos und der Aufklärung in der deutschen Literatur. Zu seinem Hauptwerk gehört der deutsche Bildungsroman »Geschichte des Agathon«, außerdem »Musarion oder Die Philosophie der Grazien«, »Der goldene Spiegel«, »Die Abderiten« und »Oberon«. Wieland war auch Übersetzer von Shakespeare-Dramen und Herausgeber der Zeitschrift »Der Teutsche Merkur«.

Wien, Bundeshauptstadt und kleinstes Bundesland von Österreich, an der Donau, 1,6 Mio. Einwohner. Die Stadt ist Sitz zahlreicher internationaler Organisationen und besitzt viele historische Bauten, darunter das Wahrzeichen, den Stephansdom aus dem 13.–16. Jh. Im 18. und 19. Jh. war Wien ein Kulturzentrum, in dem u. a. berühmte Komponisten wirkten (*Haydn, Mozart, Beethoven, Schubert,* Vater und Sohn *Strauß* u. a.).

Wiesbaden, Landeshauptstadt von Hessen, am Rhein, 272 000 Einwohner. Als Römersiedlung war

Fortsetzung → Seite 186

9. November 1989: Die Grenze zwischen Ost und West ist offen. Tausende feiern an und auf der Berliner Mauer

Wiedervereinigung

Als die Mauer fiel

Von Dieter Buhl

So viele strahlende Gesichter, solche Ströme von Freudentränen hatte es in diesem Land selten zuvor gegeben. Als am späten Abend des 9. November 1989 Tausende Ostberliner durch einen Übergang der Berliner Mauer drängten, erlebte Deutschland einen der glücklichsten Moment seiner Geschichte. Eine friedliche Revolution hatte eine Bresche für die Freiheit geschlagen. Bewegt sahen Fernsehzuschauer hier und überall auf der Welt Menschen, die sich erstmals in ihrem Leben das Recht nehmen konnten, dorthin zu gehen, wohin sie wollten.

Jahrzehntelang war dies nicht möglich gewesen: Seit 1949 war Deutschland in zwei Staaten geteilt – im Westen die Bundesrepublik, im Osten die Deutsche Demokratische Republik (DDR). Die beiden Staaten gingen unterschiedliche Wege: Die Bundesrepublik entwickelte sich zu einem demokratischen Staat nach westlichem Vorbild. In der DDR regierte ein autoritäres Regime, das von der kommunistischen Sowjetunion abhängig war und alle kritischen Meinungen zu unterdrücken versuchte.

Eine streng bewachte Grenze

Seit dem 13. August 1961 trennte außerdem eine streng bewachte Grenze die beiden deutschen Staaten. Mitten durch Berlin verlief eine Mauer, die Stadt war geteilt. Diese Mauer schien für die

Ewigkeit gebaut, niemand mehr konnte sich ihre Beseitigung vorstellen. Der durchschnittlich 3,60 Meter hohe und 1,20 Meter breite Betonwall, der Stacheldraht und die Alarmanlagen waren kaum zu überwinden. Die meisten derjenigen, die es versucht hatten, waren entweder von den ostdeutschen Sicherheitskräften festgenommen oder erschossen worden – 133 Menschen starben beim Fluchtversuch. »Antifaschistischer Schutzwall« nannten die Machthaber der DDR den Sperrgürtel. In Wirklichkeit aber sollte er ihre Bürgerinnen und Bürger daran hindern, den Unterdrückungsstaat DDR, in dem Mangel und Willkür herrschten, zu verlassen.

»Wir sind das Volk!«

Nun, im November 1989, war die Mauer auf einmal durchlässig geworden. Es war wie ein Wunder – und doch geschah es nicht aus heiterem Himmel: Schon in den Monaten vor der Maueröffnung war eine Entwicklung in Gang gekommen, die vieles veränderte.

Der Sommer 1989 war voller Dramatik gewesen. Es begann damit, dass DDR-Bürger seit dem Juli zu Tausenden in die westdeutschen Botschaften in Budapest, Prag und Warschau geflüchtet waren. Eng zusammengepfercht, hofften sie, von dort auf irgendeine Weise in die Bundesrepublik zu gelangen. Doch die Grenzen blieben dicht – bis Ungarn, ein Verbündeter der DDR, seine bis dahin scharf gesicherte Grenze nach Österreich öffnete und damit Massen von Ostdeutschen den Weg nach Westen freigab.

Die Menschen in der DDR spürten, dass nun der Zeitpunkt gekommen war, in dem sie es wagen konnten, sich gegen die Unterdrückung und Freiheitsberaubung durch die alles beherrschende sozialistische Einheitspartei Deutschlands (SED) zu wehren. Und nicht alle zeigten ihren Protest, indem sie in den Westen flohen: So begannen am 9. Oktober, zwei Tage nach den Feiern zum 40. Gründungstag der DDR, die Montagsmärsche in Leipzig. 20 000 Einwohner zogen stumm und würdevoll um den Kern ihrer Stadt. Nur ab und zu durchbrach ein gewaltiger Ruf die abendliche Stille: »Wir sind das Volk!« Dieser Ruf, der bald bei Montagsmärschen in vielen ostdeutschen Städten erschallte, sollte den Herrschenden klarmachen: In dem von ihnen gepriesenen »Arbeiter-und-Bauern-Staat« wollten die Menschen endlich mitreden!

Juli 1990: Bundeskanzler Helmut Kohl (Mitte links) und der sowjetische Staatschef Michail Gorbatschow (rechts) verhandeln über die deutsche Wiedervereinigung

Wie aber würde die Volkspolizei (Vopo) auf die Demonstrationen reagieren, wie die überall anwesenden Agenten des Staatssicherheitsdienstes (MfS) und die sowjetischen Soldaten, die (insgesamt 380 000 Mann) in der DDR stationiert waren? Jederzeit konnte es Festnahmen geben, konnten gar Schüsse fallen. Ein Blutbad war nicht auszuschließen – wie im Juni 1953, als sowjetische Panzer in der DDR Arbeiterdemonstrationen niedergewalzt hatten. Doch die Staatsmacht erschien wie gelähmt.

Wird Deutschland zu mächtig?

Gleichwohl lösten die Demonstrationen im Ostberliner Parteiregime Panik aus. 40 Jahre lang hatte die SED alles bestimmt: wer wo eine Wohnung oder wann ein Auto bekommen, wer studieren, ins westliche Ausland fahren oder berufliche Karriere machen durfte. Nun erhoben die gegängelten Bürgerinnen und Bürger die Forderung nach Mitsprache. Überall in Ostdeutschland entstanden Runde Tische, Diskussionskreise, in denen mutige Menschen ohne Kontrolle durch den Staat darüber debattierten, was aus ihrer Stadt und aus der DDR werden sollte.

Der bis dahin allmächtigen Einheitspartei SED entglitten die Zügel. Ihr blieb nur die Flucht nach vorn: Sie stürzte ihren Vorsitzenden Erich Honecker, der 18 Jahre lang die DDR geführt hatte und vielen Menschen verhasst war. Doch das verschaffte dem Regime keine Atempause. Auf den Demonstrationen riefen die Menschen jetzt: »Wir sind *ein* Volk!« Sie verlangten damit die Abschaffung der DDR und die Wiedervereinigung aller Deutschen in einem Staat. Mit dieser Forderung wurde das Aufbegehren in der DDR endgültig zu einem Thema der Weltpolitik. Schon der Fall der Mauer hatte die Nachbarn in Ost- und Westeuropa aufgeschreckt. Nun rückte eine Wiedervereinigung der beiden deutschen Staaten in greifbare Nähe. Würde Deutschland wieder zu einem Unruheherd in der Mitte Europas werden?, fragten sich die Staatschefs in Ost und West. Könnte es sogar zu einem Krieg um die DDR kommen? Nicht nur die Sowjetunion, die im Zweiten Weltkrieg ungeheuerlich unter Deutschland gelitten hatte (und für die der Zugriff auf Ostdeutschland der wichtigste Preis ihres Sieges war), geriet in Alarmzustand. Auch Freunde der Bundesrepublik wie Frankreich oder Großbritannien meldeten heftige Bedenken gegen mögliche Einigungsbestrebungen an. Ein wiedervereinigtes Deutschland, fürchteten sie, könnte zu mächtig werden.

In dieser Situation versuchte die Regierung in der damaligen Bundeshauptstadt Bonn die Kontrolle über die Entwicklung zu gewinnen. Sie besänftigte die Verbündeten und umwarb die Sowjetunion für ihre Ziele. Die ersten freien Wahlen in der DDR sollten die Lage beruhigen und die Abwanderung in den Westen stoppen.

Eine Atempause aber erbrachte erst die Wirtschafts- und Währungsunion vom 1. Juli 1990. Die Deutsche Mark (DM, die vor dem Euro in der Bundesrepublik galt) war nun auch in der DDR alleiniges Zahlungsmittel. Jahrzehntelang hatten die Ostdeutschen im westlichen Fernsehen gesehen, was man sich im Westen mit der DM alles kaufen konnte. Nun bekamen sie die harte Währung zu einem Wechselkurs 1 zu 1 (bis zu einer gewissen Summe) für ihre wenig wertvolle Ostmark. Erstmals hatten sie damit die freie Auswahl beim Einkaufen, denn über Nacht waren ihre bis dahin ärmlich bestückten Läden voll mit den vielfältigen Waren aus dem Westen.

Ein Stück Geschichte: »Mauerspechte« meißeln Steinbrocken aus der Berliner Mauer – als Andenken

Inzwischen ging es auch in den Verhandlungen zwischen der Bundesrepublik und der DDR auf der einen und den vier Siegermächten des Zweiten Weltkriegs (USA, Sowjetunion, Großbritannien, Frankreich) auf der anderen Seite besser voran.

Einkaufen wie im Westen

Diese »2 + 4« genannte Runde befasste sich mit außenpolitischen Fragen, die Deutschland betrafen. Beschlossen wurde unter anderem, dass Deutschland Mitglied des westlichen Verteidigungsbündnisses NATO bleiben sollte.

Die USA hatten die Bestrebungen zur Wiedervereinigung dabei von Anfang an unterstützt, die britische, französische und andere Regierungen hofften hingegen darauf, dass der sowjetische Generalsekretär Michail Gorbatschow die Einheit der Deutschen in letzter Minute verhindern würde. Aber ihr Hoffen war vergebens. Bei einem Treffen mit dem damaligen Bundeskanzler Helmut Kohl gab Gorbatschow schließlich grünes Licht für ein geeintes Deutschland.

Der Einigungsvertrag, den die Bundesregierung und die frei gewählte Ostberliner Regierung dann aushandelten, umfasste zwar mehr als 1000 Seiten, aber er bereitete keine großen Probleme mehr. Als schließlich die Abgeordneten der DDR-Volkskammer für den Beitritt ihres Landes zum Geltungsbereich des westdeutschen Grundgesetzes stimmten, war die letzte Hürde genommen. »Jetzt wächst zusammen, was zusammengehört«, hatte der ehemalige Bundeskanzler Willy Brandt während des Vereinigungsprozesses gesagt. Nun war die Einheit erreicht, an die nach vier Jahrzehnten der Trennung kaum ein Deutscher noch geglaubt hatte. Mit einer Feierstunde vor dem Brandenburger Tor wurde der Zusammenschluss der beiden deutschen Staaten um Mitternacht am 3. Oktober 1990 besiegelt.

Wiesbaden schon eine Badestadt, im 18./19. Jh. war Wiesbaden Residenz der Grafen (später Herzöge) von Nassau.

Wiesel [das], eine Gattung besonders schlanker Marder. Das *Große Wiesel (Hermelin)* hat ein braunes Sommerfell und ein weißes Winterfell mit schwarzer Schwanzspitze. Das *Kleine Wiesel (Mauswiesel)* ist kleiner und hat stets ein braunes Fell.

Wiesel: Mauswiesel im braunen Sommerfell

Wikinger [Pl.] → Normannen.

Wikipedia® [Kunstwort aus hawaiianisch *wikiwiki* »schnell« und engl. *Encyclopedia*], 2001 gegründetes Internetprojekt zur Erstellung eines frei zugänglichen und kostenlosen Nachschlagewerkes, dessen Artikel von den Nutzern selbst verfasst und korrigiert werden können.

Wildbeuter, Völker, die von Jagd und Fischfang (Männer) und Sammelwirtschaft (Frauen) leben, nicht sesshaft sind und weder Bodenbau noch Viehzucht betreiben.

Wilde [waild], Oscar, *1854, †1900; angloirischer Schriftsteller. Er war führender Vertreter eines freien Künstlertums und hinterließ ein vielfältiges literarisches Werk aus Lyrik, Dramen und Romanen. Sein bekanntestes Werk ist der Roman »Das Bildnis des Dorian Gray«. Auf dem Höhepunkt seiner Karriere wurde er der Homosexualität angeklagt und zu einer Haftstrafe verurteilt.

Wilder ['waildə], Thornton, *1897, †1975; US-amerikanischer Erzähler und Dramatiker. Von seinen Romanen sind vor allem zu nennen: »Die Brücke von San Luis Rey« und »Die Iden des März«, eine Schilderung Roms unter Cäsar. Sein Drama »Wir sind noch einmal davongekommen«, in dem die Handlung in verschiedenen Zeitaltern nebeneinanderläuft, beeinflusste die Dramatik nach dem Zweiten Weltkrieg.

Wildkatze [die], eine Kleinkatze, die in verschiedenen Unterarten von Indien bis nach Spanien und Schottland bis Südafrika vorkommt. Dabei lassen sich in dem großen Verbreitungsgebiet 3 Formengruppen unterscheiden: *Steppenkatzen* in Indien und Pakistan, *Waldkatzen* in Europa und Innerasien sowie *Falbkatzen* in Arabien und Afrika. Aus der Gruppe der Falbkatzen ist unsere Hauskatze hervorgegangen.

Wildschwein [das], zu den Paarhufern gehörendes Säugetier. Das Wildschwein kommt in einer Reihe von Unterarten vor, die jeweils in Eurasien einschließlich Sumatra und Java sowie in Nordafrika beheimatet sind. In Mitteleuropa erreichen Wildschweine eine Höhe von 95 cm und ein Gewicht von 200 kg. Die erwachsenen Tiere sind kräftig gebaut und tragen ein dunkles Borstenfell, die jungen Wildschweine, Frischlinge genannt, besitzen bis zum Alter von 6 Monaten eine typische Streifenzeichnung. Beim männlichen, älteren Wildschwein (Keiler) fallen die langen Eckzähne auf, die sich gegenseitig zu scharfkantigen Waffen abschleifen. Wildschweine bevorzugen Lebensräume wie Wälder, Brüche und Sümpfe. Hier durchpflügen sie den Boden auf der Suche nach Eicheln, Wurzeln, Knollen, Insekten und Nestern von Mäusen. Als Allesfresser nehmen sie aber auch Vögel und deren Eier sowie kleine Hasen und Aas zu sich.

Wilhelm, **1.** *Wilhelm I., der Eroberer,* *1027, †1087; Herzog der Normandie und seit 1066 König von England. Wilhelm landete 1066 in England, besiegte den letzten angelsächsischen König *Harald II.* bei Hastings und brachte bis 1071 das ganze Land unter normannische Herrschaft. **2.** *Wilhelm I.,* * 1797, † 1888; König von Preußen seit 1861, deutscher Kaiser seit 1871. Wilhelm übernahm 1858 für seinen geisteskranken Bruder *Friedrich Wilhelm IV.* (* 1795, † 1868) die Regentschaft in Preußen. 1862 berief er *Bismarck* zum Ministerpräsidenten, der in der Folge einen beherrschenden Einfluss auf ihn ausübte. **3.** *Wilhelm II.,* * 1859, † 1941; deutscher Kaiser und König von Preußen, Sohn Kaiser *Friedrichs III.* Nach dem Tod seines Vaters, der nur 3 Monate regiert hatte, übernahm Wilhelm 1888 die Regierung. Er zwang *Bismarck* 1890 zum Rücktritt und versuchte, eigene Weltpolitik zu machen. Während des Ersten Weltkriegs entglitt ihm die politische und militärische Führung mehr und mehr. Am 10. 11. 1918 trat er auf den Rat *Hindenburgs* auf niederländisches Gebiet über und entsagte dem Thron. Bis zu seinem Tode lebte er in Schloss Doorn in der niederländischen Provinz Utrecht.

Wilhelmshaven, niedersächsische Hafenstadt und Nordseehafen am Jadebusen, 85 000 Einwohner.

Wildschwein: Das weibliche Wildschwein, Bache genannt, bringt meist 4 bis 8 Frischlinge zur Welt, die durch ihre Streifenzeichnung bestens getarnt sind.

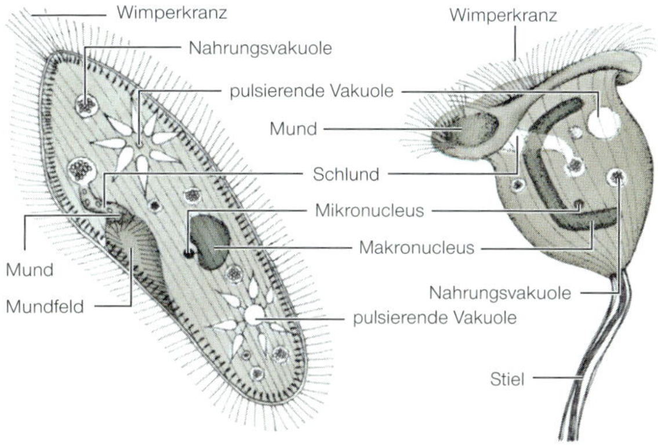

Wimpertierchen: links der Aufbau eines frei schwimmenden Pantoffeltierchens, rechts der Aufbau eines festsitzenden Trompetentierchens

Williams, **1.** Serena, * 1981, Schwester von 2; US-amerikanische Tennisspielerin. Serena Williams gewann 1999 und 2002 die US-Open und errang zahlreiche Siege im Doppel mit ihrer Schwester (u. a. 2000 Olympiasieg). In den Jahren 2002 und 2003 gewann sie Wimbledon. **2.** Venus Ebone Starr, * 1980, Schwester von 1; US-amerikanische Tennisspielerin. Venus Williams wurde 2000 Olympiasiegerin im Einzel und im Doppel (mit ihrer Schwester). In den Jahren 2000 und 2001 gewann sie die US-Open, 2000, 2001 und 2005 Wimbledon.

Wilna → Vilnius.

Wimbledon ['wimbldən], ein Stadtgebiet von London, in dessen Stadion in jedem Jahr eines der bedeutendsten Tennisturniere stattfindet.

Wimpertierchen [Pl.], Einzeller, deren Körper mit Wimpern besetzt sind, die zur Fortbewegung im Wasser und zum Herbeistrudeln von Nahrung dienen. Bekanntestes Wimpertierchen ist das *Pantoffeltierchen.*

Wind [der], eine Bewegung der Luft, die meist horizontal verläuft. Durch Erhebungen des Bodens (Berge usw.) kann Wind auch vertikal *(Aufwind)* oder schräg auf- oder abwärts *(Hangwind, Talwind, Fallwind)* we-

Genauer betrachtet …
Wind

Windstärken nach Beaufort sind:

Windstärke	Bezeichnung	Beschreibung der Auswirkungen	Geschwindigkeit des Windes in km/h
0	Windstille	vollkommene Luftruhe, Rauch steigt senkrecht empor	unter 1
1	leiser Zug	Rauch steigt nicht ganz senkrecht empor, Blätter aber noch unbewegt	1–5
2	leichte Brise	Blätter säuseln, Wind im Gesicht gerade spürbar	6–11
3	schwache Brise	Blätter und dünne Zweige bewegen sich, Wimpel werden gestreckt	12–19
4	mäßige Brise	Zweige und dünne Äste bewegen sich, loses Papier wird vom Boden aufgehoben	20–28
5	frische Brise	größere Zweige und Bäume bewegen sich, auf Seen bilden sich Schaumköpfe	29–38
6	starker Wind	auch starke Äste bewegen sich, an Hausecken und Drähten hörbares Pfeifen	39–49
7	steifer Wind	Bäume bewegen sich, spürbare Behinderung beim Gehen gegen den Wind	50–61
8	stürmischer Wind	Zweige werden von den Bäumen abgebrochen, erhebliche Gehbehinderung	62–74
9	Sturm	Dachziegel werden von den Häusern abgehoben	75–88
10	schwerer Sturm	Bäume werden entwurzelt, an Häusern schon bedeutende Schäden	89–102
11	orkanartiger Sturm	verbreitete schwere Sturmschäden	103–117
12	Orkan	verwüstende Wirkungen schwerster Art	>117

hen. Wind entsteht als Ausgleichsströmung zwischen Gebieten mit unterschiedlichem Luftdruck. Dabei strömt die Luft vom Hochdruckgebiet zum Tiefdruckgebiet. Durch die Drehung der Erde wird der Wind in seiner ursprünglichen Strömungsrichtung abgedreht. Die *Windstärke* ist die Größe der Windgeschwindigkeit, die man aufgrund der Wirkung des Windes schätzen kann. Auch → »Genauer betrachtet«.

Windhuk, die Hauptstadt von Namibia, 224 000 Einwohner.

Windkanal [der], eine tunnelartige Versuchseinrichtung zur Überprüfung von Luftströmungen und deren Wirkungen auf Kraftwagen- und Flugzeugformen. Der Wind wird von Gebläsen erzeugt.

Windkraftanlage [die], eine Anlage, in der die Energie des Windes zur Erzeugung von Antriebsleistung genutzt wird. *Windmühlen* sind schon seit 3000 Jahren bekannt. Sie erzeugen mechanische Energie, mit der z. B. ein Mühlstein bewegt werden kann. Heute werden Propeller oder Motoren mit großen Abmessungen gebaut, die wie Tragflügel arbeiten. Die den Propeller bewegende Luft wird am Motor abgebremst. Der Propeller treibt über eine Welle und ein Getriebe einen Generator an. Windkraftwerke zur Erzeugung elektrischer Energie können mit einer Leistung von mehreren 100 kW bis in den Megawattbereich Strom in die Versorgungsnetze einspeisen.

Windmühle [die], eine schon vor 3000 Jahren bestehende Form einer → Windkraftanlage.

Windpocken [Pl.], eine meist nur im Kindesalter auftretende ansteckende, aber harmlose Infektionskrankheit, die durch ein Virus hervorgerufen wird. 12–21 Tage nach erfolgter Ansteckung erscheinen rötliche Flecken mit Wasserbläschen, die stark jucken. Oft tritt Fieber hinzu. Die Bläschen trocknen rasch ein und heilen ab.

Windsurfing [das], eine Art des Wellenreitens auf einem bis zu 3,50 m langen Kunststoffbrett (Surfboard) mit kombiniertem Segel. Auch → »Genauer betrachtet«.

Windkraftanlage: Die Nutzung erneuerbarer Energien, wie z. B. durch Windkraftanlagen, soll mittel- und langfristig einen unverzichtbaren Beitrag zum Klimaschutz leisten.

Genauer betrachtet …
Windsurfing

Auf allen Inseln Polynesiens war das Wellenreiten oder Brandungsschwimmen weit verbreitet. Mit einem Brett aus Erynthinaholz, das sorgfältig mit Öl eingerieben und über Nacht in Rindenstoff eingewickelt wurde, schwammen die Inselbewohner weit ins Meer hinaus, um sich auf eine Welle der Brandung zu schwingen und in sausender Fahrt zurück zum Ufer tragen zu lassen. Die Anfänger »ritten« auf dem Bauch liegend und die Meister im Stehen. Forschungsreisende des 18. Jh. waren die ersten Europäer, die Zeugen dieses Sports wurden. Von Polynesien aus verbreitete sich die Kunst des Wellenreitens bis nach Europa. Hieraus wurde später das Windsurfing mit Brett und Segel entwickelt.

Winkel [der], das Paar zweier von einem Punkt S ausgehender Strahlen. Der Punkt S heißt *Scheitel,* die beiden Strahlen heißen *Schenkel* des Winkels. Die Größe des Winkels ist der Richtungsunterschied zwischen den beiden Schenkeln. Normalerweise kennzeichnet man das jeweilige Winkelfeld durch einen Kreisbogen. Winkel werden entweder im Gradmaß oder im Bogenmaß gemessen. 1° ist der 90. Teil eines rechten Winkels. Das Bogenmaß eines Winkels ist die Maßzahl der Länge des Bogens, den der Winkel aus einem Kreis mit dem Radius der Länge 1 ausschneidet. Da dieser Kreis den Umfang 2π hat, bestehen folgende Entsprechungen: Ein Vollwinkel hat 360°, ein spitzer Winkel ist kleiner als 90°, ein stumpfer Winkel ist größer als 90° und ein überstumpfer Winkel größer als 180°.

Gradmaß	360°	90°	45°	30°	α
Bogenmaß	2π	$\frac{\pi}{2}$	$\frac{\pi}{4}$	$\frac{\pi}{6}$	$\frac{2\pi}{360} \cdot \alpha$

Winkelfunktionen, *trigonometrische Funktionen*, Funktionen, deren Variablen → Winkel sind. Definition am *Einheitskreis* (Zentrum 0 im Ursprung eines rechtwinkligen Koordinatensystems, Radius r = 1, Winkel α als Zentriwinkel mit festem Schenkel auf x-Achse, freier Schenkel schneidet Kreis in A): Der *Sinus* des Winkels α (Zeichen: sin α) ist das Verhältnis aus der Ordinate von A und dem Radius r, der *Kosinus* (Zeichen: cos α) das Verhältnis aus Abszisse und Radius. Da r = 1 ist, entspricht der Sinus auch einfach der Maßzahl der Ordinate, der Kosinus der Abszisse des Schnittpunkts A des freien Schenkels mit dem Einheitskreis. Zusätzlich definiert man den *Tangens* (tan α) als Quotienten aus Sinus und Kosinus, den *Kotangens* (cot α) als Kehrwert des Tangens, den *Sekans* (sec α) als Kehrwert des Kosinus und den *Kosekans* (cosec α) als Kehrwert des Sinus.

Die wichtigste praktische Anwendung der Winkelfunktionen ist die *Dreiecksberechnung*: Im rechtwinkligen Dreieck ergibt sich der Sinus eines Winkels als Verhältnis aus *Gegenkathete* und *Hypotenuse*, der Kosinus als Verhältnis aus *Ankathete* und Hypotenuse und der Tangens als Verhältnis aus Gegen- und Ankathete.

Winter [der] → Jahreszeiten.

Winterschlaf [der], ein Tiefschlaf, in den viele Säugtiere, aber auch andere Wirbeltiere verfallen, um bei stark herabgesetzter Körpertemperatur und auf

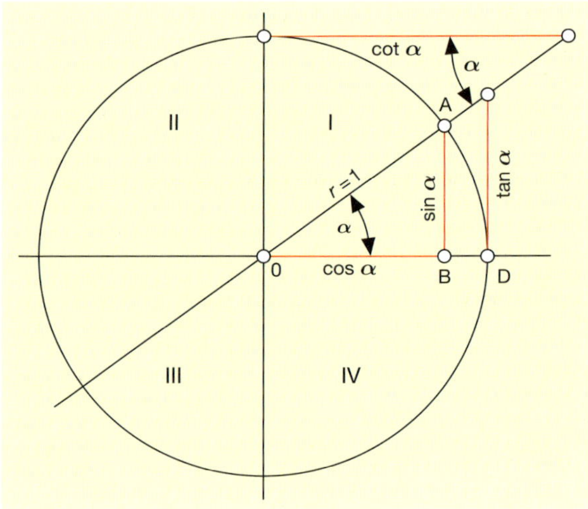

Die vier Winkelfunktionen am Einheitskreis

ein Mindestmaß verringerten Lebensfunktionen den Winter überstehen zu können. Die Tiere zehren während dieser Zeit von dem Fett, das sie in ihren Geweben aufgespeichert haben. Echte Winterschläfer sind z. B. Fledermäuse, Murmeltiere, Igel, Hamster, Siebenschläfer. Nur eine *Winterruhe,* die sie an wärmeren Wintertagen unterbrechen, um von ihren gehorteten Vorräten zu fressen, halten dagegen Dachse, Eichhörnchen und Bären.

Wirbel [der], das einzelne Knochenglied der Wirbelsäule.

wirbellose Tiere [Pl.], Tierarten, denen eine Wirbelsäule fehlt, wodurch sie sich von den *Wirbeltieren* unterscheiden. Sie erreichen nur in Ausnahmefällen die Größe von Wirbeltieren. Über 95% aller bekannten Tierarten sind wirbellose Tiere, z. B. Würmer,

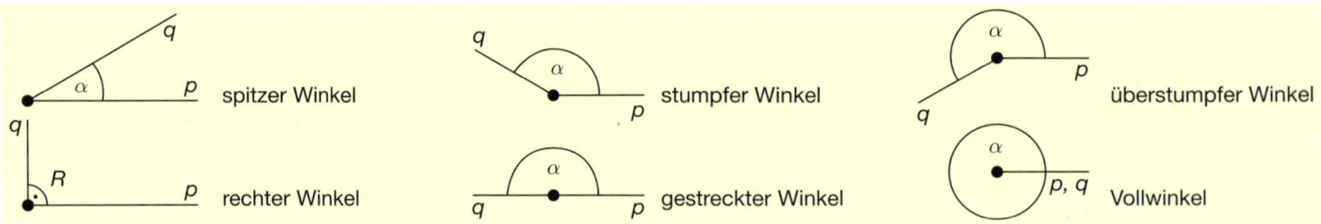

Winkel: die Einteilung der Winkel nach ihrer Größe

Muscheln, Quallen, Schnecken, Krebse, Insekten, Spinnen.

Wirbelsäule [die], *Rückgrat,* die zentrale Achse im Skelett der Wirbeltiere. Sie verbindet den Schädel mit dem Schultergürtel und dem Becken. Die Wirbelsäule besteht aus einzelnen gelenkig miteinander verbundenen Wirbelknochen, die in ihrem Innern einen Hohlraum haben. In dem durch die Hohlräume gebildeten Kanal befindet sich das empfindliche Rückenmark. Zwischen den einzelnen Wirbeln sitzt jeweils eine Knorpelscheibe (Bandscheibe), die wie ein Puffer wirkt. Beim Menschen besteht die Wirbelsäule aus 7 *Halswirbeln, 12 Brustwirbeln,* 5 *Lendenwirbeln* und dem *Kreuzbein,* das aus 5 verwachsenen Wirbeln gebildet ist und dem das verkümmerte *Steißbein* anhängt.

Wirbelsturm, starke Luftbewegung um ein Zentrum außergewöhnlich niedrigen Luftdrucks.

Wirbeltiere [Pl.], Tiere, die eine Wirbelsäule haben. Zu ihnen gehören die Fische, Lurche, Reptilien, Vögel und Säugetiere.

Wirtschaft [die], alle Einrichtungen und Handlungen, die der planvollen Deckung des menschlichen Bedarfs (z. B. an Nahrungsmitteln) dienen. Die Wirtschaft setzt sich aus zahlreichen wirtschaftenden Einheiten zusammen, die entweder als *Betriebe* Güter oder Dienstleistungen herstellen (produzieren) oder als *Haushalte* diese Güter oder Dienstleistungen verbrauchen (konsumieren). Unter räumlichen Gesichtspunkten kann man die Wirtschaft in Betriebswirtschaft und Volkswirtschaft gliedern. Dabei werden das wirtschaftliche Geschehen in den einzelnen Betrieben und die Beziehungen der Betriebe untereinander als *Betriebswirtschaft* bezeichnet. Die Gesamtheit der Einzelwirtschaften in einem durch staatliche Grenzen festgelegten Raum nennt man dagegen *Volkswirtschaft.* Je nachdem, wie weit ein Staat in den Ablauf der Wirtschaft eingreift, handelt es sich um eine → Marktwirtschaft oder eine → Planwirtschaft.

Wisent [der], ein nur noch in Osteuropa frei lebendes Wildrind, das ursprünglich in ganz West- und Mitteleuropa und auch bis zum Kaukasus verbreitet war. Es ernährt sich von Laub und Rinde. Der Wisentbulle wird bis 3 m lang und erreicht eine Höhe bis 2 m.

Wisent: Die Bullen werden bis zu 1000 kg schwer.

Wismar, eine mecklenburgische Hafenstadt an der Ostsee, 46 000 Einwohner. Im 13./14. Jh. war Wismar eine bedeutende Hansestadt.

Wismut [das] → Bismut.

Wissenschaft [die] siehe ZEIT-Beitrag → »Wissenschaft: Bis zum Beweis des Gegenteils«, Seite 192–195.

Wittenberg, in Sachsen-Anhalt, an der Elbe, 46 000 Einwohner. Wittenberg war seit 1240 Residenz der Herzöge von Sachsen-Wittenberg. 1502–1817 war die Universität Ausgangs- und Mittelpunkt der Reformation.

Wittgenstein, Ludwig, * 1889, † 1951; österreichisch-englischer Philosoph. Er war einer der Hauptvertreter der modernen Logik. Er beschäftigte sich mit der Entwicklung einer Idealsprache, untersuchte die Umgangssprache und stellte eine neue Theorie der Mathematik und Psychologie auf.

Galileo Galilei, ein italienischer Mathematiker und Philosoph (1564–1642), vertrat die neue Idee, dass die Erde um die Sonne kreise

Wissenschaft

Bis zum Beweis des Gegenteils

Von Andreas Sentker

Was ist Wissenschaft? Ein Kind, das zum ersten Mal bewusst beobachtet, dass sein Matchbox-Auto von der Tischkante immer nach unten fällt und niemals nach oben, das die Beobachtung überprüft, indem es das Spielzeug aufhebt und wieder über die Kante fahren lässt, arbeitet wie ein Wissenschaftler. Es sammelt Fakten (Auto fällt nach unten), bildet eine Theorie (Autos fallen immer nach unten) und prüft diese Theorie im Experiment (Auto aufheben, anstupsen und von der Tischkante fallen lassen). Könnte es schreiben und eine wissenschaftliche Abhandlung über Tischkanten und fallende Autos verfassen, so wäre seine Matchbox-Theorie öffentlich und überprüfbar.

Das ist im Prinzip genau das, was Wissenschaftler unter Wissenschaft verstehen: Wissenschaft ist das Vorhaben, Wissen über die Welt zu sammeln. Die gesammelten Fakten gilt es in Theorien zu bündeln.

Gute und schlechte Theorien

Theorien sind Vermutungen darüber, wie einzelne Fakten zusammenhängen. Für eine gute Theorie braucht man viele gute Argumente – eine schlechte Theorie kann auch irgendwelchen Unfug behaupten, zum Beispiel dass Marsmännchen das Wetter beeinflussen. Dafür werden sich nicht allzu viele Belege finden lassen. Zudem bestehen

Wissenschaftler auf der Einhaltung zweier wichtiger Regeln: Forscher müssen ihre Ideen in Zeitschriften oder Büchern öffentlich machen und von Kollegen überprüfen lassen. Und sie müssten bisher anerkanntes Wissen aufgeben, wenn neue Experimente, neue Beweise oder bessere Erklärungen alte Einsichten infrage stellen.

Der Philosoph im Supermarkt

Trotzdem bleibt natürlich das Gefühl, dass es sich bei den Versuchen mit dem Matchbox-Auto noch nicht wirklich um ganz richtige Wissenschaft handelt. Warum nicht? Von Wissenschaft erhoffen wir uns komplizierte Theorien, anspruchsvollere Beweise und vor allem ganz neue Einsichten. Wissenschaft wird – so erwarten wir das – von Wissenschaftlern gemacht, die Experten auf ihrem Gebiet sind. Die Matchbox-Theorie über fallende Gegenstände hat Isaac Newton übrigens schon im 18. Jahrhundert am Beispiel fallender Äpfel durchdacht und kam zu der Einsicht, eine unsichtbare Kraft der Erde ziehe den Apfel zu Boden – die Erdanziehungskraft.

Unsere bisherigen Überlegungen beschreiben ohnehin nur den Weg des naturwissenschaftlichen Forschens. Naturwissenschaftler setzen auf Beobachtung, stellen Vermutungen über Zusammenhänge an und führen Experimente durch, die im besten Fall bei jeder Wiederholung das Ergebnis des ersten Experiments bestätigen. Geisteswissenschaftler hingegen kennen keine solchen Beweise. Statt auf die Sammlung einer möglichst großen Zahl wiederholter Ereignisse setzen sie auf die genaue Beobachtung von Dingen, die sich manchmal gerade dadurch auszeichnen, dass sie un- oder außergewöhnlich sind. Genaues Hinsehen und intensives Nachdenken führt bei ihnen zur Bildung einer Theorie, die sich danach in Diskussionen mit Kollegen immer wieder bewähren muss.

Nicht alles, was ein Wissenschaftler macht, ist damit gleich Wissenschaft. Wenn ein berühmter Physiker zu einem Physikerkongress in einer fremden Stadt eingeladen ist und mit dem Auto auf der Suche nach der richtigen Adresse durch die Straßen fährt, gewinnt er zwar neue Einsichten über die Stadt, aber niemand käme auf den Gedanken, seine Irrfahrt als Wissenschaft zu bezeichnen, auch wenn ein Wissenschaftler dabei neues Wissen erwirbt (und es sogar überprüfbar weitergeben könnte). Wenn ein Philosoph im Supermarkt intensiv darüber nachdenkt, für welche der 43 Joghurtsorten im Kühlregal er sich

Aussagekräftige Experimente müssen wiederholbar sein

entscheiden soll, kommt er hoffentlich zu einem Ergebnis. Das jedoch ist keine Philosophie, das ist Alltag. Wenn er hingegen darüber nachdenkt, dass zu viele Wahlmöglichkeiten einen Menschen vielleicht gar nicht frei, sondern eher unfrei und unglücklich machen, weil sie ihm Zeit stehlen, kann das Philosophie sein.

Die Rätsel des Alltags

Was Wissenschaft vom Autofahren, vom Einkaufen und von anderen Alltagstätigkeiten unterscheidet, lässt sich am einfachsten an einem Stück Holz erläutern. Ein guter Schreiner weiß sehr viel über das Material, aus dem er Stühle und Tische zusammenbaut. Er weiß, welches Holz sich zum Stuhlbau eignet. Er kann an Maserungen und Astlöchern ablesen, wo Schwachstellen in einem Brett sind. All dieses Wissen hat er systematisch erworben und wendet es systematisch an. Ähnlich systematisch geht ein organischer Chemiker vor, der ein Stück Holz in feinste Scheiben schneidet, unter dem Mikroskop seine Struktur analysiert, seine chemischen Bestandteile identifiziert. Der Unterschied zwischen dem Schreiner und dem Chemiker, dem Handwerker und dem Wissenschaftler, besteht vor allem darin, dass der Handwerker sein Wissen sammelt, um es zu nutzen. Die Struktur des Holzes interessiert ihn, weil seine Stühle das Gewicht derer tragen können müssen, die auf ihnen sitzen werden. Auf sein Können, nicht auf sein Wissen legen wir Wert. Der Handwerker muss wissen, um zu können. Der Wissenschaftler hingegen will zunächst vor allem wissen, um zu wissen – auch wenn es keinen Nobelpreis für Holzforschung gibt.

Es gibt noch mehr Regeln und Einsichten, die – meist unausgesprochen – definieren, was eigentlich Wissenschaft ist. Wissenschaftliche Erkenntnis widerspricht oft unserer sogenannten Intuition, also jenen Antworten, mit denen wir aus dem Bauch heraus den Rätseln des Alltags begegnen würden: Dass zum Beispiel Wasser aus winzigen Molekülen besteht, die sich wie eine Wolke winziger schwacher Magnete ständig miteinander verbinden, wieder lösen, neue Gruppierungen bilden und mit diesen Anziehungskräften auch den Wasserberg bilden, der sich erhebt, wenn wir ein Glas vorsichtig mehr als voll füllen, sehen wir der klaren Flüssigkeit nicht an. Dass wir auf der Erde auf einer seifenblasendünnen Kruste leben, auf der die Kontinente herumtreiben und Afrika und Südamerika einst verbunden waren, vergessen wir, wenn wir im festen Vertrauen auf den Untergrund die Fundamente unserer Häuser gießen.

Der Krebs-Nebel im Sternbild des Stiers ist das Überbleibsel eines im Jahr 1054 vor Christus explodierten Neutronensterns

Der Physiker Albert Einstein (1879–1955) erhielt 1922 für seine Forschungen den Nobelpreis, die angesehenste Auszeichnung für einen Wissenschaftler

Wissenschaft ist (anders als das Wissen des Schreiners beim Schreinern) nicht immer nützlich: Natürlich folgt ein Fußball im Flug den Gesetzmäßigkeiten der Physik. Seine Flugbahn lässt sich recht präzise berechnen, wenn wir Windrichtung und Windstärke, das Gewicht des Balls und seine Anfangsgeschwindigkeit kennen. Trotzdem wird niemand Fußballweltmeister, weil er Physik studiert hat. Natürlich spielt sich in einem Pizzateig, der in seiner Rührschüssel aufgeht, eine chemische Reaktion ab. Aber nur durch einen Nobelpreis in Chemie wird niemand zu einem guten Pizzabäcker.

Die richtigen Fragen

Wie es allerdings gute und schlechte Pizzen, gute und schlechte Pizzabäcker gibt, gibt es auch gute und schlechte Wissenschaft, gute und schlechte Wissenschaftler. Manch wissenschaftlicher Durchbruch ist schlicht erfunden – statt eine Erfindung zu sein. Manche Theorie ist so abenteuerlich, dass der Glaube an sie das eigentliche Abenteuer bedenkt. Bei genauem Hinsehen ist an der Wissenschaft nur eines verlässlich: Wissenschaftliches Wissen gilt immer nur bis zum Beweis des Gegenteils.

Früher waren Tag und Nacht am einfachsten dadurch zu erklären, dass die Sonne die Erde umkreist. Dann erkannte Nikolaus Kopernikus (1473 bis 1543), dass sich die Planeten um die Sonne bewegen. Das veränderte die Welt und das, was die Menschen für richtig hielten, gründlich. Und das sollte uns eine Lehre sein, auch wenn wir längst ins Weltall geflogen sind und nun mit eigenen Augen gesehen haben, dass sich die Erde um sich selbst dreht: Gute Wissenschaft sucht nicht nur nach den richtigen Antworten, sondern vor allem nach den richtigen Fragen.

Wladiwostok, östlichste Großstadt in Russland, 592 000 Einwohner. Wladiwostok ist der östliche Endpunkt der *Transsibirischen Eisenbahn.*

Woche [die], ein Zeitraum von sieben Tagen. Das Jahr hat 52 Wochen. Auch → »Genauer betrachtet«.

Wodan, *Wotan, Odin,* der höchste Gott in der germanischen Göttersage. Er war der Fürst der Asen und thronte in Walhall, war Allvater und Menschenvater.

Wolf, Christa, * 1929; deutsche Schriftstellerin. Sie gehörte zu den bekanntesten Autorinnen in der DDR und erhielt viele Auszeichnungen, geriet aber zeitweise in Konflikt mit der offiziellen Kulturpolitik der SED. Ihr Roman »Der geteilte Himmel« behandelt die Geschichte einer Liebe, die an der Teilung Deutschlands scheitert. Andere Werke von ihr sind u. a. »Nachdenken über Christa T.«, »Kassandra«, »Medea«.

Wolf [der], zu den Hundeartigen gehörendes Raubtier, die Stammform des Haushundes. Wölfe hatten ursprünglich ein riesiges Verbreitungsgebiet auf der Nordhalbkugel, wurden aber vielerorts ausgerottet. Nur noch in Russland, Alaska und Kanada gibt es größere Wolfbestände. In Europa gibt es vereinzelte Vorkommen u. a. in Skandinavien, Polen, auf dem Balkan, in Griechenland, Italien, Portugal und Spanien. Einzelne Tiere wandern von Osten auch wieder in Deutschland ein. Wölfe leben in Rudeln, die durch eine ausgeprägte Rangordnung gekennzeichnet sind. An der Spitze stehen ein Rüde und ein Weibchen.

Der Wolf war früher auch bei uns heimisch, wurde dann aber ausgerottet. Vereinzelt wandert er mittlerweile von Osten her wieder nach Deutschland ein.

Wolfram [das], ein chemisches Element mit dem Zeichen W. Es ist ein weiß glänzendes Schwermetall mit hoher mechanischer Festigkeit. Wolfram hat den höchsten Schmelzpunkt aller Metalle und wird deshalb als Glühfaden in Glühlampen benutzt.

Wolfram von Eschenbach, * um 1170, † nach 1220; deutscher Dichter. Sein Hauptwerk ist der in mittelhochdeutscher Sprache geschriebene Bildungsroman »Parzival«. Ihm liegt das im Mittelalter häufig erörterte Problem zugrunde, wie sich das ritterlich-höfische Leben mit der Hingabe zu Gott vereinbaren lässt.

Wolfsmilch [die], eine Pflanzengattung mit rund 1600 Arten, in den Tropen, aber auch bei uns zu Hause. In den afrikanischen Steppen gedeihen kaktusartige

Genauer betrachtet … Woche

Sonntag	Tag der Sonne, Tag des Sonnengottes
Montag	Tag des Mondes, Tag des Mondgottes
Dienstag	Tag des Ziu, des germanischen Himmelsgottes
Mittwoch	Mitte der Woche
Donnerstag	Tag des Donar oder Thor, des germanischen Wettergottes
Freitag	Tag der Freya oder Frigg, der germanischen Göttin der Fruchtbarkeit und Liebe
Samstag	Sabbattag, nach Sabbat, dem Feiertag des jüdischen Kalenders

unbeblätterte und oft stachelige Formen von baumartigem Wuchs. Wolfsmilchgewächse produzieren einen giftigen Milchsaft.

Wolga [die], der längste und wasserreichste Strom Europas, 3531 km lang. Sie entspringt in den Waldaj-Höhen und mündet in das Kaspische Meer.

Wolken [Pl.], die sichtbare Ansammlung feinster in der Luft schwebender Wassertröpfchen oder Eisteile. Wolken entstehen durch Kondensation des Wasserdampfes in aufsteigender, sich abkühlender Luft. Für das Aufsteigen der Luft gibt es zwei Ursachen: die Thermik und den Stau. Durch die aufsteigende Luftbewegung der Thermik über stark erwärmtem Boden und an Kaltfronten bilden sich *Haufenwolken, Quellwolken* oder *Kumuluswolken,* durch die mehr waagerecht ausgerichtete Luftbewegung über ansteigendem Grund und an Warmfronten *Schicht-* oder *Stratuswolken.* Haufenwolken zeichnen sich durch scharf voneinander abgegrenzte Wolkenballen und kurze, kräftige, örtlich begrenzte Schauer aus, Schichtwolken durch eine geschlossene Wolkendecke und lang anhaltende, gleichmäßige, über eine große Fläche ausgedehnte Regenfälle. *Zirruswolken* bestehen aus Eiskristallen. Wolken kommen in unseren Breitengraden von der Erdbodennähe bis in etwa 12000 m Höhe vor.

Wolken werden aufgrund ihrer Höhe und ihrer Form in vier große Gruppen eingeteilt: hohe, mittlere, niedrige Wolken und solche von vertikaler Entwicklung.

Wolfram von Eschenbach in Ritterrüstung, Manessische Handschrift. Heidelberg, Unisversitätsbibliothek

Wolle [die], aus dem Haar verschiedener Tiere, besonders der Schafe, gewonnene Spinnfaser.

World Trade Center ['wə:ld treid 'sɛntə], von Minoru *Yamasaki* 1967–1973 im New Yorker Stadtteil Manhattan erbautes Bürohochhaus für rund 50000 Beschäftigte, 412 m hoch (Doppelturm), 110 Stockwerke; wurde durch einen Terroranschlag am 11. 9. 2001 völlig zerstört.

World Wide Web ['wə:ld 'waid 'wɛb, das, engl.], Abkürzung WWW*;* ein Internet-Dienst mit grafischer Bildschirmoberfläche, der neben der Textübertragung auch die Übertragung von Bildern,

Ton- und Videosequenzen ermöglicht. Charakteristisch für das WWW ist außerdem der *Hypertext:* Dabei enthält der Text einer *Webseite* auch Verweise auf andere Informationsquellen. Bestimmte Wörter, Sätze oder Grafiken werden dazu hervorgehoben dargestellt. Wählt man ein solches Objekt mit der Maus an, wird die zugehörige Information von einem Service-Rechner des Internets in den Computer des Nutzers geladen und dargestellt.

Worms, eine Stadt in Rheinland-Pfalz, am Oberrhein, 81 000 Einwohner. Worms war im 5. Jh. Mittelpunkt des Burgunderreichs (die sagenumwobene Nibelungenstadt). In Worms fanden zahlreiche Reichstage statt.

Wort [das], die kleinste, als selbstständige Äußerung vorkommende Einheit der Sprache. Wörter können 1. einfach *(Simplex)* sein, z. B. »Haus«; 2. aus einfachen Wörtern zusammengesetzt sein *(Kompositum),* z. B. »Haustür«. Aus einem *Stammwort* (z. B. »tragen«) können weitere Wörter entstehen (»Trage«, »Träger« usw.); diese verwandten Wörter werden in einer *Wortfamilie* zusammengefasst. Man unterscheidet verschiedene *Wortarten,* z. B. Adjektiv, Adverb, Artikel, Interjektion, Konjunktion, Präposition, Pronomen, Substantiv, Verb. *Flektierbare Wortarten* sind ihrer Form nach veränderlich (z. B. Substantive), zu den *nichtflektierbaren Wortarten* zählen etwa Adverben und Konjunktionen. Ein *Wortfeld* ist eine Gruppe sinnverwandter Wörter, die sich auf einen Sachverhalt beziehen (so gehören z. B. die Wörter »reden« und »sagen« zum Wortfeld »sprechen«).

Wright [rait], **1.** Frank Lloyd, * 1869, † 1959; US-amerikanischer Architekt. Er verwirklichte das *organische Bauen,* bei dem er die Architektur mit Elementen der Kunst, Natur und des menschlichen Lebens verband. Seine Idee war, Gebäude in Landschaften zu integrieren. **2.** Orville, * 1871, † 1948; US-amerikanischer Flugpionier. Er erbaute mit seinem Bruder Wilbur (* 1867, † 1912) das erste flugtüchtige Motorflugzeug. Damit war die Voraussetzung für die weitere Entwicklung der Fliegerei geschaffen.

Wundstarrkrampf [der], *Tetanus,* eine gefährliche Infektionskrankheit, die durch einen Bazillus übertragen wird. Sie tritt auf, wenn Tetanusbazillen aus dem Erdboden oder aus erdbodenverschmutzten Gegenständen in offene Wunden geraten. Anzeichen sind Krämpfe und Lähmungen, weil sich das Wundstarrkrampfgift entlang der Nervenbahnen im Körper ausbreitet. Da Wundstarrkrampf zum Tod führen kann, raten Ärzte zur Schutzimpfung.

Wuppertal, Industriestadt in Nordrhein-Westfalen, an der Wupper, 362 000 Einwohner. Die Stadt ist 1929 durch Zusammenlegung von Elberfeld, Barmen und anderen Orten entstanden. In Wuppertal fährt die Schwebebahn auf einer 13,3 km langen Strecke.

Genauer betrachtet … Würmer

Der längste Wurm, der jemals gefunden wurde, ist 1864 in St. Andrews (Schottland) nach einem schweren Sturm angespült worden. Er war über 55 m lang und hatte einen Durchmesser von 1 cm. Es handelte sich um einen *Schnurwurm.* Wohl kein anderer Tierstamm hat so extreme Abmessungen wie die Schnurwürmer. Was den Durchmesser betrifft, gehören sie zu den kleinsten Lebewesen. Einige sind nur 0,1 mm dick, die größte Art weniger als 1 cm. Dennoch gehören sie zu den längsten Tieren, die es heute auf der Erde gibt. *Lineus longissimus,* die größte Schnurwurmart, lebt in den seichten Gewässern der Nordsee. Er wird bei 9 mm Durchmesser bis zu 30 m lang. Die meisten sind jedoch weniger als 1 m lang und viele kürzer als 10 cm.

Wüste: Die Wärmewüste Namib in Südwestafrika zeichnet sich durch extreme Niederschlagsarmut aus.

Würfel → Quader.

Würmer [Pl.], zusammenfassende Bezeichnung für Tiere, die die gestreckte Wurmgestalt gemeinsam haben, aber nicht näher miteinander verwandt sind, z. B. die *Ringelwürmer* (Regenwurm), *Plattwürmer* (Bandwurm) und *Fadenwürmer* (Spulwurm). Auch → »Genauer betrachtet«.

Wurmfortsatz [der], ein etwa 8 cm langer, fingerdicker Fortsatz des Blinddarms, der blind endet.

Württemberg, ein ehemaliges süddeutsches Land mit der Hauptstadt Stuttgart. 1952 wurde es mit Baden zu Baden-Württemberg vereinigt.

Würzburg, Stadt in Bayern, am Main, 133 000 Einwohner. Das Bistum Würzburg wurde 741 durch Bonifatius gegründet. Im 16./17. Jh. war Würzburg eine glanzvolle fürstbischöfliche Residenz, wovon bis in die heutige Zeit viele Bauten zeugen.

Wurzel [die], **1.** ein blattloser, meist unterirdischer Pflanzenteil, der die Pflanze im Boden verankert und Wasser und Nährsalze aufnimmt, aber auch als Speicherorgan für Reservestoffe dient. **2.** in der Mathematik: die n-te Wurzel aus einer positiven Zahl *a* (geschrieben $\sqrt[n]{a}$) ist diejenige positive Zahl, deren n-te Potenz a ist. Der unter dem Wurzelzeichen stehende Ausdruck heißt *Radikand,* die hochgestellte Zahl *Wurzelexponent.* Den Rechenvorgang bezeichnet man als Wurzelziehen oder *Radizieren.* Die zweite Wurzel (n = 2) nennt man *Quadratwurzel,* diese wird meist ohne Wurzelexponent geschrieben: $\sqrt{4} = 2$, denn $2^2 = 2 \cdot 2 = 4$. Die dritte Wurzel wird als *Kubikwurzel* bezeichnet: $\sqrt[3]{64} = 4$, denn $4^3 = 4 \cdot 4 \cdot 4 = 64$.

Wüste [die], ein schwach oder überhaupt nicht bewachsenes Gebiet. Man unterscheidet Gebiete, deren lebensfeindliche Natur durch Wassermangel *(Trockenwüste)* oder Kälte bedingt ist (*Kältewüste,* z. B. in den Polargebieten oder in Hochgebieten). Auch → »Genauer betrachtet«.

WWW → World Wide Web.

Genauer betrachtet …
Wüste

Die größten Wüsten der Erde sind:

Name	Größe in km²	Lage
Sahara	8 700 000	Nordafrika
Gobi	2 000 000	Zentralasien
Libysche Wüste	2 000 000	Teil der Sahara, Nordafrika
Kalahari	800 000	Südafrika
Great Basin	600 000	Nordamerika
Nubische Wüste	400 000	Teil der Sahara, Nordafrika
Große Sandwüste	388 500	Westaustralien
Chihuahuan	363 000	Nordamerika
Takla Makan	327 000	Zentralasien
Gibsonwüste	310 000	Westaustralien
Kysylkum	300 000	Mittelasien
Karakum	280 000	Mittelasien

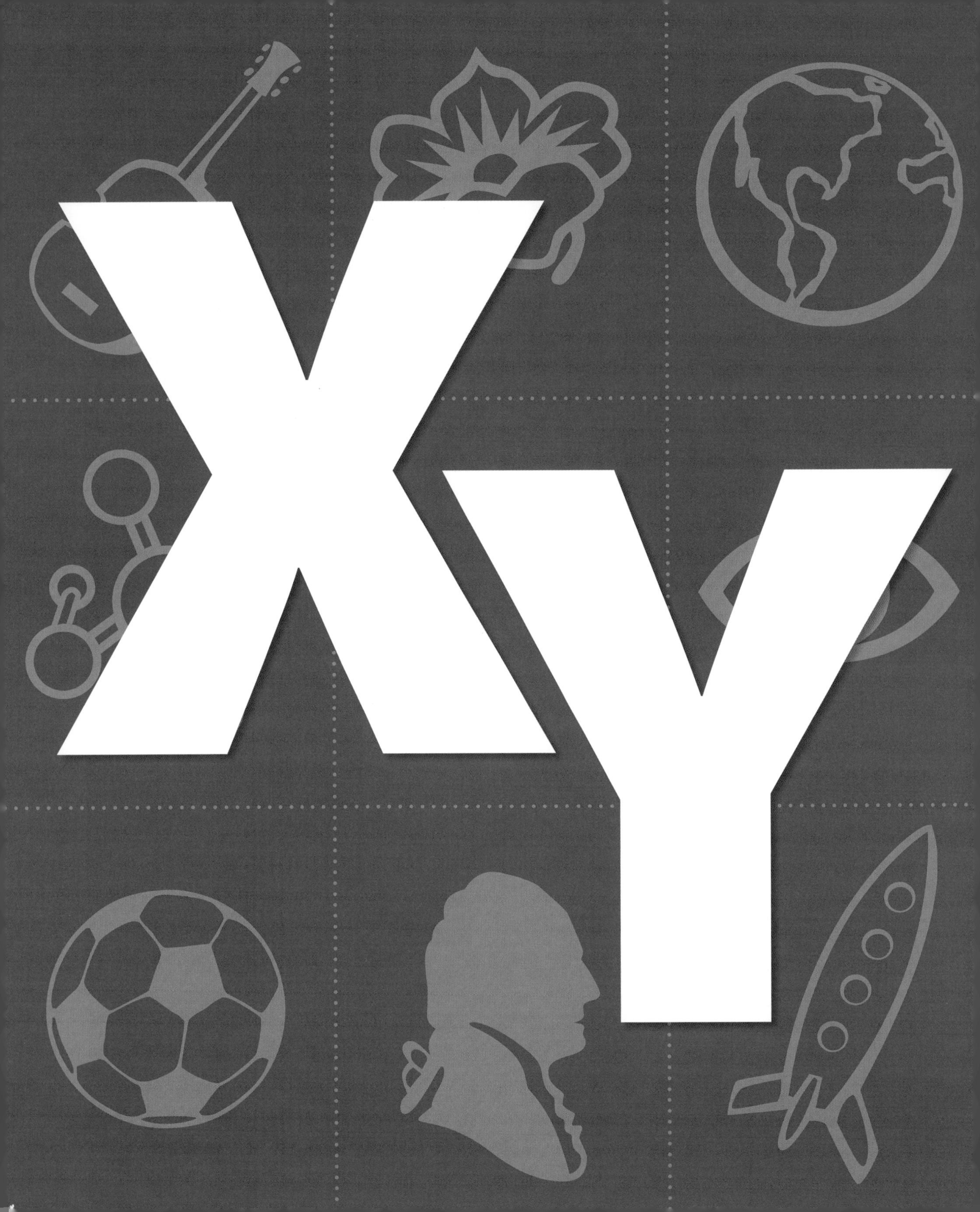
X Y

X, **1.** 24. Buchstabe des Alphabets (Konsonant). **2.** ein römisches Zahlzeichen, X = 10.

Xanthippe, die Frau des griechischen Philosophen *Sokrates.* Nach ihr werden zänkische, streitsüchtige Frauen benannt.

Xenon [das], ein chemisches Element mit dem Zeichen Xe. Xenon ist ein sehr seltenes Edelgas.

Xerxes I., * um 519 v. Chr., † 465 v. Chr.; persischer König. Xerxes unternahm 480 v. Chr. einen Feldzug gegen Griechenland, der zum Beginn der Perserkriege wurde (bis 448 v. Chr.), die nach anfänglichen Erfolgen mit der Niederlage der Perser endeten.

Xylophon [das], *Xylofon,* ein Schlaginstrument, bei dem tonleitermäßig abgestimmte Holzplatten auf einem hölzernen Hohlkörper befestigt sind. Die Platten werden mit zwei Schlegeln angeschlagen, wodurch ein nur wenig nachhallender Ton entsteht.

Y, 25. Buchstabe des Alphabets; *Ypsilon* genannt. Im Deuschen wird er nur in Fremdwörtern mit dem Lautwert ü (oder i) und j gebraucht.

Yak [der], *Jak,* ein riesiges Rind (Schulterhöhe bis 2 m), das in den zentralasiatischen Hochländern in 4000–6000 m Höhe lebt, dort aber fast ausgerottet ist. Yaks sind mit unserem Hausrind verwandt; sie ernähren sich von dem, was ihnen ihr karger Lebensraum bietet: Gras, Kräuter und Flechten.

Yangtze Kiang → Chang Jiang.

Yankee ['jæŋki, der, engl.], in den USA der Name für die Bewohner der Neuengland-Staaten, außerhalb der USA ein Spitzname für die Bewohner der USA.

Yard [das], Kurzzeichen yd, ein britisches Längenmaß: 1 yd = 91,44 cm.

Yellowstone Park ['jɛlɔustɔun, der], der älteste und größte Nationalpark der USA (seit 1872). Der Park umfasst das Quellgebiet des Yellowstone River in den nördlichen Rocky Mountains. Er ist auch berühmt wegen seiner vulkanischen Erscheinungen, z.B. in Form von Geysiren (wie »Old Faithful«).

Yaks sind trotz ihres massigen Körpers ausgezeichnete Kletterer.

Yeti [der], Schneemensch, ein angeblicher menschenähnlicher Bewohner des Himalaya, dessen Existenz nicht bewiesen ist.

Yin und Yang [jin, jaŋ], *Yang und Yin,* Zeichen der chinesischen Symbolik: ein Kreis mit einer hellen und einer dunklen Hälfte. Er drückt die Wechselwirkung zwischen dunkler, ruhender weiblicher Kraft (Yin) und hellem, beweglichem männlichem Geist (Yang) aus.

Yen [der], die japanische Währungseinheit: 1 Yen = 100 Sen.

YMCA, Abkürzung für **Y**oung **M**en's **C**hristian **A**ssociation, die Weltorganisation der *Christlichen Vereine Junger Menschen (CVJM).*

Yoga [der oder das], *Joga,* in der altindischen Philosophie und im Buddhismus entwickelte Form der Meditation und Askese. Höchster Zustand des Yoga ist die Unabhängigkeit der Seele vom Leib.

Yokohama, eine bedeutende japanische Hafenstadt an der Bucht von Tokyo, 3,4 Mio. Einwohner.

Yucatán, eine Halbinsel im Osten von Mexiko, das Hauptgebiet der alten Mayakultur mit zahlreichen Ruinenstätten. Sie wurde 1541–1543 von den Spaniern erobert.

Z

Z, 26. Buchstabe des Alphabets (Konsonant).

Zagreb, Hauptstadt von Kroatien, an der Save, 779 000 Einwohner.

Zahlen [Pl.], die Bezeichnung der Mengen, die beim Zählen entstehen. Zahlen werden meist im Dezimalsystem in einer oder mehreren Ziffern geschrieben. Die einzelnen Ziffern sind geordnet und haben nach ihrer Stellung einen bestimmten Wert: Das Komma trennt die Einer von den Zehnteln. Es gibt *natürliche Zahlen:* 0, 1, 2, 3…; *gerade Zahlen* sind 2, 4, 6…, *ungerade Zahlen* sind 1, 3, 5 … Die *ganzen Zahlen* lassen sich in die positiven ganzen Zahlen (Vorzeichen +, wird jedoch meist nicht geschrieben), die Null und die negativen ganzen Zahlen (Vorzeichen –) unterteilen. Das Vorzeichen wechselt bei der Null. Als *rationale Zahlen* (Verhältniszahlen) bezeichnet man diejenigen Zahlen, die als Brüche ganzer Zahlen geschrieben werden können: 4,5 ($=\frac{9}{2}$). *Irrationale Zahlen* können nicht als Bruch dargestellt werden: $\sqrt{2} = 1{,}4142...$ Zusammen bilden die rationalen und irrationalen Zahlen die *reellen Zahlen.* Auch → »Genauer betrachtet«.

Genauer betrachtet … Zahlen

Bereits im 2. Jahrtausend v. Chr. rechneten die Babylonier mit einem Zahlensystem, bei dem der Wert einer Ziffer von der Stelle abhing, an der sie sich befand. Es beruhte auf Vielfachen von zehn und sechs: 1, 10, 60, 600, 3600, 36 000… Eingesetzt wurde es u. a. für kaufmännische und astronomische Berechnungen. Aus diesem 60er-System ging die noch heute gültige Einteilung der Stunde und des Grades in 60 Minuten und der Minute in 60 Sekunden hervor. Die Astronomen und Kalenderschreiber der Mayas, deren Kultur ihre Blütezeit im 4. Jh. v. Chr. erlebte, verwendeten ein Zahlensystem auf der Basis von 20, das wahrscheinlich auf der Tatsache beruht, dass der Mensch als »Fünfzeher« über 10 Finger und 10 Zehen verfügt. Unser Dezimalsystem, in dem die Null eine eigene Ziffer darstellt, stammt aus Indien. Es wird auch als arabisches Zahlensystem bezeichnet, weil es durch die Araber im 12. Jh. nach Europa gelangte.

Genauer betrachtet … Zahn

Bereits 700 v. Chr. konnten die Etrusker kostbare Zahnprothesen herstellen. Goldschmiede fertigten bis zu 5 mm breite und 1 mm dicke Goldbänder an. An diese wurden die Ersatzzähne, die von Tieren stammten und auf die benötigte Größe zurechtgeschliffen wurden, mit einem Goldstift fixiert. Die ersten Vollprothesen für Ober- und Unterkiefer entstanden um 1560 in der Schweiz. Die Zähne wurden aus Rinderknochen oder Nilpferdzähnen geschnitzt und mit Darmseiten und Blechstreifen befestigt. Die ersten Zahnprothesen dienten hauptsächlich kosmetischen und repräsentativen Zwecken und nicht der Kaufunktion. Allerdings hatte der Zahnersatz aus tierischem Knochenmaterial noch erhebliche Nachteile: Er schliff sich nach kurzer Zeit ab, bekam eine unansehnliche braune Farbe und begann bestialisch zu riechen. Heutzutage verwendet man widerstandsfähige Materialien wie Kunststoff und Porzellan.

Zahlwort → Numerale.

Zahn [der], ein Teil des Gebisses von Menschen und Wirbeltieren. Ein Zahn sitzt mit seiner *Wurzel* im Kiefer. Aus dem Kiefer ragt der *Zahnhals* heraus, der von der *Zahnkrone* überzogen ist. Im Innern des Zahns befindet sich ein Hohlraum, der das *Zahnmark* mit Gefäßen und Nerven enthält. Die Masse des Zahns besteht aus *Zahnbein,* die Krone aus *Zahnschmelz.* Bei den meisten Säugetieren und beim Menschen werden die Zähne einmal im Leben gewechselt, dann, wenn das Milchgebiss durch das bleibende ersetzt wird. Das Gebiss des Menschen enthält drei Zahntypen: *Schneidezähne* und *Eckzähne,* beide haben nur eine Wurzel, sowie *Backenzähne* mit 2–4 Wurzeln. Das vollständige menschliche Gebiss hat 32 Zähne. Auch → Karies, → Parodontose, → »Genauer betrachtet«, Seite 203.

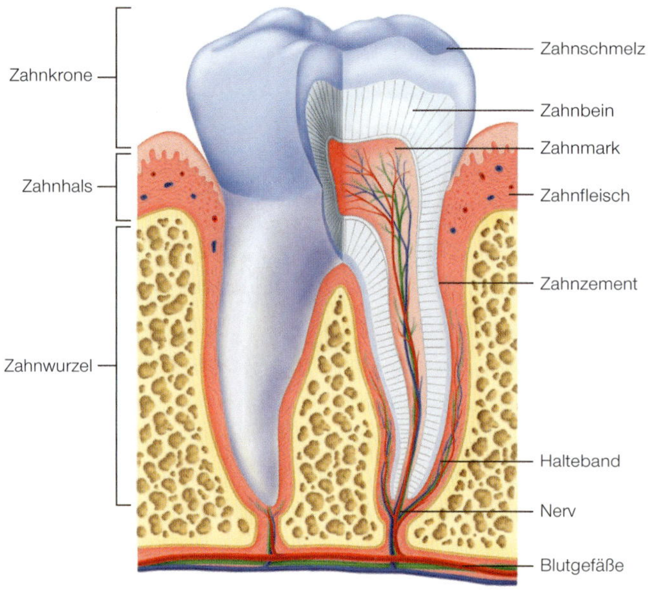

Zahn: Schnitt durch einen Backenzahn

Zahnrad [das], ein Maschinenteil zur Übertragung von Drehbewegungen von einer Welle auf eine andere mit Hilfe von Rädern, die am Rand eingekerbt (mit Zähnen versehen) sind.

Zaire, ehemaliger Name (bis 1997) der heutigen Demokratischen Republik → Kongo.

Zander [der], *Schill* oder *Fogosch,* der größte Barsch Mitteleuropas mit bis zu 1,30 m Länge und 15 kg Gewicht. Der Körper ist spindelförmig gestreckt. Der Zander ist ein Raubfisch, der warme Seen, Flüsse mit hartem Grund und schwach brackiges Wasser bevorzugt. Er ist ein wertvoller Speisefisch.

Zappen [zæpən; das; engl. »schnell erledigen«], *Switchen*, schnelles Hin- und Herschalten zwischen verschiedenen Fernsehprogrammen.

Zar [der, lat. caesar], der Herrschertitel bei den Russen (bis 1917), bei einigen serbischen Fürsten (14. Jh.) und bei den Bulgaren (bis 1946). Dieser entsprach dem Titel Kaiser.

Zarathustra, lebte etwa zwischen den Jahren 800 v. Chr. und 700 v. Chr.; altiranischer Religionsstifter, dessen Anhänger heute in Indien leben (Parsen). Zarathustra lehrte den Widerstreit der Mächte des Guten (Ahura Mazda) und des Bösen (Ahriman), wobei im Endkampf das Böse unterliegen werde.

Zäsur, Einschnitt; in der antiken Verslehre die Pause innerhalb eines Versfußes, die durch das Ende eines Wortes oder eines Sinnabschnitts entsteht.

Zauber [der], vor allem bei Naturvölkern der Versuch, (z. B. durch Medizinmänner) mit geheimen Zeichen und Worten übernatürliche Mächte und Kräfte zu beeinflussen, Böses abzuwehren und Vorteile zu erlangen. Durch Zauber versucht man auch, Macht über andere Menschen zu gewinnen.

Zaunkönig [der], ein kleiner, bis 9 cm großer Singvogel mit kurzem, aufrechtstehendem Schwanz. Der Zaunkönig ernährt sich von Insekten und Spinnen. Sein kugeliges Nest baut er im Gebüsch und in Hecken.

ZDF, Abkürzung für → **Z**weites **D**eutsches **F**ernsehen.

Zebras [Pl.], afrikanische Wildpferde, die schwarzweiß gestreift sind. Sie leben in Familien, die aus einem Hengst und mehreren Stuten bestehen.

Zebu [das], *Buckelrind,* eine Rinderrasse, die als Hausrind in Indien und Ostafrika vorkommt und die mit einem buckelförmigen Fetthöcker ausgestattet ist. In Indien werden Zebus von den Hindus als heilige Kühe verehrt, ansonsten werden diese kräftigen Rinder als Zug- und Tragtier, Milch- und Fleischlieferant gehalten.

Zecken [Pl.], *Holzböcke,* blutsaugende Schmarotzer, die zu den Milben zählen. Das Weibchen lässt sich im Sommer von Büschen auf seine Wirtstiere (auch den Menschen) fallen, bohrt sich mit seinen Mundwerkzeugen in die Haut ein und saugt sich fest. Wenn es ungestört bleibt, kann es bis zu Bohnengröße anschwellen. Viele Zecken sind Krankheitsüberträger.

Zeder [die], ein Nadelbaum, der schon von den alten Kulturvölkern des Vorderen Orients zum Schiff- und Hausbau verwendet wurde. Zedernzweige ähneln denen der Lärche, die blaugrünen Nadeln der Zedern sind jedoch mehrjährig.

Zehn Gebote [Pl.], die im Alten Testament überlieferten Gebote Gottes, die Moses am Sinai auf zwei steinernen Tafeln empfing. Die für das Volk Israel bestimmten Zehn Gebote wurden später mit geringen Abweichungen von den Christen übernommen.

Zecken: Mit einem Elektronenmikroskop vergrößert aufgenommen; Zecken durchlaufen drei Entwicklungsstadien; die meisten Arten befallen in jeder Phase ein anderes Wirtstier.

Zebras auf der Flucht; sie haben einen Löwen gewittert.

Zehnkampf [der], ein aus zehn Einzelübungen bestehender Mehrkampf. Der *leichtathletische Zehnkampf* der Männer setzt sich aus folgenden Übungen zusammen: 100-m-Lauf, Weitsprung, Kugelstoßen, Hochsprung, 400-m-Lauf, 110-m-Hürdenlauf, Diskuswerfen, Stabhochsprung, Speerwerfen, 1500-m-Lauf. Derjenige Wettkämpfer, der die meisten Punkte erreicht hat, ist Sieger.

Zeichensetzung [die], *Interpunktion,* die Verwendung verschiedener festgelegter Zeichen (Satzzeichen) nach bestimmten Regeln, um das Lesen geschriebener oder gedruckter Texte zu erleichtern. Alte Handschriften benutzten meist nur ein Zeichen, das zur Trennung einzelner Wörter oder Satzteile diente, etwa einen Schrägstrich. Die Zeichensetzung einer modernen Sprache hat mehrere Möglichkeiten, Sinneinheiten voneinander abzuheben. Auch → »Genauer betrachtet«, Seite 206.

Zeichentrickfilm [der], ein Film, dessen einzelne Bewegungsphasen gezeichnet und dann auf dem Tricktisch fotografiert werden. Besonders bekannt wurden die Zeichentrickfilme von Walt *Disney.*

Zeisig [der], *Erlenzeisig,* eine Vogelart aus der Familie der Finken. Die etwa 12 cm großen Vögel sind gelblich grün, das Männchen ist an seiner gelben Rückenpartie (Bürzel) und an dem schwarzen Scheitel zu erkennen. Der Zeisig ist ein typischer Bewohner der

Genauer betrachtet …
Zeichensetzung

Zeichen, Anwendung	Beispiele
Punkt	
1. nach Aussagesätzen	Der Mann lacht.
2. nach Abkürzungen	z. B., v. Chr., usw.
3. nach Ordnungszahlen	Vom 12. bis 15. Juli
Komma (Beistrich)	
1. bei Aufzählungen	Hühner, Gänse, Enten und Puten
2. bei direkten Anreden	Nein, Klaus, so geht es nicht.
3. nach der Anrede im Brief	Sehr geehrter Herr Müller,
4. bei Datumsangaben	Freitag, 15. Januar.
5. zur Trennung nebengeordneter Hauptsätze, wenn man die Gliederung hervorheben will	Es war schon spät(,) und er ging nach Hause.
6. zur Trennung ineinandergeschobener Hauptsätze	Gestern, es war schon spät, holte ich mir ein Buch.
7. zur Trennung von Haupt- und Nebensatz	Es freut mich, dass du wieder gesund bist.
8. zur Trennung von Nebensätzen	Ich weiß, dass du nicht in die Falle gehst, die man dir stellt.
Ausrufezeichen	
1. nach Aufforderungssätzen (z. B. Befehlen)	Wirf das sofort weg! Lass die Finger davon!
2. nach Ausrufen	Oh je! So ein Mist!
Gedankenstrich	
1. zwischen Sätzen als Zeichen des Themawechsels	So weit für heute. – Bitte grüßen Sie Ihre Frau von mir.
2. in Sätzen zur Kennzeichnung von Einschüben	Als ich gestern – es regnete sehr stark – vor die Tür trat.
Anführungszeichen	
1. vor und hinter einer wörtlichen Rede (bei Unterbrechungen vor und hinter beiden Teilen)	»Das glaube ich nicht«, sagte er. »Dass du das nicht glaubst«, sagte er, »verstehe ich gut.«
2. zur Hervorhebung einzelner Wörter	Der Begriff »Frustration« ist zum Modewort geworden.
Semikolon (Strichpunkt)	
1. zur Trennung inhaltlich zusammengehörender Hauptsätze (statt Punkt)	Wir trennten uns spät; zur Versöhnung kam es jedoch nicht.

2. in Aufzählungen zur Kenntlichmachung der einzelnen Gruppen	Im Tal wachsen Gerste und Weizen; Fichten, Tannen und Kiefern; Weiden und Eichen.
Doppelpunkt (Kolon)	
1. vor der wörtlich angeführten Rede	Ich sagte: »So geht es nicht, mein Freund!«
2. vor ausdrücklich angekündigten Satzteilen	Darum heißt es: Morgenstund' hat Gold im Mund.
3. vor ausdrücklich angekündigten Aufzählungen	Die Planeten heißen: Merkur, Mars, Pluto und Uranus.
Fragezeichen	
1. nach einem direkten Fragesatz	Bist du wirklich krank? »Stimmt das?«, fragte er.
2. nach einzelnen Fragewörtern	Wohin? Wenn ich das wüsste. Auf die Frage »wem?« steht der 3. Fall.

mitteleuropäischen Fichten- und Mischwälder, wo er sich von Insekten und Nadelbaumsamen ernährt. Das Nest wird jedoch nur in Nadelbäumen, meist in großer Höhe (25 m) angelegt.

Zeit [die], das gleichförmig fortschreitende Nacheinander, in dessen Verlauf sich alle Veränderungen abspielen und dessen Richtung nicht umkehrbar (irreversibel) ist. In der Physik tritt die Zeit als vierte Bezugsgröße zu den drei räumlichen Größen, mit deren Hilfe bewegte Körper bezeichnet werden. Wir messen die Zeit nach dem Jahr der Sonne und teilen es in Monate, Wochen, Tage, Stunden, Minuten und Sekunden. Die Grundeinheit der Zeit ist die Sekunde. Der Tag beginnt jeweils um Mitternacht, immer auf der Seite der Erde, die von der Sonne abgewandt ist. So wandert der Punkt, an dem gerade Mitternacht ist, immer um die Erde, in 24 Stunden einmal. Darum kann aber auch nicht überall auf der Erde die gleiche Zeit gelten. Die Erde ist in *Zeitzonen* eingeteilt, in denen die gleiche Zeit gilt. Diese Zonen richten sich nach der Längengradeinteilung der Erde. Siehe auch ZEIT-Beitrag → »Zeit: Wie tickt die Zeit?«, Seite 208–211.

Zeitformen → Tempus.

Zeitlupe [die], ein Aufnahmeverfahren für Bildfolgen, mit dem schnell ablaufende Vorgänge verlangsamt wiedergegeben werden (z. B. Sportaufnahmen): Aufnahme mit hoher Bildzahl, Vorführung mit normaler Geschwindigkeit.

Zeitraffer [der], eine Methode, mit der sehr langsame Abläufe schneller dargestellt werden können. Um etwa das Heranwachsen einer Pflanze zu verfolgen, wird mit einer sehr geringen Bildfrequenz (Bildzahl pro Sekunde) gearbeitet, z. B. eine Bildaufnahme alle 4 Stunden und dies 8 Wochen lang. Bei Vorführung des gesamten Films mit normaler Geschwindigkeit erscheint der Vorgang dann im Zeitraffer, also beschleunigt.

Zeitschrift [die], eine regelmäßig (wöchentlich, monatlich usw.) erscheinende Druckschrift, die sich an einen bestimmten Leserkreis richtet. Man unterscheidet Fachzeitschriften (wissenschaftliche, kulturelle, Vereins- oder technische Zeitschriften) und Freizeitzeitschriften (beispielsweise Jugend-, Mode-, Programmzeitschriften).

Zeitung [die], eine regelmäßig (täglich, werktäglich oder auch wöchentlich) erscheinende Druckschrift, die eine breite Öffentlichkeit über Tagesereignisse un-

Fortsetzung → Seite 212

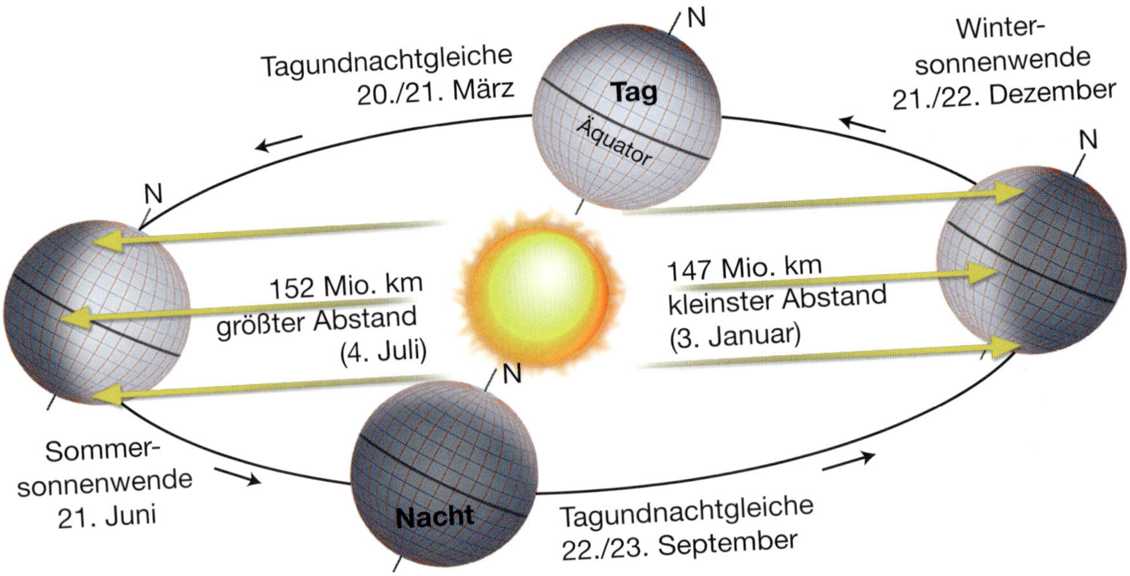

Die Bahn der Erde um die Sonne. Die leuchtende Kugel am Himmel war das erste Zeitmessinstrument des Menschen

Zeit

Wie tickt die Zeit?

Von Urs Willmann

Als es noch nicht mal Sonnenuhren gab, keine Sand- oder Pendeluhren, geschweige denn Plastik- oder Bahnhofsuhren, schaute der Mensch zum Himmel hoch. Die leuchtende Kugel auf ihrer Bahn war sein Zeitmessinstrument. Sie schien allein darüber zu bestimmen, wie schnell die Zeit verging. Am Morgen sahen die Erdenbewohner die Sonne über den Horizont klettern. Am Abend versank sie, dann war der Tag um.

Längst aber wissen wir, dass nicht die Sonne, sondern die Erde selbst diesen Rhythmus bestimmt. Seit Milliarden Jahren dreht sie sich jeden Tag um die eigene Achse (und etwa einmal im Jahr um die Sonne). Eine Erdumdrehung ist die Zeiteinheit, die wir früh im Leben bemerken. Auch die meisten Tiere, die wir kennen, organisieren ihr Leben nach diesem Rhythmus. Bienen gehen morgens zur Arbeit, abends machen sie Feierabend.

Die Eisenbahn brachte Chaos

Aus praktischen Gründen haben wir den Tag unterteilt, in Stunden und Minuten. Sogar die Sekunden haben wir zerstückelt, um feststellen zu können, wer in einem Skirennen eine Hundertstelsekunde schneller den Hang hinuntergefahren ist. Die Aufteilung des Tages ermöglicht uns, Verabredungen zu treffen, rechtzeitig den

Fernsehapparat einzuschalten, mit Flugzeugen pünktlich Ziele zu erreichen. Noch Mitte des 19. Jahrhunderts aber konnte es jede Region der Welt mit der Zeit halten, wie sie wollte.

Solange zu Fuß oder zu Pferd gereist wurde, fiel das kaum ins Gewicht. Erst der Eisenbahnverkehr brachte alles durcheinander. Entfernungen, bislang in Stunden oder Tagen angegeben, kamen unter die Räder: Mit dem Versprechen »eineinhalb Stunden in zehn Minuten zurückzulegen« warb 1850 eine Eisenbahngesellschaft für die Fahrt von Nürnberg nach Fürth. Nun war die Welt gezwungen, sich großräumig zu verabreden. In der Übergangsphase führte das zu grotesken Situationen. Genf war an das schweizerische und französische Eisenbahnnetz angeschlossen. Es galten drei Zeiten: Für Verbindungen nach Frankreich war die Pariser Lokalzeit maßgebend, Richtung Lausanne galt die Berner Zeit (sie ging 20 Minuten voraus), und die Genfer selbst richteten sich nach ihrer Lokalzeit, sodass die Kirchtürme drei verschieden tickende Uhren trugen.

Die Erde führt ein Lotterleben

Die internationale Meridian-Konferenz von 1884 beendete diesen Zirkus. Sie teilte den Erdball in die noch heute gültigen 24 Zeitzonen ein. Diese werden uns bewusst, wenn wir um die Mittagszeit einen Onkel in Amerika anrufen – und ihn aus dem Bett holen, weil es bei ihm noch Nacht oder früher Morgen ist.

Einen letzten grundsätzlichen Wechsel der Zeitrechnung gab es 1967. Zuvor hatte man alle Zeiteinheiten, egal, ob Stunde oder Sekunde, stets auf die Dauer einer Erdumdrehung bezogen – bis der Mensch es genauer wissen wollte. Man beschloss, die Zeit offiziell physikalisch zu messen. Eine Sekunde ist seither laut Definition nicht mehr der 86 400. Teil eines Sonnentages, sondern dauert so lange, wie ein Cäsium-Atom braucht, um 9 192 631 770-mal zu schwingen.

Man könnte jetzt sagen: Ob Erdumdrehung oder Atom als Maßeinheit, das spielt doch keine Rolle. Tut es aber. Das Cäsium-Atom bewegt sich nämlich immer gleich schnell, was die Zeitmessung extrem genau macht. Die Erde dagegen führt, was die Präzision angeht, ein Lotterleben. Je älter sie wird, desto langsamer dreht sie sich und hinkt der Zeit immer mehr hinterher. Nicht so viel wie die Züge der Deutschen Bahn, aber in 50 Jahren hat sie sich eine halbe Minute Rückstand eingehandelt. Schuld daran ist unter anderem der Mond; an Ebbe und Flut wird sichtbar,

Diese Sonnenuhr in Oxford zeigt gerade neun Uhr an. Ihre Ziffern sind römisch

dass er mit seiner Anziehungskraft an der Erde zerrt. Das verlangsamt deren Eigendrehung. Die Verlangsamung macht die Tage länger. Rechnete man so wie früher, würde auch die einzelne Sekunde stetig länger, und das würde die exakte Zeitmessung erschweren. Man will Größen ja auch nicht mit einem Zollstock messen, der Tag für Tag weiter wächst.

Ein Pfeil in Richtung Zukunft

Seit wir Zeit unabhängig von den Schwankungen unseres Planeten messen, sind die Uhren unvorstellbar präzise geworden. Eine Atomuhr wird in 30 Millionen Jahren (wenn es sie dann noch gibt) nur eine Sekunde falsch gehen. Diese Superpräzision braucht man in der Telekommunikation, wo Botschaften mit Lichtgeschwindigkeit um den Globus gesendet werden. Oder für Satelliten-Navigationssysteme. Eine Ungenauigkeit von einer Milliardstel Sekunde kann Fehler in der Positionsbestimmung von 30 Zentimetern zur Folge haben.

Der Mensch mag zwar ein Besserwisser sein, aber am Ende nimmt er auf die Erde und ihren Rhythmus dann doch auch wieder Rücksicht. Ab und zu legt er eine Schaltsekunde ein, damit die Erde Zeit zum Aufholen hat. Der Wechsel auf Atomzeit zeigt jedoch: Wir haben begriffen, dass das Phänomen Zeit nicht von der zufälligen Dreh- und Umlaufgeschwindigkeit der Erde abhängen kann. Auf das Universum bezogen, sind die irdischen Rhythmen nämlich ziemlich unwichtig. Schließlich gibt es die Zeit viel länger als die Erde. Sie begann schon vor 13,7 Milliarden Jahren mit dem Urknall. In einer gigantischen Explosion entstanden in Sekundenbruchteilen der Raum, die Zeit und die Materie aus dem Nichts. Seither bewegt sich die Zeit fort wie ein Pfeil in Richtung Zukunft.

Was für ein Phänomen genau damals entstand, ist eines der größten Geheimnisse geblieben. Schon im 5. Jahrhundert grübelte der Gelehrte Augustinus über der Frage »Was ist Zeit?« und haderte: »Wenn mich niemand danach fragt, weiß ich's; will ich's aber einem Fragenden erklären, weiß ich's nicht!« Den Forschern der Neuzeit ergeht es nicht viel besser. Zum Beispiel dachten sie lange, der Fluss der Zeit sei nicht veränderbar. Bis der Physiker Albert Einstein 1905, zumindest theoretisch, zeigen konnte, dass sogar die Zeit von Schwerkraft und Bewegung abhängt. Ein Astronaut, der fast lichtschnell durchs All saust, ist – wenn er zurückkehrt – langsamer gealtert als die Menschen auf der Erde. Wissenschaftler konnten

Albert Einstein (1879–1955) zeigte, dass auch die Zeit von Schwerkraft und Bewegung abhängt

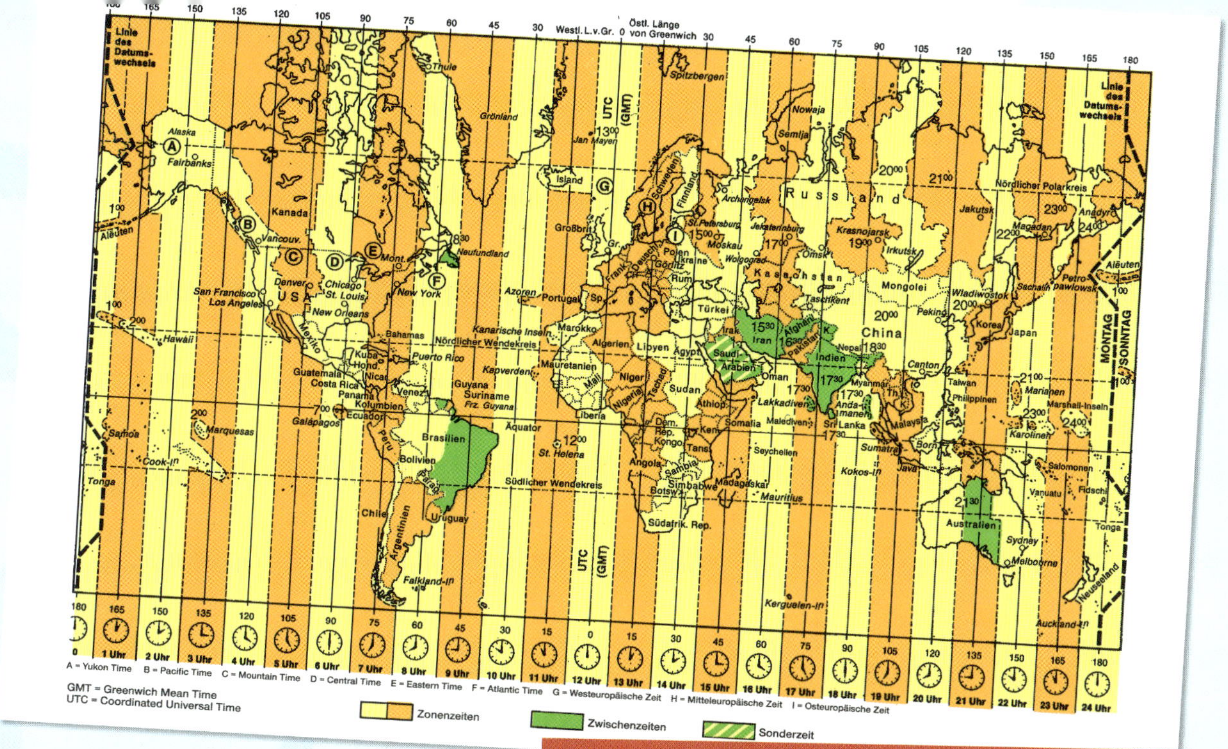

Wo ist es wie spät? 1884 wurde die Erde in 24 Zeitzonen eingeteilt

das beweisen: Stimmt man zwei Uhren aufeinander ab und schießt eine in den Weltraum, so geht sie nach ihrer Rückkehr Sekundenbruchteile nach.

Gibt es Zeitmaschinen?

Die Vorstellung verschiedener Zeiten regte die Fantasie von Forschern und Schriftstellern an. In vielen Science-Fiction-Filmen gibt es Zeitmaschinen. Aber können wir tatsächlich, wie Doc Brown und Marty McFly im Kinofilm *Zurück in die Zukunft,* der Vergangenheit einen Besuch abstatten? Wohl nur in der Vorstellung. Theoretische Physiker haben kühne Modelle entworfen. Danach können wir die (gekrümmte) Raumzeit verlassen, indem wir in höllischem Tempo durch ein sogenanntes Wurmloch schlüpfen. Die Abkürzung führt uns (via Schwarzes Loch) wieder in die Raumzeit. Sollten wir diesen Trip überstehen und in der Vergangenheit landen, wartet noch eine Gefahr auf uns: ein haarsträubender Widerspruch. Was passiert zum Beispiel, wenn wir versehentlich bei der Landung unseren Großvater töten, bevor dieser Kinder in die Welt setzt? Keine Kinder, keine Enkel. Wir Zeitreisenden würden also gar nicht geboren. Folglich reisten wir auch nicht in die Vergangenheit und könnten nicht unseren Großvater töten …

Es gibt Physiker, denen ist dieses Verwirrspiel noch nicht verwirrend genug. In ihren Modellen gibt es unzählige Zeitpfeile und Anfänge. Unser Kosmos könnte eingebettet sein in ein größeres Multiversum. Dieses befindet sich in einem chaotischen Zustand. Die Zeit läuft mal vorwärts, mal rückwärts. Inmitten dieses Durcheinanders bilden sich ruhigere Regionen heraus, in denen die Zeit nur noch in eine Richtung läuft: Dann kommt es – krawumm! – zu einem Urknall. Ein »normales« Universum entsteht. Und die Zeit, wie wir sie kennen, nimmt ihren Anfang.

terrichtet. Eine Zeitung enthält Nachrichten und Berichte über Neuigkeiten aus aller Welt und nahezu allen Lebensbereichen, dazu Meinungsbeiträge (Leitartikel, Glossen), Unterhaltungsstoff (Feuilleton) und Anzeigen. Die Inhalte der Zeitung werden von Reportern, Korrespondenten, Nachrichtenagenturen und Pressediensten geliefert und von Redaktionen erarbeitet. Satz und Druck sind Sache der Druckerei, die wirtschaftliche Leitung ist Aufgabe eines Verlages.

Zeitwort [das] → Verb.

Was ist eine … Zelle

Eine Zelle ist der Grundbaustein aller Lebewesen und die kleinste Einheit der Natur, die alle Merkmale des Lebendigen zeigt, das heißt, Zellen besitzen eine spezifische Größe und Gestalt, sie können wachsen, sich entwickeln und fortpflanzen, sie nehmen Stoffe aus ihrer Umgebung auf und geben Stoffe ab, sie reagieren auf Reize und haben prinzipiell die Fähigkeit, sich fortzubewegen. Die Zellvermehrung erfolgt durch Zellteilung.

Aufbau von Zellen: Es gibt zwei Grundformen von Zellen: einfach strukturierte *Protocyten,* das sind kaum gegliederte Zellen ohne einen Zellkern. Die Lebewesen, die aus solchen Zellen bestehen, heißen *Prokaryoten;* es sind die Bakterien und Archaebakterien. Alle übrigen Lebewesen besitzen *Eucyten,* Zellen mit einem Zellkern, und heißen dementsprechend *Eukaryoten.* Eucyten sind sehr komplex aufgebaut. Sie enthalten, eingebettet in das Grundplasma, zahlreiche von Membranen umschlossene Zellorganellen mit speziellen Aufgaben: Der *Zellkern* ist das Steuerzentrum. Er enthält die Erbinformation (DNA) und steuert damit den Aufbau der Proteine (Eiweiße). *Mitochondrien* sind die »Kraftwerke« der Zelle. Sie dienen der Energiegewinnung. Der *Golgi-Apparat* sorgt für den Weitertransport der Proteine. Das *endoplasmatische Retikulum* bildet ein weit verzweigtes Membransystem innerhalb der Zelle. Es trägt teilweise Ribosomen zur Proteinsynthese (raues ER). Pflanzenzellen enthalten zusätzlich *Plastiden,* etwa Chloroplasten für die Photosynthese, sowie eine flüssigkeitsgefüllte Vakuole. Diese ausgeprägte Gliederung durch Membranen in verschiedene Reaktionsräume *(Kompartimentierung)* ist ein Kennzeichen

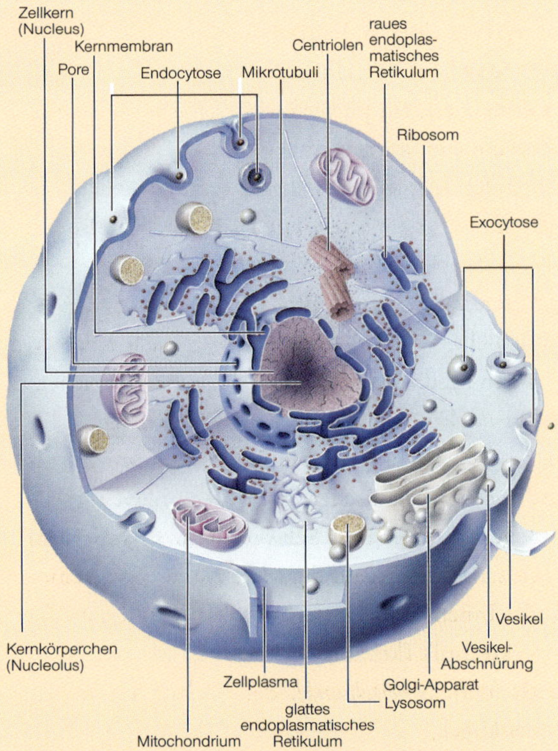

Aufbau einer tierischen Zelle. Das Protoplasma, die lebende, aktiv tätige Zellmasse, wird bei Tierzellen von einer dünnen Zellmembran umgeben. Es besteht aus dem Grundzytoplasma sowie den Zellorganellen (z.B. Zellkern, Mitochondrien, Golgi-Apparat, Mikrotubuli, Vesikeln), die unterschiedliche Aufgaben haben. Alle Grenzflächen werden von Elementarmembranen gebildet.

der Eucyten. Dadurch können sogar gegenläufige Stoffwechselvorgänge (Auf- und Abbau) in der Zelle gleichzeitig ablaufen. Als Abgrenzung zur Außenwelt ist jede Zelle von einer *Zellmembran* umgeben. Diese ermöglicht einen kontrollierten Stoffaustausch mit der Umgebung. Zusätzlich umgibt eine festigende Zellwand die Zellen von Pflanzen und Pilzen und die einfachen Protocyten.

Typen von Zellen: Bei Einzellern führt eine Zelle alle Lebensfunktionen aus. Die Entwicklung zu vielzelligen Organismen hat auch dazu geführt, dass sich Zellen nun für verschiedene Aufgaben spezialisieren und zu Geweben und Organen zusammenschließen, etwa Nerven oder Muskeln, dabei aber bestimmte Fähigkeiten, z.B. Beweglichkeit, vielfach verlieren. Die Größe von Zellen schwankt zwischen 0,1 µm (bei Bakterien) und mehreren Zentimetern bei Vogeleiern. Durchschnittliche Zellen besitzen eine Größe zwischen 10 und 100 µm. Nervenzellen können bis zu einem Meter lange dünne Fortsätze ausbilden.

Zelle [die], **1.** ein kleiner Raum (Klosterraum, Gefängniszelle). **2.** eine in sich geschlossene technische Funktionseinheit (z. B. Fotozelle).

Zellulose [die] → Cellulose.

Zement [der], ein pulverförmiger Baustoff, der mit Wasser vermengt an der Luft und unter Wasser erhärtet (abbindet). Zement entsteht aus Kalkstein und Ton, die gebrannt und gemahlen werden. Er dient als Bindemittel bei der Herstellung von Mörtel und Beton.

Zen [zɛn, der], die japanische Bezeichnung für eine buddhistische Sekte, deren Anhänger nach Erleuchtung durch Meditation und praktische Arbeit streben. Der *Zen-Buddhismus* wurde im 12./13. Jh. aus China nach Japan gebracht. Die Meditation wurde zur Grundlage der japanischen Kampftechniken (besonders Bogenschießen und Schwertkampf). Außerdem hat Zen z. B. Einfluss auf die Malerei, das Teezeremoniell, die Innen- und Gartenarchitektur und die Blumenstecktechnik Ikebana.

Zenit [der], *Scheitelpunkt,* der höchste Punkt der Himmelskugel.

Zensur [die], **1.** die staatliche Beaufsichtigung von Veröffentlichungen (Zeitungen, Büchern, Rundfunk- und Fernsehsendungen, Filmen), die in demokratischen Ländern nur in Ausnahmefällen (Jugendschutz) vorkommt. **2.** die Beurteilung und Bewertung von Leistungen.

Zentimeter [der], Kurzzeichen cm, eine Längeneinheit: 1 cm = 0,01 m = 10 mm.

Zentner [der], Kurzzeichen Ztr., ältere Gewichtseinheit von 100 Pfund (50 kg).

zentral, **1.** im Zentrum, Mittelpunkt. **2.** von einer übergeordneten Stelle ausgehend. **3.** sehr wichtig, bedeutend, entscheidend.

Zentralabitur, Abiturprüfung, bei der die schriftlichen Prüfungsaufgaben von einer zentralen Behörde, in Deutschland in der Regel dem Kultusministerium eines Bundeslandes, gestellt werden.

Im Zen-Garten dient das Harken von Bodenmustern der geistigen Sammlung.

Ländersteckbrief
Zentralafrikanische Republik

Fläche:	622 436 km²
Einwohner:	4,1 Millionen = 7 je km²
Hauptstadt:	Bangui
Religion:	Naturreligionen, Christentum, Islam
Amtssprache:	Französisch, Sangho
Währung:	CFA-Franc

Zentralafrikanische Republik, Staat in Zentralafrika.

Landesnatur: Das tropisch, wechselfeuchte Land nimmt hauptsächlich die bis 1400 m hohe *Asandeschwelle* ein. Den Norden bedeckt Trockensavanne, südwärts folgt Feuchtsavanne, im äußersten Süden tropischer Regenwald.

Bevölkerung: Die Bevölkerung (50% Christen, 24% Anhänger von traditionellen Religionen, 15% Muslime) besteht aus verschiedenen zentralafrikanischen Stämmen (v. a. Sudanvölker, Bantu, Niloten).

Wirtschaft: Die Landwirtschaft liefert für den Export v. a. Baumwolle, Kaffee und Tabak. Recht bedeutend ist die Forstwirtschaft. An Bodenschätzen gibt es Diamanten (über ein Viertel des Ausfuhrwerts). Die Industrie ist noch wenig entwickelt.

Geschichte: Seit 1887 war das Land französisches Kolonialgebiet. 1960 erhielt es die Unabhängigkeit. Präsident D. *Dacko* wurde 1966 von J. B. *Bokassa* abgesetzt, der despotisch regierte und sich 1977 zum Kaiser krönte. Nach Entzug der französischen Unterstützung wurde er 1979 gestürzt. Das Land wurde wieder Republik. Nach dem Putsch von 1981 übernahm das Militär die Macht. Nach einer Liberalisierung fanden 1993 freie Wahlen statt. Neuer Staatspräsident wurde A.-F. *Patassé*. Ihn stürzte 2003 F. *Bozizé* , der auch die Präsidentenwahlen 2005 gewinnen konnte.

Zentralamerika, die Landbrücke zwischen dem nordamerikanischen und dem südamerikanischen Festland.

Zentralasien, *Innerasien,* die Kerngebiete des asiatischen Kontinents. Zentralasien umfasst die ausgedehntesten Hochländer und die höchsten Gebirge der Welt.

Zentralismus [der], das Bestreben nach einer möglichst einheitlichen Verwaltung und Lenkung des Staates von zentraler Stelle (von einem Mittelpunkt, z. B. der Hauptstadt). Der Zentralismus steht meist im Ge-

Zentralafrikanische Republik: Der Ubangi mit seinen Nebenflüssen entwässert das Land nach Süden zur Republik Kongo.

gensatz zu den Bemühungen um eine Dezentralisation, wie sie die kommunale Selbstverwaltung mit sich bringt und wie sie vor allem der *Föderalismus* anstrebt.

Zentrifugalkraft [die], *Fliehkraft,* bei einer erzwungenen kreisförmigen Bewegung eines Körpers auftretende, nach außen gerichtete Kraft. Sie wächst gleichförmig mit der Masse des Körpers und im Quadrat seiner Geschwindigkeit. Die Zentrifugalkraft wirkt sich z. B. beim Kurvenfahren mit dem Kraftfahrzeug aus oder beim Wäscheschleudern. Die Stoffe werden an den äußeren Rand der siebartigen Trommel gedrückt, die Flüssigkeit wird durch die Löcher herausgeschleudert. Die Gegenkraft zur Zentrifugalkraft ist die *Zentripetalkraft,* die zum Kreismittelpunkt gerichtet ist; z. B. die Kraft, mit der eine Schnur einen im Kreis geschleuderten Stein festhält.

Zeppelin, Ferdinand Graf, * 1838, † 1917; ein deutscher Pionier des Luftschiffbaus und der Erfinder des nach ihm benannten Starrluftschiffs »Zeppelin«.

Zepter [das], *Szepter,* Herrscherstab als Sinnbild der Herrschergewalt. Ursprünglich war es ein Speer, den die Anführer (später die Könige) als Zeichen ihrer Würde trugen. Das verkürzte Zepter wurde oft mit symbolischen Darstellungen der Macht verziert.

Zeremonie [die], die äußerliche Förmlichkeit, feierliche Handlung nach althergebrachten Formen (z. B. Zeremonie einer kirchlichen Trauung).

Zerstörer [der], ein schnelles, ungepanzertes Kriegsschiff, besonders zur U-Boot-Abwehr und Geleitzugsicherung.

Zertifikat [das], **1.** eine amtliche Bestätigung, Zeugnis, Herkunftsnachweis. **2.** Anteilschein an einer Geldsumme (Fonds).

Zeugen [Pl.], Personen, die tatsächliche Vorgänge wahrgenommen haben und darüber in einem Gerichtsprozess aussagen. Ein *Zeugnisverweigerungsrecht* haben nahe Verwandte, Verlobte, Verschwägerte und Ehegatten sowie diejenigen Personen, die einem Berufsgeheimnis unterliegen (z. B. Ärzte, Geistliche). Alle anderen sind verpflichtet, in einem Prozess als Zeugen auszusagen *(Zeugnispflicht),* gegebenenfalls auch unter Eid. Von der *Vereidigung* kann oder muss in bestimmten Fällen abgesehen werden. Die Falschaussage vor Gericht ist strafbar.

Zeugen Jehovas [Pl.], *Neue-Welt-Gesellschaft,* eine religiöse Gemeinschaft, welche die baldige Wiederkunft Christi und die Errichtung eines Königreiches Gottes auf Erden erwartet. Von ihren Anhängern fordern sie absoluten Gehorsam und starke propagandistische Aktivität sowie die Wehrdienstverweigerung und Verweigerung der Wahlbeteiligung.

Zeugnis [das], allgemein die Bescheinigung einer Tatsache oder Leistung mit ihrer Bewertung, etwa die Bescheinigung eines Arbeitgebers über die Art und Dauer eines Arbeitsverhältnisses, auf Wunsch auch über Leistung und Führung; auch das Zeugnis eines Schülers über seine schulischen Leistungen und sein Fortkommen im vergangenen Halbjahr.

Zeus, der höchste Gott der griechischen Sagenwelt, der Gemahl der *Hera,* Geliebter vieler Göttinnen und sterblicher Frauen, Vater zahlreicher Götter und Helden. Sein Sitz war der Olymp. Er entspricht dem römischen *Jupiter.*

Ziegen [Pl.], mit den Schafen nahe verwandte wiederkäuende Huftiere. Wildziegen sind in vielen Gebirgsgegenden Europas, Asiens und Nordafrikas verbreitet. Sie können ausgezeichnet klettern. Die männlichen Tiere tragen mächtige Hörner, die der weiblichen sind kleiner. Die aus der *Bezoarziege* gezüchtete Hausziege ist eines der ältesten Haustiere. Sie liefert eine sehr fette Milch, Fleisch und Leder.

Ziegenpeter [der] → Mumps.

Ziffern → arabische Ziffern, → römische Ziffern.

Zigeuner [Pl.], eine volkstümliche Bezeichnung für → Roma und → Sinti, die diese jedoch als abwertend empfinden und ablehnen.

Zikaden [Pl.], mit rund 30 000 Arten eine der großen Insektengruppen, die überall auf der Welt, vornehmlich aber in den Tropen, zu finden ist. Alle Zikaden sind Pflanzensaftsauger, die bei einem massenhaften Auftreten in Kulturlandschaften sehr großen Schaden anrichten können. Bekannt ist unsere einheimische *Schaumzikade,* deren Larven sich in einem Kokon aus Schaum entwickeln (volkstümlich auch als Kuckucksspeichel bezeichnet).

Zille, Heinrich, *1858, †1929; deutscher Maler, Grafiker und Fotograf. Er begann als Karikaturist für Zeitungen und Zeitschriften. Bekannt wurden seine sozialkritischen Bilder vom Berliner Proletariermilieu.

Zimmertheater [das], eine Bühne mit einem Zuschauerraum, der an Umfang einem Zimmer vergleichbar ist.

Zimt [der], eine Gattung wichtiger tropischer Kulturpflanzen. Das Zimtgewürz wird aus der getrockneten Rinde des *Ceylon-Zimtbaumes* gewonnen. Es enthält das Zimtöl, das in der Süßwaren- und Parfümindustrie eine Rolle spielt.

Zink [das], ein chemisches Element mit dem Zeichen Zn. Zink ist ein bläulich weißes, sprödes, an der Luft durch eine dünne Oxidschicht beständiges Metall. Es wird bei 100–150 °C so weich, dass es zu dünnem Blech ausgewalzt oder zu Draht gezogen werden kann. Eisen wird durch Überzug mit einer dünnen Zinkschicht (Verzinken) gegen Zerstörung (Korrosion) geschützt. Zink ist Bestandteil vieler Legierungen (z. B. Messing) und dient außerdem zur Herstellung von Haushaltsgeräten und Trockenbatterien.

Heinrich Zille, Frauen in der Kneipe; 1909. Privatbesitz

Zikade: Dieses Tier ist ein besonders großes Exemplar, das in Amerika vorkommt; man nennt sie auch Dog Day Cicada.

Zinn [das], ein chemisches Element mit dem Zeichen Sn. Zinn ist ein silberweißes, dehnbares Metall. Es ist an der Luft und gegen schwache Säuren und Laugen beständig und wird deshalb als Metallüberzug (Schutz gegen Korrosion) verwendet. Verzinntes Eisenblech heißt Weißblech. Zinn wird häufig in Legierungen benutzt, beispielsweise für Bronzen, Weichlot und mit Antimon und Kupfer als Lagermetall in der Maschinenindustrie. Stanniol ist sehr dünn gewalztes Zinn, das besonders früher als Verpackungsfolie verwendet wurde.

Zirkus: Artistische Leistungen wie Tierdressur, Kunstreiten, Akrobatik und Clowns sind wesentliche Bestandteile einer Zirkusvorführung; das Bild wurde im Zirkus Krone aufgenommen.

Zinnober [der], ein Quecksilbererz, das früher als Bestandteil von Malerfarben benutzt wurde; als Farbe ein gelbliches Rot.

Zinsen [Pl.], eine Vergütung für geliehenes Geld; im Allgemeinen in Prozent des geliehenen Geldbetrages pro Jahr ausgedrückt. Wenn man Geld bei einer Bank oder Sparkasse spart, erhält man dafür Zinsen. Nimmt man ein Darlehen auf, also leiht man Geld, so muss man dafür Zinsen bezahlen. Die Höhe der Zinsen richtet sich nach dem vereinbarten Zinssatz p (in %) und hängt von der Höhe K des Geldbetrages sowie von der Laufzeit n (in Jahren) ab. Bei einfachen Zinsen bezieht sich der Zinssatz stets auf den Anfangsbetrag; für sie gilt die Zinsformel: $Z = K \cdot p \cdot n/100$. Bei einer Spareinlage von 200 Euro und einem jährlichen Zinssatz von 6% betragen die Zinsen nach 3 Jahren 360 Euro.

Zionismus [der], eine nationale jüdische Bewegung, die die »Wiedererrichtung« eines jüdischen Staates in Palästina anstrebte. Begründer des organisierten Zionismus war 1896 Theodor *Herzl.* Mit der Gründung des Staates Israel 1948 war das Ziel des Zionismus erreicht.

Zirkulation [die], Kreislauf, Umlauf (z. B. Zirkulation des Blutes, des Geldes).

Zirkus [der, lat., »Kreis«], *Circus,* in altrömischer Zeit ein Kampfspielplatz, ursprünglich für Pferde- und Wagenrennen, später für Gladiatorenkämpfe und Tierhetzen. Seit dem 18. Jh. ein Unternehmen, das das Publikum mit Tierdressuren, Artisten, Akrobaten und Clowns unterhält. Die Vorführungen finden meist in großen Zelten mit ovaler oder runder Manege und ansteigenden Sitzreihen statt.

Zisterne [die], ein unterirdischer Auffangbehälter für Regenwasser in wasserarmen Gebieten, vor allem in heißen Zonen.

Zitadelle [die], festes Verteidigungswerk innerhalb einer Festungsanlage.

Zitat [das], eine wörtlich wiedergegebene Textstelle, die in Anführungszeichen gestellt wird.

Zitrone [die], eine Zitrusfrucht, die besonders in Italien, Spanien und Nordamerika angebaut wird. Aus den Schalen der Zitrone wird ein ätherisches Öl gewonnen.

Zitrone: Das saftige, saure Fruchtfleisch einer Zitrone enthält besonders viel Vitamin C.

Zitronenfalter [der], ein Schmetterling aus der Familie der Weißlinge; bei uns einer der ersten Schmetterlinge im Frühjahr. Die Männchen sind zitronengelb, die Weibchen grünlich weiß.

Zitrusfrüchte [Pl.], *Citrusfrüchte,* Früchte mit gelber bis orangefarbener Schale (u. a. Apfelsine, Grapefruit, Pampelmuse, Zitrone, Limone, Mandarine), deren Fruchtfleisch in Kammern eingeteilt ist.

Zivildienst [der], der Dienst, der von Wehrdienstverweigerern anstelle des Wehrdienstes geleistet wird, z. B. in Krankenhäusern, Pflegeheimen und anderen sozialen Einrichtungen.

Zivilisation [die], die durch den Fortschritt der Wissenschaft und der Technik geschaffenen verbesserten Lebensbedingungen.

Zobel [der], ein etwa 50 cm langer Marder, der wegen seines wertvollen Pelzes stark gejagt wurde. Früher war der Zobel im nördlichen Europa und Asien verbreitet. Er ist heute nur noch in schwer zugänglichen Gebirgswäldern Sibiriens zu finden.

Der Zobel ist durch sein dichtes, warmes Fell vor der Kälte seiner nordasiatischen Heimat geschützt.

Zola [zɔ'la], Émile, * 1840, † 1902; französischer Schriftsteller. Zola war Wortführer des europäischen *Naturalismus.* Er stellte in seinen Werken die Wirklichkeit dar, zeigte den Menschen in seiner Abhängigkeit von Umwelt und Herkunft. Sein Hauptwerk besteht aus der 20-bändigen Romanfolge »Die Rougon-Macquart. Geschichte einer Familie unter dem 2. Kaiserreich«.

Zölibat [der oder das], die sexuelle Enthaltsamkeit und Ehelosigkeit, die in der katholischen Kirche von allen höheren Würdenträgern verlangt wird.

Zoll [der], eine Abgabe auf bestimmte Waren, die über die Staatsgrenze in ein anderes Zollgebiet gelangen.

Zombie [der, kreolisch-englisch], im Glauben des in Haiti verbreiteten Wodu-Kultes *(Voodoo)* ein Toter, der dem gehorcht, der ihn wieder zum Leben erweckt hat. Der Zombie ist heute ein beliebtes Motiv in Horrorfilmen.

Zoo [der], Kurzwort für → zoologischer Garten.

Zoologie [die], die Lehre von den Tieren, Tierkunde, ein Teilgebiet der Biologie.

zoologischer Garten, eine parkartige Anlage, in der alle Arten von Tieren, besonders seltene ausländische Großtiere, gehalten werden, um sie einem breiten Publikum zu zeigen. Zoos werden heute auch zur wissenschaftlichen Erforschung der Tiere in Gefangenschaft, in manchen Fällen zur Erhaltung und Zucht von seltenen und gefährdeten Tieren genutzt. Während die Tiere früher meist in großen Käfigen leben mussten, stehen ihnen heute weitgehend geräumige Freigehege zur Verfügung.

Zoom ['zuːm, von engl. »schnell ansteigen«], **1.** [das], *Zoomobjektiv,* ein Objektiv für Fotoapparate, Film- und Videokameras mit stufenlos verstellbarer Brennweite. **2.** [der], ein Vorgang in der Fotografie und Kameraführung, bei dem die Abbildungsgröße eines Objekts ohne Standortwechsel verändert wird.

Züchtung [die], die planmäßig durchgeführte Paarung bei Tieren oder Bestäubung bei Pflanzen, um Nachkommen mit bestimmten erwünschten Eigenschaften zu erzielen. Nach den Gesetzen der Vererbung *(Mendel'sche Gesetze)* kreuzt man solche Arten, die die gewünschten Merkmale am deutlichsten ausgeprägt haben. Auch → Genetik.

Zucker [der], chemische Verbindungen, die zu den Kohlenhydraten zählen und die von den Pflanzen durch → Photosynthese gebildet werden. Man unterscheidet einfache, nicht weiter spaltbare *Monosaccharide* (z. B. Traubenzucker) und *Disaccharide,* die aus zwei Monosacchariden zusammengesetzt sind (z. B. Saccharose). Als Stärke bezeichnet man große, aus Zucker zusammengebaute Moleküle. Der im Haushalt gebräuch-

Die Zugspitze am Westrand des Wettersteingebirges (Oberbayern) ist der höchste Berg Deutschlands. Im Vordergrund ist der Seebensee zu sehen.

liche Zucker ist Saccharose. Er wird vor allem aus dem Saft der Zuckerrübe und des Zuckerrohrs gewonnen. Er schmeckt süß und hat einen hohen Nährwert. Im Körperstoffwechsel wird Zucker oxidiert. Dabei wird unter Wärmeabgabe Energie zur Betätigung von Muskeln und Drüsen, also zur Arbeitsleistung, frei.

Zuckerkrankheit [die], *Diabetes mellitus,* eine Stoffwechselkrankheit, die meist auf einer Erkrankung der Bauchspeicheldrüse beruht, wodurch die Abgabe von Insulin an den Kreislauf vermindert ist. Dadurch werden die Kohlenhydrate nicht genügend verwertet und der Zuckergehalt des Blutes steigt an. Die Behandlung erfolgt in leichten Fällen mit einer Diät, in schwereren Fällen mit Insulingaben.

Zuckerrohr [das], ein Süßgras, das bis zu 5 m hoch wird, mit Halmen von 3–5 cm Durchmesser. Es wächst in allen feuchtwarmen Ländern. Zur Zuckergewinnung werden die Halme geschnitten und ausgepresst. Der trübe Saft muss geklärt, erhitzt und kristallisiert werden, um Zucker zu erhalten.

Zuckerrübe [die], eine Form der Runkelrübe, deren Wurzel bis zu 20% Zucker enthält. Sie dient in Deutschland als bedeutender Lieferant von Zucker.

Zuckmayer, Carl, * 1896, † 1977; deutscher Schriftsteller. Seine lebensnahen Stücke behandeln Zeitprobleme: »Der fröhliche Weinberg«, »Der Hauptmann von Köpenick«, »Des Teufels General«.

Zug, Hauptstadt des schweizerischen Kantons Zug am Alpenrand, 24 000 Einwohner.

Zugspitze [die], höchster deutscher Berg, in den Alpen südwestlich von Garmisch-Partenkirchen, 2962 m hoch. Die Zugspitze ist von deutscher und österreichischer Seite durch Bergbahnen zu erreichen.

Zugvögel [Pl.], Vögel, die im Herbst ihr Brutgebiet verlassen und in wärmere Länder ziehen, weil sie in ihrem angestammten Brutgebiet im Winter nicht genug Nahrung finden. Dies gilt vor allem für die Insektenfresser. Die in Deutschland brütenden Vögel ziehen meist in die Mittelmeerländer oder nach Afrika. Man unterscheidet die *Tagzieher* (z. B. Stare) und die *Nachtzieher* (z. B. Enten). Dabei sind die Wanderwege anscheinend erblich festgelegt. Die korrekte Richtung finden Zugvögel, indem sie sich am Stand der Sonne, an den Sternen oder – bei bedecktem Himmel – am Magnetfeld der Erde orientieren. Wie Vögel, etwa Störche, zielgenau zu ihrem Nest zurückfinden, ist jedoch bis heute ein Rätsel. Viele Zugvögel ziehen in großen Schwärmen, und manche nehmen eine bestimmte Flugformation ein. So fliegen Enten, Gänse und Kraniche immer in Keilform. Den Streckenrekord hält die Küstenseeschwalbe, die bis in die Antarktis zieht und dort brütet, mit 18 000 km für einen Weg.

Zündkerze [die], eine Vorrichtung bei Verbrennungsmotoren zur Entzündung des im Zylinder verdichteten Gasgemisches. Zündkerzen bestehen aus Isolierkörper, Kabelanschluss und zwei Elektroden aus Hartmetall, zwischen denen der elektrische Zündfunke überspringt.

Zunft [die], ein Zusammenschluss von Handwerkern im örtlichen Bereich. Neben den Verbänden der Kaufleute *(Gilden)* entstanden die Zünfte im 12. Jh. als Pflichtvereinigungen der Handwerker. Sie hatten strenge Satzungen, überwachten Preise und Arbeitsleistungen, bestimmten die Zahl der Meister und regelten die Lehrlingsausbildung. Jede Zunft hatte ihre Wappen. Neben den Patriziern waren die Zünfte in den Städten des Mittelalters von großer Bedeutung. Im 16. Jh. begann mit der einsetzenden Industrialisierung ihr Verfall, 1868 wurden sie aufgelöst. Heute wird ein Teil ihrer Aufgaben von den *Innungen* und den Handwerkskammern wahrgenommen.

Zunge [die], ein bewegliches, muskulöses Organ am Boden der Mundhöhle von Wirbeltieren und Menschen zum Greifen und Schlucken. Die menschliche Zunge dient außerdem der Lautbildung. Sie trägt auf ihrer rauen Oberseite feinste Tast- und Geschmackskörperchen (Geschmackspapillen), an deren Innenseite die Geschmacksknospen mit Schmeckhärchen liegen. Geschmacksknospen, die die vier Geschmacksgrundempfindungen süß, sauer, salzig und bitter vermitteln, befinden sich auch noch an anderen Stellen der Mundhöhle. Erst zusammen mit dem Geruchssinn (Nase) kommt es zum Erkennen der zahlreichen Geschmacksunterschiede.

Zürich, die Hauptstadt des schweizerischen Kantons Zürich im Nordosten der Schweiz, am Zürichsee, 343 000 Einwohner.

Zürichsee [der], ein schweizerischer See im Alpenvorland. Er ist 39 km lang, bis 4,5 km breit und bis zu 143 m tief.

Zuse, Konrad, * 1910, † 1995; deutscher Ingenieur. Er schuf 1941 den ersten voll funktionsfähigen programmgesteuerten und frei programmierbaren Rechner der Welt.

Zweig, Stefan, * 1881, † 1942; österreichischer Schriftsteller. Zweig emigrierte 1938 und beging in Brasilien Selbstmord. In seinen Romanen und Novellen schildert er psychologisch einfühlsam komplizierte, eigenwillige Charaktere: »Verwirrung der Gefühle«, »Ungeduld des Herzens«, »Schachnovelle«.

Zürichsee: Das Seebad Rapperswil liegt am Nordufer des Sees.

Zweitaktmotor [der], ein Verbrennungsmotor, in dem ein Gemisch aus Benzin, Öl und Luft verbrannt wird. Gegenüber dem Viertaktmotor fallen der 4. Takt (Ausschieben) und der 1. Takt (Ansaugen) fort.

Zweiter Weltkrieg → Weltkriege.

Zweites Deutsches Fernsehen, Abkürzung ZDF, eine 1961 gegründete öffentlich-rechtliche Rundfunkanstalt mit Sitz in Mainz, eine Anstalt der Bundesländer Deutschlands. Seit 1984 beteiligt sich das ZDF am Satellitenprogramm 3Sat, seit 1992 an dem europäischen Kultursender Arte und seit 1997 am Kinderkanal (Kika).

Zwerchfell [das], muskulöse Scheidewand, die Brust- und Bauchhöhle voneinander trennt und an der Atmung beteiligt ist.

Zwerge [Pl.], *Wichtel, Heinzelmännchen,* im Volksglauben kleine, alte, meist bärtige menschenähnliche Erdgeister.

Zwickau, eine Industriestadt in Sachsen, 99 800 Einwohner.

Zwiebel [die], **1.** ein unterirdisches Speicherorgan verschiedener Pflanzen, bestehend aus einem stark gestauchten Spross und nährstoffreichen, schalenförmig übereinanderliegenden Blättern; z. B. Tulpenzwiebel. **2.** Küchenzwiebel, wahrscheinlich in den Steppen Innerasiens beheimatetes Liliengewächs mit je nach Art nuss- bis apfelgroßen Zwiebeln.

Zwillinge [Pl.], aus demselben Befruchtungsvorgang hervorgegangene Geschwister. *Zweieiige Zwillinge* entstehen, wenn zwei Eizellen gleichzeitig befruchtet werden. Daraus können gleich- oder verschiedengeschlechtliche Kinder mit der üblichen Geschwisterähnlichkeit erwachsen. *Eineiige Zwillinge* entwickeln sich, wenn aus einer einzigen befruchteten Eizelle in frühen Teilungsstadien zwei Embryonen entstehen. Bei ihnen sind alle vererbbaren Eigenschaften gleich, z. B. Geschlecht, Augen- und Haarfarbe, Blutgruppe. Die seltenen *siamesischen Zwillinge* entstehen, wenn die Trennung in zwei Embryonen unvollständig erfolgt. In diesem Fall sind die Zwillinge an Brust, Rücken, Kopf oder Seiten miteinander verwachsen.

Zwingli, Huldrych (Ulrich), * 1484, † 1531; erster Reformator der Schweiz. Er wandte sich gegen Missbräuche in der Kirche und baute 1522–1525 die vom Staat geschützte Volkskirche auf. Mit *Luther* geriet er vor allem wegen der Abendmahlslehre in Streit. Seine Bemühungen, in den Kantonen der deutschen Schweiz die Reformation durchzuführen, stießen auf Widerstand; die katholischen Urkantone setzten sich gegen die gewaltsame Einführung zur Wehr. Sie besiegten das Heer der Zürcher in der Schlacht bei Kappel 1531, in der Zwingli als Feldprediger fiel.

Zwitter [der], *Hermaphrodit,* ein Lebewesen, das männliche und weibliche Geschlechtsorgane besitzt. Die meisten Blütenpflanzen sind zwittrig; sie enthalten männliche Staubgefäße und weibliche Fruchtblätter in einer Blüte. Zwittrigkeit ist auch die Regel bei niederen Tieren, etwa bei Bandwürmern, Blutegeln, einigen Muscheln und Schnecken.

Zwölffingerdarm [der], ein Teil des Darms bei Säugetieren. Er schließt an den Magenausgang an. Der Name kommt daher, dass seine Länge beim Menschen etwa der Breite von 12 Fingern entspricht.

Zwölftonmusik [die], eine Kompositionstechnik, die um 1923 von Arnold *Schönberg* entwickelt wurde und die bis heute großen Einfluss auf die neue Musik hatte. Die Zwölftonmusik kennt keine Grundton- oder Dreiklangsbezogenheit wie die herkömmliche Musik, sie geht vielmehr von den zwölf Halbtonschritten der chromatischen Tonleiter aus, die in beliebiger Reihenfolge angeordnet werden. Dabei ist zu beachten, dass ein Ton erst nach Ablauf der Reihe wiederkehren darf. Die so konstruierte Tonreihe kann auf unterschiedliche Weise abgewandelt werden.

Zygote [die], die bei der Verschmelzung von Geschlechtszellen (Gameten) entstehende befruchtete Eizelle.

Zyklon [der, griech., »Kreis«, »Drehung«], ein tropischer Wirbelsturm im Indischen Ozean.

Zyklopen [Pl.], in der griechischen Sagenwelt Riesen mit nur einem Auge mitten auf der Stirn.

Zyklus [der], Kreislauf, Umlauf, regelmäßige Wiederkehr, z. B. von Tagen, Monaten, Jahreszeiten.

Zylinder [der], **1.** in der Mathematik ein Körper, der von zwei parallelen deckungsgleichen, krummlinigen Flächen und einer Mantelfläche begrenzt wird. Ein gerader Kreiszylinder (Walze) entsteht, wenn ein Rechteck um eine seiner Seiten gedreht wird. Dabei sind Grund- und Deckfläche parallele Kreise, die Drehachse steht senkrecht auf beiden Flächen. Das Volumen des geraden Kreiszylinders ist $V = \pi \cdot r^2 \cdot h$. Für die Mantelfläche gilt $M = 2 \cdot \pi \cdot r \cdot h$ und für die Oberfläche

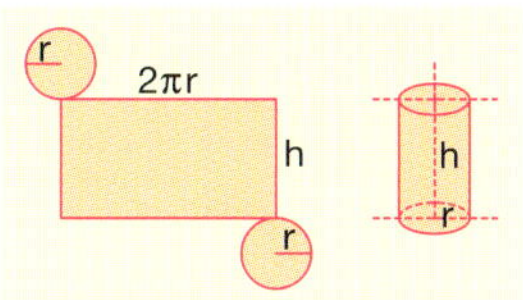

Zylinder (1): gerader Kreiszylinder, links Zylindernetz, r = Radius der Grundfläche, h = Höhe

$O = 2 \cdot \pi \cdot r^2 + 2 \cdot \pi \cdot r \cdot h = 2 \cdot \pi \cdot r \cdot (r+h)$. **2.** in der Technik eine röhrenförmige Bohrung, in der ein Kolben gleitet; z. B. bei Verbrennungsmotoren und Pumpen. **3.** hoher Hut, meist aus Seide.

Zyniker [Pl.], Lästerer, Spötter, verletzend »bissige« Menschen, die die Wertgefühle anderer missachten.

Ländersteckbrief Zypern

Fläche:	9251 km²
Einwohner:	845 000 = 91 je km²
Hauptstadt:	Nicosia/Lefkosia (geteilt)
Religion:	orthodoxe zypriotische Kirche, Islam
Amtssprache:	Griechisch, Türkisch
Währung:	1 Zypern-Pfund = 100 Cents

Zypern: Die Trennungslinie wurde 2003 nach 29 Jahren erstmals geöffnet. Sie trennte den türkischen von dem griechischen Teil Zyperns.

Zypern, Staat im östlichen Mittelmeer.

Der Inselstaat im östlichen Mittelmeer südlich der Türkei ist seit 1975 faktisch geteilt in einen griechisch-zyprischen Teil im Süden und einen türkisch-zyprischen Teil im Norden.

Landesnatur: Den Süden nimmt das ausgedehnte Bergland *Troodos* mit dem *Olympos* (1952 m) ein; im Norden erhebt sich ein 1000 m hoher Gebirgszug, der nach Nordosten in einer Halbinsel ausläuft. Dazwischen erstreckt sich die fruchtbare Schwemmlandebene *Messaria*. Das Klima hat trockenheiße Sommer und feuchtmilde Winter.

Bevölkerung: 80% der Bevölkerung sind orthodoxe Griechen, 19% islamische Türken, daneben gibt es Armenier und libanesische Flüchtlinge. Im türkischen Teil wurden rund 100 000 Anatolier angesiedelt.

Wirtschaft: In der Landwirtschaft überwiegt der Anbau von Getreide, Kartoffeln, Wein, Zwiebeln, Südfrüchten, Tabak, Oliven, Obst sowie Baumwolle. Schaf- und Ziegenhaltung ist weit verbreitet. Die Bedeutung des Bergbaus (Kupfer, Eisen, Chrom, Asbest) ist rückläufig. Schwerpunkt der Industrie sind Nahrungsmittel-, chemische und Textilindustrie. Der Tourismus ist v. a. im griechischen Teil von Bedeutung. – Die Handelsflotte (23 Mio. BRZ) gehört zu den größten der Welt; Haupthäfen sind Famagusta, Limassol und Larnaka. Internationaler Flughafen ist Larnaka.

Geschichte: Im 14./13. Jh. v. Chr. war Zypern ein Zentrum der mykenischen Kultur, um 1000 v. Chr. phönizisch, dann assyrisch, ägyptisch und persisch. 333 v. Chr. kam es zum Reich *Alexanders des Großen*; 294–58 v. Chr. gehörte es zum Reich der Ptolemäer. 58